Weerklank

Voor Jenica,
onze dierbare schoondochter – welkom in ons gezin!

Deborah Raney

Weerklank

Roman

Vertaald door Connie van de Velde-Oosterom

Weerklank is deel 3 in de Clayburn-serie en het vervolg op *Vluchtplaats* en *Ommekeer.*

Andere boeken van Deborah Raney:

Regenseizoen
Vaderliefde
Tweestrijd
Opklaring
Hartenkreet
Twinkeling
Toeverlaat

Postbus 5018, 8260 GA Kampen
www.kok.nl

Oorspronkelijk verschenen onder de titel *Yesterday's Embers* bij Howard Books, a division of Simon & Schuster, Inc., 1230 Avenue of the Americas, New York, NY 10020, USA.

Vertaling Connie van de Velde-Oosterom
Omslagontwerp douglas design
ISBN 978 90 297 1993 3
NUR 302

Heer, hoor mijn gebed,
laat mijn hulpkreet U bereiken.
Verberg Uw gelaat niet voor mij,
nu ik in nood verkeer.
Wil naar mij luisteren,
antwoord mij haastig nu ik roep.

Psalm 102: 2-3

En jullie, kinderen van Sion, wees blij
en barst uit in gejubel om de Heer, jullie God,
want Hij geeft regen om je te verkwikken,
Hij laat de regen overvloedig op je neerdalen,
vroege regen en late regen, elk op de juiste tijd.
De dorsvloeren liggen weer vol met graan,
De perskuipen lopen over van wijn en olie.
Ik zal jullie schadeloosstellen voor de oogst van jaren
die door al die zwermen sprinkhanen is opgevreten…

Joël 2: 23-25

Proloog

Thanksgiving Day

'Weet je zeker dat jullie het zullen redden?' Doug DeVore boog zich over de bank heen om zijn vrouw een kus op haar mond te geven.

Maar Kaye draaide haar hoofd weg, en zijn lippen belandden ergens in de buurt van haar linkeroor.

'Sorry, schat.' Ze trok een rimpel in haar neus en sloeg een hand voor haar mond. 'Je kunt me maar beter niet zoenen. Mijn maag doet vanmorgen een beetje raar. Ik had nooit die milkshake met Rachel moeten delen. Ik ben bang dat ik hetzelfde krijg als zij.' Kaye keek naar hun zesjarige dochter, die in haar armen lag te slapen.

De claxon van de auto klonk vanuit de garage, en even later verscheen Sarah in de deuropening van de keuken. 'Kom nou, pap, opschieten! Landon loopt bazig te doen, en Kayeleigh zegt dat ze naar oma gaat lopen als u niet gauw komt.'

'Zeg maar tegen Landon dat hij moet ophouden en zeg tegen Kayeleigh dat ze geduld moet hebben en niet zo'n brutale toon moet aanslaan.' Hij wierp Kaye een blik toe die naar hij hoopte wanhopig genoeg was. 'Weet je zeker dat je niet liever hebt dat ik bij je blijf?'

Ze keek hem met iets dichtgeknepen ogen aan. 'Zet dat maar uit je hoofd, vriend.' Ze draaide haar mooie gezichtje naar de open haard, waarin het eerste vuur van het najaar knisperde als droge blaadjes op de grond. 'Maar bedankt voor het vuurtje.'

'Ja, nou ja, ik wilde dat ik hier kon blijven om het brandend te houden.' Hij bewoog zijn wenkbrauwen op en neer om te zorgen dat ze zijn toespeling begreep.

Ze schoot in de lach. 'Heel subtiel... en ik neem je aanbod graag aan zodra ik verlost ben van dat akelige kwaaltje dat ik onder de leden heb. Ondertussen denk ik dat ik wel weet hoe ik een vuurtje gaande moet houden.'

Hij streek met zijn hand over haar in de war geraakte haar. 'Ik heb Landon wat hout naar binnen laten brengen, maar als het opraakt, dan ligt er nog een droge stapel op de veranda.' Hij liep naar de open haard en controleerde de regelklep. Sjonge, wat zou hij er niet voor over hebben om Kayes moeder te bellen en die hele Thanksgiving af te zeggen. Om hier bij het vuur te zitten met een goed boek en later naar de wedstrijd te kijken zonder het irritante, onophoudelijke commentaar van Kayes broer.

Hij zuchtte. Geen schijn van kans. Kayes moeder had ongetwijfeld dagen in de keuken gestaan. En Thanksgiving was altijd de laatste keer dat ze Harriet zagen voordat ze naar Florida vertrok voor de winter. En trouwens, als hij thuis bleef, zou het eten waarschijnlijk bestaan uit een handje oudbakken zoutjes en een blik tomatensoep dat hij zelf zou moeten opwarmen.

Met visioenen van de gebruikelijke herrie aan de eettafel en Harley in haar kinderstoel, die soep door de hele keuken gooide – en Kaye te ziek om toezicht te houden – kwam hij op zijn beslissing terug. 'Ik zal wat eten voor jullie meebrengen.'

'Hm-mm... dat dacht ik al.' Kaye schoot in de lach en hij wist dat ze zijn gedachten had gelezen. Zoals altijd.

Hij bukte zich om een pluk haar van Rachels voorhoofd te vegen. 'Sjonge, wat is ze warm.'

Zijn vrouw knikte. 'Ik denk dat dit schatje even helemaal niks zal eten. Maar neem toch maar wat mee, voor het geval dat.'

Kaye was de hele nacht op geweest met Rachel, terwijl Doug net had gedaan of hij het kokhalzen van zijn dochter niet hoorde. Daar voelde hij zich nu wel een beetje schuldig over.

Kaye trok aan zijn mouw. 'Zorg ervoor dat Harley haar muts op heeft als de kinderen haar mee naar buiten nemen. Ik wil niet dat zij ook ziek wordt.'

'Zal ik doen.' Hij pakte zijn jas van de rugleuning van een keukenstoel en zette koers naar de garage.

'Doug...'

Bij het horen van Kayes stem kwam hij terug.

'Ik hou van veel slagroom op mijn pompoentaart.' Ze knipoogde zowaar naar hem.

'Pardon, ik dacht dat je ziek was.'

Ze glimlachte. 'Zo ziek nou ook weer niet.'

De deur naar de garage ging weer open, en Sadie, Sarahs tweelingzusje, stak haar blonde hoofd om de hoek. 'Pa-ap, schiet nou op. Harley begint te huilen...'

Hij wierp Kaye een hoopvolle grijns toe. 'Weet je zeker dat ik niet thuis moet blijven, schat?'

Terwijl ze Rachel dichter tegen zich aan trok, zei Kaye met een opgetrokken wenkbrauw: 'Zodat je me kunt helpen opruimen als ze weer gaat spugen?'

Hij stak een arm door de mouw van zijn jas. 'Ik ga al, ik ga al.' Over kiezen tussen twee kwaden gesproken.

'Dag schat,' riep Kaye hem na.

Haar zachte gelach volgde hem de deur uit, en hij moest onwillekeurig glimlachen.

In één opzicht had zijn vrouw gelijk: ze wist hoe ze een vuurtje brandend moest houden.

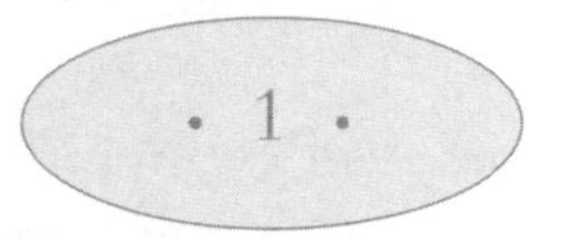

1

De lange rij achterlichten gloeide rood op door de flarden mist die boven Old Highway 40 hingen. Mickey Valdez trapte op de rem met de punt van haar nette, zwarte pump en probeerde een fatsoenlijke afstand te houden van de auto voor haar.

De stoet had de kerk bijna twintig minuten geleden verlaten, maar ze waren nog steeds nauwelijks drie kilometer voorbij de bebouwde kom van Clayburn. De lange rij auto's kroop de heuvel op – als je de glooiende helling van de weg al zo mocht noemen – en voor haar was de weg bezaaid met de rode gloed van remlichten, aan en uit knipperend als evenzovele vuurvliegjes. Terwijl ze de heuvel op reed, kon Mickey de rijen grijze grafstenen die door de mist achter het smeedijzeren hek van het kerkhof van Clayton omhoogstaken, nauwelijks onderscheiden.

Ze streek de rok van haar zwarte rouwjurk glad en probeerde zich te concentreren op het besturen van de auto, terwijl ze haar uiterste best deed haar gedachten niet te laten afdwalen naar de uitvaartdienst waar ze vandaan kwam. Maar toen de eerste lijkwagen het grindpad van de begraafplaats op draaide, verloor ze haar zelfbeheersing. Droge snikken ontsnapten aan haar keel, zonder tranen, en voor deze ene keer was ze blij dat ze alleen in haar auto zat.

De rij auto's kwam bijna tot stilstand toen de tweede lijkwagen stapvoets door de poort reed.

De twee zwarte Lincolns stopten aan de kant van het grindpad en parkeerden achter elkaar, vlak bij de plek waar twee verse graven het gras ontsierden. De chauffeurs stapten uit, liepen naar de achterkant van hun wagen en openden de met gordijnen afgesloten achterdeuren. Mickey wendde haar blik af. Ze kon niet meer naar die twee kisten kijken.

Toen het haar beurt was om onder de hoge, gewelfde, ijzeren poort door te rijden, wilde ze dat ze kon blijven doorrijden. Dat ze naar het westen kon gaan om nooit meer terug te keren. Maar Pete Truesdell stond haar in de weg. Hij leidde het verkeer de omheinde begraafplaats op. Mickey herkende hem bijna niet. Hij droeg een gekreukeld, marineblauw pak met twee rijen knopen in plaats van zijn gebruikelijke overall. Hoe hij iets kon zien door de tranen die in zijn ogen opwelden, was haar een raadsel.

Haar hart brak om de oude man. Ze vroeg zich af of hij op de een of andere manier verwant was aan de familie. Het leek wel of iedereen in Clayburn verwant was aan ten minste een andere familie in de stad. Iedereen, behalve de familie Valdez.

Pete gebaarde de auto voor haar door het hek te rijden en gaf haar met zijn andere hand een stopteken.

Misschien kon ze in de auto blijven tot de rouwstoet de begraafplaats verliet. Ze wilde niet het gevaar lopen dat de kinderen DeVore haar zouden zien... wilde niet het gevaar lopen dat ze voor hun ogen zou instorten. Wat moest ze zeggen? Wat kon ook maar iemand zeggen om goed te maken wat er gebeurd was?

Ze wist niet veel van koolmonoxidevergiftiging, maar ze had gehoord dat Kaye en Rachel gewoon in slaap gevallen waren zonder te weten dat ze in de hemel wakker zouden worden. Ze vroeg zich af of Doug DeVore ook maar enige troost vond in die wetenschap. Misschien was het een schrale troost dat zijn vrouw en dochter deze aarde samen hadden verlaten.

Maar op Thanksgiving Day? Waarom had God hen juist *nu* thuisgehaald?

Ze had Kaye DeVore eigenlijk nooit zo goed leren kennen. Ze hadden beleefdheden uitgewisseld als Kaye de kinderen bij de kinderopvang afzette voordat ze naar haar werk op de middelbare school ging, maar meestal was Doug degene die de kinderen afleverde en ze 's avonds weer ophaalde als hij van zijn werk bij de drukkerij van Trevor Ashton kwam.

De kinderen DeVore waren meestal de laatsten die opgehaald

werden, vooral tijdens de oogst, als Doug lang doorwerkte om zijn boerderij draaiende te houden. Maar Mickey had het nooit erg gevonden om lang te moeten blijven. Thuis wachtte er toch niemand op haar. En ze was dol op die kinderen.

Vooral op Rachel. Lieve Rachel met haar engelachtige gezichtje en ogen waarin altijd een wijsheid leek te liggen die haar leeftijd te boven ging. Mickey had het vreselijk gevonden toen Rachel naar de kleuterschool ging en alleen nog maar een paar uur na schooltijd naar de opvang kwam. Nu dwong ze zichzelf om naar het kleine, witte kistje te kijken dat de dragers uit de tweede lijkwagen haalden. Ze kon het maar niet bevatten dat het vrolijke, zesjarige meisje dood was.

Door de poort zag ze Doug uit een zwarte auto stappen. Een voor een hielp hij zijn kinderen uitstappen. Met de baby op zijn ene arm probeerde hij zijn andere arm om de andere vier kinderen heen te slaan, alsof hij hen kon beschutten tegen wat er gebeurd was. Hoe hij overeind kon blijven onder het gewicht van zo'n tragedie ging Mickeys verstand te boven. En toch, een beschamend, irrationeel ogenblik lang benijdde ze hem zijn verdriet, en zou ze met hem hebben willen ruilen als dat betekende dat ze een liefde gekend zou hebben die het waard was om verdriet over te hebben, of een kind van haar eigen vlees en bloed. Ze schudde de gedachten van zich af, geschokt dat ze zichzelf zo lang had toegestaan ze te koesteren.

Ze zag er enorm tegenop om Doug weer onder ogen te moeten komen als hij de kinderen weer naar de opvang zou brengen. Maar misschien zouden ze niet terugkomen. Ze had gehoord dat Kayes moeder haar plannen om de winter in Florida door te brengen, zoals ze altijd deed, had laten varen. Harriet Thomas zou in Kansas blijven om Doug te helpen, in elk geval een poosje. Wren Johannsen had ook met de kinderen en het huishouden geholpen als ze zich vrij kon maken van het runnen van Wrens Nest, het kleine hotelletje op Main Street. Wren was als een tweede oma voor de kinderen. Gelukkig maar. Zes kinderen, daar zou...

Mickey huiverde en verbeterde zichzelf. Nog maar vijf nu. Daar zou iedereen zijn handen vol aan hebben. De familie DeVore was dit jaar halverwege april op vakantie gegaan, en zonder hun kinderen was het op de kinderopvang die week een stuk rustiger geweest, doodstil zelfs.

*Dood*stil. Ook al was ze alleen in de auto, Mickey kromp ineen bij haar woordkeus.

Ze schrok op van het klopje op de motorkap van haar auto en zag dat Pete haar gebaarde om door de poort te rijden. Ze reed stapvoets over de hobbelige drempel. Nu kon ze niet meer terug. Ze volgde de auto voor haar en parkeerde erachter, naast het hek aan de oostkant van de begraafplaats.

Haar oog viel op een grote, witte grafsteen in de verte en een ontstellende gedachte viel haar in. De laatste keer dat ze hier voor een begrafenis geweest was, was het ook de begrafenis van een moeder en een kind. De vrouw van Trevor Ashlock, Amy, en hun kleine jongen. Komende zomer zou dat vijf jaar geleden zijn.

Alsof hij door haar gedachten opgeroepen was, stopte Trevors wagen naast haar. Mickey keek in haar zijspiegel toe hoe hij parkeerde en daarna zijn jonge vrouw hielp uitstappen. Meg liep met de tred van een duidelijk zwangere vrouw, en Trevor legde een hand op haar onderrug, terwijl hij haar over het hobbelige terrein naar de tent leidde die voor de begrafenis was opgezet.

Mickey keek een andere kant op. Het zien van Trevor bracht nog altijd een golf van verdriet teweeg. Vanwege zijn enorme verlies, ja. Maar egoïstischer, vanwege haar eigen verlies. Ze was als een blok voor hem gevallen na Amy's dood – en had de hoop gekoesterd dat hij dezelfde gevoelens voor haar zou hebben. Dat ze in staat zou zijn om zijn verdriet te verlichten. Maar hij was te diep in de rouw geweest om haar zelfs maar op te merken.

Toen was Meg Anders in het stadje komen wonen en voor Mickey goed en wel wist wat er gebeurde, was Trevor getrouwd. Hij en Meg leken dol op elkaar en Mickey misgunde geen van beiden ook maar een greintje van dat geluk. Maar het betekende niet dat ze immuun was voor een steek van jaloezie als ze hen samen zag.

Deze dag moest ongetwijfeld moeilijk zijn voor Trevor. Het moest voor Doug een troost zijn om Trevor hier te hebben – iemand die in zijn schoenen had gestaan en het toch op de een of andere manier klaarspeelde de volgende ochtend uit bed te komen – en de volgende, en de daaropvolgende.

Opnieuw vroeg ze zich af waarom God hen uitgerekend nu thuisgehaald had. Waar was Hij als er zulke tragedies plaatsvonden? Hoe kon Hij goede mannen dergelijke dingen laten overkomen... de beste mannen die ze kende, op haar broers na? Ze snapte er niets van. En de Enige tot Wie ze zich kon wenden voor een antwoord op haar vragen, had het allemaal laten gebeuren.

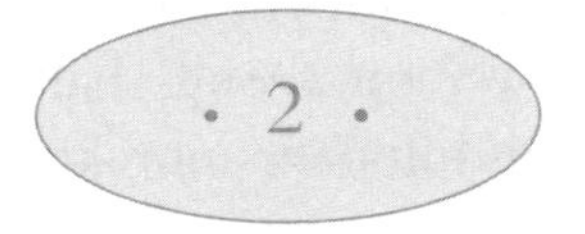

2

Doug zette de motor uit en drukte op het knopje van de afstandsbediening van de garagedeur. Met een knarsend geluid kwam de deur tot stilstand op de betonnen vloer. Het geluid deed hem denken aan het apparaat dat nog maar een uur geleden de kisten in de grond had laten zakken. 'Ga naar binnen, jongens. Nu. En trek je nette kleren uit.'

De gezichtjes van Sarah en Sadie betrokken. Het was niet zijn bedoeling geweest tegen hen te snauwen, maar hij was te moe om zich te verontschuldigen. Kayeleigh en Landon leken het niet op te merken, en Harley lag half te slapen in het autostoeltje, terwijl ze verwoed op haar duim zoog. Hij vroeg zich af hoeveel ze van alles had meegekregen.

'Kayeleigh, wil jij Harley meenemen? Leg haar maar in haar bedje voor een middagdutje.'

'Ze slaapt vannacht niet als u haar nog zo laat in bed legt, papa.' Kayeleigh keek hem aan, alsof ze op een antwoord wachtte.

Toen hij niets zei, begon ze haar zusje uit het stoeltje los te maken.

Hij had niet de kracht om ertegenin te gaan, of om te zeggen dat ze op moest schieten. Waarom zouden ze nog opschieten? De begrafenis was voorbij. Alle anderen waren naar huis gegaan, terug naar hun normale leven. Goede levens, die ze niet waardeerden en waar ze onnodig over klaagden.

Dat wist hij, omdat hij precies zo was geweest. Je beschouwde het als vanzelfsprekend dat je met een kop koffie en de ochtendkrant aan de keukentafel zat, terwijl je vrouw in de badkamer een paar minuten langer onder de douche bleef staan en je kinderen nog sliepen als een roos zoals alleen kinderen dat kunnen.

Zijn kinderen zouden nooit meer zo slapen. Al twee nachten achter elkaar had Landon zijn beddengoed om twee uur 's nachts naar beneden gesleept en op Dougs halfgesloten deur geklopt, jammerend dat hij iemand hoorde inbreken.

Doug sloeg het portier van de oude Suburban met een klap dicht en spoorde de tweeling aan naar binnen te gaan. Uit gewoonte begon hij hoofden te tellen. De tweeling was er... Kayeleigh en Harley, Landon was al binnen. Dat was vijf. Wie ontbrak er?

Zijn knieën begaven het bijna toen het weer met volle kracht tot hem doordrong. *Rachel.* Zijn lieve meisje ontbrak in het rijtje. Voorgoed. Het was al erg genoeg om Kaye te verliezen, maar Rachel ook? Hoelang zou hij uitkijken naar dat zesde, lieve blonde hoofdje, onrustig totdat al zijn kleine vlaskopjes er waren?

Maar hij had hen niet kunnen beschermen. Ondanks zijn opleiding als vrijwillige brandweerman en gediplomeerd vrijwilliger op de ambulance, ondanks alle lezingen die hij op ouderavonden gehouden had over de gevaren van koolmonoxidevergiftiging – niets van dat alles had Kaye en Rachel gered. Hij was wel de *laatste* die dit had moeten overkomen.

Maar niemand denkt ooit dat zoiets hem zal gebeuren. Je denkt nooit dat het je vrouw, je kind zal zijn die ze meenemen in een ambulance. En vervolgens in een lijkwagen.

Hoe moest hij het verdragen? Hij kon zich niet voorstellen ooit weer aan het werk te gaan, ooit weer terug te keren naar iets wat op het leven van alledag leek.

Maar hij had geen keus. Hij moest aan de kinderen denken. Hij was dankbaar voor zijn baan in de drukkerij, blij dat hij betaald werk had om naar terug te keren. Toch had hij voor onbepaalde tijd vrijstelling gevraagd van zijn verplichtingen op de ambulance en als vrijwillige brandweerman. Op dit moment vertrouwde hij zijn eigen oordeel niet – ook al had Blaine Deaver, de brandweercommandant, hem ervan verzekerd dat hij niets had kunnen doen om te voorkomen wat er met Kaye en Rachel gebeurd was.

Aan het eind van de vorige winter had Kaye een schoorsteenveger uit Salina laten komen om de open haard en de schoorsteen schoon te maken, maar kennelijk was het rookkanaal na enkele vorstperiodes en de dooi in de lente daarna door afbrokkelend cement en stenen weer verstopt geraakt.

'Papa?' vroegen Sadie en Sarah. Hun zangerige stemmetjes klonken precies hetzelfde, ook al waren ze geen eeneiige tweeling. 'Wat eten we vanavond?'

Hij had het gevoel dat ze de belegde broodjes na de begrafenis nog maar net achter de kiezen hadden, maar een blik op zijn horloge maakte hem duidelijk dat die kleine maagjes inderdaad weer honger zouden krijgen. Een vreemd gevoel van paniek overviel hem.

Hij kon 's ochtends het koffiezetapparaat aanzetten. Kaye had altijd plagend gezegd dat als zij er niet zou zijn, hij niet eens zou weten hoe hij water moest koken. Helaas was dat ook het enige wat hij opgestoken had van Kayes kooklessen. Hoe moest hij de magen van zijn kinderen vanavond vullen, laat staan morgen en overmorgen en de dag daarna?

Hij opende de deur naar de keuken, waar volkomen stilte heerste. Vier dagen lang had het huis gewemeld van familie en vrienden. Dit was de eerste keer dat hij alleen was, alleen met de kinderen, sinds hij thuisgekomen was en...

Hij stond zichzelf niet toe de zin af te maken. Hij tastte naar de schakelaar aan de keukenmuur en deed het licht aan. De aanblik van het aanrecht vol taartschalen en bakblikken en borden vol koekjes bood een vreemde opluchting. Een stapel lege schalen waar Kayes moeder briefjes op had geplakt, herinnerde hem eraan dat de koelkast nog vol stond met ovenschotels die de buren en vrienden van de kerk gebracht hadden. Hij had nergens trek in, maar zijn kinderen moesten eten. En hij was dankbaar dat anderen daarin voorzien hadden.

Op de een of andere manier lukte het hem alle kinderen uit hun jas en hun nette kleren en in een spijkerbroek en T-shirt te krijgen. Hij schepte royale porties van de een of andere ovenschotel met een heleboel kaas op borden, en zette het eerste bord in de magnetron. 'Hoelang moet ik dit opwarmen, Kayeleigh?'

Zijn oudste dochter keek hem aan alsof hij voelsprieten had gekregen. 'Meent u dat nou? Weet u dat niet?'

'Eén minuut of zo?' Hij drukte op de sneltoets, zoals hij Kaye vaak had zien doen als hij nog laat op het veld aan het werk was geweest of opgeroepen was voor een ambulancerit en ze zijn eten weer moest opwarmen. Hij keek toe hoe het klokje de seconden aftelde, terwijl hij alleen maar in bed wilde kruipen en de dekens over zijn hoofd trekken.

Achter hem hoorde hij Kayeleigh snuffen. *Laat haar alstublieft niet gaan huilen, God. Alstublieft.*

Hij kon haar niet aankijken, maar bleef op de sneltoets drukken, totdat er stoom van het bergje eten in het midden van het bord kwam. Hij warmde het ene bord na het andere op, dankbaar voor het eentonige werkje.

'Dit eten is nog koud, papa.'

Toen hij uit zijn mist tevoorschijn kwam, zag hij Sarah naast zich staan, met een bord in haar mollige handjes. 'Dit eten is nog koud,' zei ze weer, terwijl ze het bord op het werkblad schoof, waar ze nauwelijks bovenuit kon kijken. Hij deed de magnetron open en de lege draaischijf kwam tot stilstand. Hij zette het bord erin, terwijl hij zijn gedachten erbij probeerde te houden.

Aan tafel zat Kayeleigh voor Harleys kinderstoel het vliegtuigspelletje met de lepel te doen, om het kleintje te laten eten. Net als Kaye altijd deed.

Hij legde een hand op Sarahs hoofd. 'Goed, schat. Ga maar zitten. Het is zo klaar.'

Toen hij al het eten had opgewarmd, zette hij een bord voor Kayeleigh neer en ook een bord op zijn plek. Toen ging hij zitten. Hij werd al misselijk als hij naar het eten keek. Er angstvallig voor wakend zijn kinderen aan te kijken, schoof hij een kleverige hap eten op zijn vork.

'Gaan we geen zegen vragen voor het eten, papa?'

Hij keek op. Sadies treurige blauwe ogen, die zo op die van haar moeder leken, keken hem doordringend aan.

Een zegen vragen. Wat een ironie. Met moeite boog hij zijn hoofd. Hij voelde dat de kinderen zijn voorbeeld volgden. 'Hemelse Vader, zegen dit eten en laat het tot versterking zijn van ons lichaam. In de naam van Jezus, onze Heer...'

Het was het standaardgebed dat zijn eigen vader had gebeden. Hij wist niet waar hij dat opeens vandaan had gehaald, maar toen hij zijn ogen opendeed zag hij dat de kinderen hem aanstaarden alsof hij in het Chinees gebeden had.

Sarah verbrak de stilte. 'Waarom bidt u zo?'

Sadie had net zo'n diepe rimpel in haar voorhoofd als haar tweelingzusje. 'Krijgt mama's lichaam ook eten in de grond?'

'Sadie!' siste Kayeleigh.

Sadie negeerde haar grote zus en vroeg met opgetrokken wenkbrauw: 'Is dat zo, papa?'

'Waar heb je het over, schat?'

'Wat u bad... over het eten en de 'sterking' voor ons lichaam. Krijgt mama's lichaam dat ook?'

Misschien had hij er verkeerd aan gedaan om de kinderen naar de lichamen van Kaye en Rachel te laten kijken. Vooral de tweeling leek geobsedeerd door het onderwerp sinds die avond in het rouwcentrum. Hij schoof smakeloze happen eten in zijn mond, bang dat hij zou stikken. 'Eet je bord leeg, meisjes. Het is bijna bedtijd.'

Landon zat te draaien op zijn stoel en keek door het raam naar de roze kleurende hemel aan de westkant van het huis. 'Het is nog niet eens donker buiten.'

Doug volgde Landons blik naar de rij bomen in de verte langs de oever van de Smoky Hill River, en naar het akkerland tussen het huis en de rivier dat zijn vader hem had toevertrouwd. Land waarvan hij altijd had gehoopt het ooit aan Landon door te kunnen geven. Nu Kaye dood was, leek dat een waardeloze belofte om zijn zoon te doen.

Kayes vrolijke, rood-witte gordijntjes met kersenmotief omlijstten het uitzicht. Ze had die gordijnen hier aan deze tafel zitten naaien op een kleine Singer-naaimachine die nog van haar oma was geweest. Hij was altijd van plan geweest een nieuwe voor haar te kopen. Zo'n ingewikkeld apparaat, dat net zo veel kostte als een elektrische grasmaaier – en dat volgens Kaye iedere cent waard zou zijn.

'Het wordt zo donker.' Doug gebaarde met zijn vork. 'Dooreten.'

Kayeleigh schoof haar stoel naar achteren. 'Ik heb geen honger.'

'Ga zitten, Kayeleigh.' Hij staarde haar aan tot ze haar ogen neersloeg.

Maar ze boog haar hoofd en mompelde: 'Mag ik alstublieft van tafel?' Zonder op een antwoord te wachten, stond ze op van tafel en rende de trap op naar de kamer die de meisjes deelden.

Hij liet haar gaan. Hij had niet de energie – of de wil – om met haar in discussie te gaan. Niet vanavond.

Op de een of andere manier lukte het hem de keuken een beetje op te ruimen en de kinderen in bed te leggen. Zelfs Kayeleigh lag al om half negen in bed – of was in ieder geval op haar kamer.

Nu strekte de avond zich voor hem uit. De stilte van het huis weergalmde door zijn hoofd, en hij wreef een beginnende hoofdpijn weg. Hij had het aanbod van Kayes moeder moeten aannemen om vannacht te blijven slapen, om er te zijn voor de kinderen. Maar dan had hij Harriet op de bank moeten laten slapen – of in het bed dat naar Kaye rook.

Trouwens, ze waren vier dagen lang omringd geweest door mensen. Hij was eraan toe om alleen te zijn. Hij slaakte een zucht. Wat bezielde hem? Hij zou er alles aan gedaan hebben, er alles voor over hebben gehad, om nu *niet* alleen te hoeven zijn.

Om tien uur sloot hij het huis af, ging nog een laatste keer bij de kinderen kijken en kroop onder de dekens. In het ledikantje aan het voeteneinde van zijn bed bezorgde Harleys diepe, gelijkmatige ademhaling hem een steek van jaloezie. De peuter kon nog niet begrijpen dat mama nooit meer terugkwam, maar ze had de zakelijke uitleg van de kinderen schijnbaar geaccepteerd – 'mama is er niet, Harley. Ze is nu in de hemel' – alsof ze zeiden: 'mama is even boodschappen doen.'

Hij vroeg zich af of zijn kleine meisje ook maar enige herinnering aan Kaye en Rachel zou hebben. Zijn eigen vroegste herinneringen begonnen pas rond zijn vierde jaar, toen zijn opa bij hen was komen wonen nadat oma gestorven was. Hij had vage herinneringen aan opa, die op deze zelfde plek in zijn bed lag en een verstikt, zielig geluid maakte toen hij huilde, niet wetend dat Doug bij de deur stond te luisteren.

Toen had hij het verdriet van de oude man niet begrepen. Nu trok hij de dekens hoog op en rolde weg van de lege kant van het bed, met zijn gezicht naar de muur.

Hij wilde net zo huilen als zijn opa. Maar de tranen wilden niet komen.

Doug deed de achterdeur van de drukkerij van het slot en ging naar binnen. Hij deed het licht aan en wachtte tot zijn ogen zich aan het licht hadden aangepast, terwijl hij de geuren van de drukkerij opsnoof – papier, inkt, stof en koffie van een dag oud.

Het was een opluchting om de kinderen iedere ochtend achter te laten bij Kayes moeder en te ontsnappen naar de drukkerij. Vandaag zou het zoals iedere donderdag een rustige dag zijn. De wekelijkse *Clayburn Courier* werd op woensdag gedrukt en verspreid en de drukte om de dunne editie van de volgende week de deur uit te krijgen begon pas echt op maandag – voor hem in elk geval.

Hij verwisselde zijn jas voor een drukkersschort dat aan een haak bij de deur hing en sloeg de canvas lus over zijn hoofd. Terwijl hij het schort vol inktvlekken om zijn middel vaststrikte, liep hij langs de lay-outtafels waar de pagina's van volgende week al vorm begonnen te krijgen. Het personeel van de *Courier* – Trevor, Dana Fremont en een paar parttimers – stelde de wekelijkse krant nog altijd op de ouderwetse knip-en-plakmanier samen, hoewel Trevor tot Dana's grote ergernis werkte met een programma dat alles binnenkort naar de computer zou verplaatsen.

Doug bladerde door een exemplaar van de editie van gisteren, verbaasd dat er voor het eerst in bijna drie weken niets in stond over de tragedie die zijn gezin getroffen had. In plaats daarvan werd het voorpaginanieuws beheerst door Kerst en kondigden vrolijke advertenties nog maar twaalf koopdagen aan. Een vreemde mengeling van opluchting en teleurstelling maakte zich van hem meester. Hij had het vreselijk gevonden om Kaye en Rachel naar hem te zien lachen vanaf foto's die hij op Trevors verzoek gegeven had.

Tegelijkertijd stak het hem om te zien hoe de rest van het stadje zo achteloos kon overschakelen naar de feestdagen.

Hij schudde de wrok die zich aan hem wilde hechten van zich af en ging verder met het opruimen van het bureau dat iedereen het zijne noemde. Hij had niet echt een kantoorfunctie, en zijn bureau werd meestal een verzamelplaats van spulletjes, waarvan niemand wist waar hij ze moest laten.

Hij was bijna klaar toen het licht in het winkelgedeelte van de drukkerij aanging. Door de half dichte jaloezieën zag hij Dana rondlopen. Even later ging de achterdeur open en kwam Trevor achterstevoren binnenlopen, met een stapel dozen in zijn armen.

Doug liep snel naar hem toe om de deur voor hem open te houden, maar Seth Berger, de knul die op zaterdagochtend voor Trevor werkte, kwam achter Trevor aan naar binnen en was er eerder dan hij.

Doug begroette hen met een knikje.

Trevor zette de dozen neer en stuurde Seth met een hand op zijn schouder naar Doug toe. 'Seth, dit is Doug DeVore, mijn drukker.'

Seth verplaatste zijn gewicht van de ene voet naar de andere. 'Ja… dat weet ik.'

Doug stak een hand uit en was een paar ongemakkelijke tellen lang bang dat Seth hem zou negeren. Uiteindelijk gaf de knul hem kort een zweterige hand.

'Naast de zaterdag gaat Seth proberen een paar dagen in de week voor schooltijd een paar uurtjes extra te werken,' legde Trevor uit.

Seth zat bij Kayeleigh in de klas, maar Doug herinnerde zich dat Kaye had gezegd dat hij was blijven zitten. Misschien zelfs twee keer, zo te zien. De jongens uit de brugklas die Doug kende, waren onderdeurtjes met sprietige armen, maar deze knul was een kop groter dan Kayeleigh en begon al behoorlijk indrukwekkende spierballen te krijgen. Daar was hij kennelijk trots op ook. Wie droeg er nu een mouwloos shirt midden in de winter?

Doug keek even naar de klok boven de deur. 'Hoor jij nu niet op school te zitten?' Doug had Kayeleigh en Landon nog niet terug naar school laten gaan, maar hij was er vrij zeker van dat het zo vlak voor Kerst nog geen vakantie was.

'De tweede bel gaat pas om tien over acht.' Seth keek met een ruk op naar de klok en trok brutaal een schouder op. 'Het is pas kwart voor acht. En trouwens, zo erg is het nou ook weer niet als ik te laat kom.'

Die snotneus mocht van geluk spreken als hij twintig minuten kon werken voor hij weer weg moest. Maar Trevor zei niets, dus Doug verbeet zich en slikte de preek in die hij afgestoken zou hebben als Seth zijn zoon was. Hoofdschuddend liep hij terug naar zijn bureau.

Rond half twaalf kwam Trevor naar achteren, waar Doug de oude Heidelbergpers aan het schoonmaken was. 'Ik ga naar de espressobar om een broodje te halen. Zin om mee te gaan?'

Uit gewoonte begon hij zijn hoofd te schudden.

'Kom op,' zei Trevor, 'ik trakteer.'

Doug haalde diep adem. Hij had zich sinds de begrafenis op de achtergrond gehouden, en hij was nog niet toe aan alle blijken van medeleven die hij ongetwijfeld zou krijgen als hij zich onder de mensen zou begeven. 'Ik denk dat ik het nog even aan me voorbij laat gaan.'

Trevor hield zijn hoofd iets schuin en nam Doug opmerkzaam op. 'Hé... ik weet hoe het is. Ik weet nog hoe moeilijk het was om mijn gezicht weer te laten zien, om weer in het openbaar te verschijnen, nadat ik Amy verloren had.'

Terwijl hij naar Trevor keek, probeerde Doug zich voor te stellen hoe hij er over vier, vijf jaar uit zou zien. Zou hij dan weer net zo normaal en zo gelukkig ogen als Trevor?

Trevor deed een stap naar achteren, naar de deur. Zijn glimlach was zowel een uitdaging als een hartelijke uitnodiging. 'Kom op. Je kunt het beste gewoon door de zure appel heen bijten. De mensen bedoelen het goed, wat ze ook zeggen, en na een poosje gaan ze weer normaal doen. Dan beginnen ze niet meer te huilen als ze met je praten. En hé, ik kan tussenbeide komen. Als je iemand op je af ziet komen met wie je niet wilt praten, dan geef je me gewoon een seintje en dan gaan we er vandoor.'

Doug aarzelde nog even, maar knoopte toen zijn schort los en sloeg het over zijn hoofd. 'Jij trakteert, hè?' grapte hij.

Trevor schoot in de lach. 'Reken maar. Pak je jas.'

Doug hing het schort op, pakte zijn jas van de haak en stak zijn arm in de mouw. 'Je mag van geluk spreken dat Vienne geen steaks verkoopt in de espressobar.'

Trevor gaf hem een klap op zijn rug en liep achter hem aan door het winkelgedeelte naar de voordeur, die op Main Street uitkwam. Het was maar een klein stukje lopen naar de espressobar, het vroegere Clayburn Café. De dochter van de eigenaresse, Vienne Kenney, had het onlangs veranderd in een moderne espressobar en het omgedoopt tot Café Latte. De meeste mensen noemden het nog gewoon het café, ook al stonden de zelfgemaakte gerechten van Ingrid Kenney helaas niet meer op het menu, nu ze in het verpleeghuis zat. Maar ze hadden behoorlijke broodjes, en de soep die ze in de wintermaanden serveerden, was niet slecht. Soep klonk eigenlijk zo gek nog niet. De wind was bitter koud, en hij was dankbaar dat hij een reden had om zijn kraag hoog op te trekken, toen ze over Main Street liepen.

Er stonden maar twee mensen bij de toonbank te wachten, en die leken hem niet op te merken. Maar toen Doug aan de beurt was, begroette Vienne hem met gebogen hoofd en dat treurige glimlachje dat onderdeel leek uit te maken van een nieuwe taal die iedereen om hem heen plotseling sprak.

Trevor deed een stap naar voren, terwijl hij zijn portemonnee uit zijn zak haalde. 'Hoe gaat het, Vienne? Alles goed met de trouwplannen? Dat komt nu dichterbij, hè?'

Doug deed een stap naar achteren en haalde wat gemakkelijker adem, dankbaar voor Trevors afleidingsmanoeuvre.

Vienne zei stralend: 'Nog tweeënhalve maand. Maar er is nog

vreselijk veel te doen. Waarmee kan ik jullie van dienst zijn?'

Trevor keek naar een schaal verpakte broodjes in de vitrine. 'Ik wil graag een broodje kalkoenfilet. En een kom soep.'

'Dat klinkt goed,' zei Doug, blij dat de keus voor hem gemaakt werd.

'Twee broodjes kalkoenfilet en minestronesoep. Komt eraan.' Vienne legde de broodjes op een bordje en wees met een duim over haar schouder naar de magnetron achter haar. 'Zal ik die broodjes even voor jullie opwarmen?'

'Nee, zo is het goed,' zei Trevor, terwijl hij de bordjes aanpakte.

Doug knikte en keek naar een tafeltje achter in de zaak, bij de open haard. Maar nadat Trevor betaald had, liep hij naar een tafeltje bij de voordeur. Doug volgde hem en ging met zijn rug naar de deur zitten.

Onder het eten praatten ze over het werk, en toen er rond lunchtijd meer mensen begonnen binnen te druppelen, was Doug blij dat Trevor links en rechts mensen groette en hier en daar een praatje aanknoopte, waarbij hij ook hem betrok zonder al te veel aandacht op hem te vestigen.

Ze werkten net de laatste happen weg van het stuk appeltaart waartoe Vienne hen overgehaald had, toen Phil Grady, de predikant van de Community Christiankerk waar Doug en Trevor lid van waren, binnenkwam met de nieuwe jongerenwerker van de Lutherse kerk. Doug herkende de man van een foto die in de *Courier* had gestaan. Dominee Grady ging alle tafels langs om de man voor te stellen.

Doug had Phil Grady altijd graag gemogen. Zijn preken waren doorspekt met humor, maar krachtig en Bijbelgetrouw. Hij was een rots in de branding geweest in de storm van die vreselijke Thanksgiving Day en de nasleep van de begrafenis.

Doug was sinds de begrafenis niet meer in de kerk geweest. Ook al zou het hem gelukt zijn om vijf kinderen op tijd in de kleren te krijgen, dan nog was de gedachte om iedereen onder ogen te komen te moeilijk. En de gedachte om alleen in de kerkbank te zitten nadat alle kinderen naar de zondagsschool waren gegaan, te zwaar.

Vanuit zijn ooghoek zag hij Phil en de jonge man hun kant op komen. Trevor zag het kennelijk ook, want hij schoof zijn stoel naar achteren en stond op om Phil te begroeten. Doug volgde zijn voorbeeld.

Phil glimlachte en stelde hen aan elkaar voor. Met een schalkse blik in zijn ogen legde hij een hand op Dougs schouder. 'John, Doug heeft een heel stel kinders en bij Trevor is er eentje op komst, maar even voor alle duidelijkheid: ze horen allemaal bij mij.'

Ze schoten allemaal in de lach en voor het eerst in lange tijd herinnerde Doug zich weer hoe het was om een gewone man te zijn op een gewone dag. Het voelde goed.

Ze verlieten de espressobar en liepen weer terug naar de drukkerij. 'Bedankt, kerel...' Doug kreeg onverwachts een brok in zijn keel. 'Voor de lunch. Maar ook dat je me mee eruit genomen hebt. Het... het was lang niet zo erg als ik dacht.'

Trevor schudde zijn hoofd. 'Hé, ik weet nog hoe het was. Het valt niet mee.' Zijn adamsappel maakte krampachtige bewegingen in zijn keel.

Doug kon de herinneringen bijna zien rondtollen in Trevors hoofd. Hij zag dat kleine ventje nog voor zich – een miniatuurversie van Trevor, maar met Amy's haarkleur. Hij was de naam van Trevors zoontje al vergeten, en dat vond hij vreselijk. Omdat het betekende dat mensen Rachels naam ook zouden vergeten. En die van Kaye.

Trevor legde even een hand op zijn schouder. 'Zorg gewoon dat je door dit eerste jaar heen komt. Wees blij dat je meteen je eerste Kerst zonder hen moet vieren. Dan zal het volgend jaar iets gemakkelijker zijn. En het jaar daarna weer. Ik weet dat dat nu nog onmogelijk lijkt. Op dit moment *wil* je misschien niet dat het ooit gemakkelijker zal worden. Maar geloof me. Het is een vreselijk cliché, maar het is waar. Het gaat beter mettertijd. Echt. Ik geloof dat God het zo bedoeld heeft.'

Een ogenblik lang kon Doug hem bijna geloven.

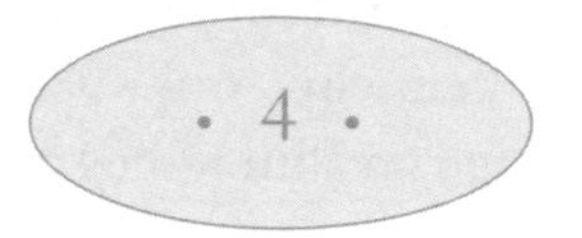

Het gejammer veranderde in gehuil en Doug draaide zich om in bed. ‘Harley huilt,’ mompelde hij, terwijl hij Kaye aanstootte om op te staan.

Maar zijn elleboog belandde in het luchtledige en opeens wist hij het weer. Het vreselijke dat hem overkomen was. Dat hen overkomen was.

Vierentwintig dagen lang was de zon inmiddels opgekomen en ondergegaan zonder zijn vrouw en dochter. Het leek een mensenleven. Over tien dagen was het Kerst en hij klampte zich aan Trevors ‘zorg dat je erdoorheen komt’ vast als aan een reddingsboei.

Hij probeerde de afschuwelijke beelden weg te duwen... dat hij die dag na de Thanksgivingsmaaltijd naar huis gebeld had om te horen hoe het met Kaye en Rachel ging. Dat er niet opgenomen werd. Dat hij de kinderen – *Goddank* – bij Kayes moeder had gelaten en naar huis gerend was om bij zijn zieke meisjes te gaan kijken. Dat hij de deur tussen de keuken en de garage opengedaan had... de vreemde stilte die hem begroette. En toen dat hij de woonkamer binnenkwam en hen samen opgekruld op de bank had zien liggen, net zoals hij hen een paar uur eerder achtergelaten had.

Zijn opluchting om het ontroerende tafereeltje was veranderd in een nachtmerrie die hij de rest van zijn leven niet meer kwijt zou raken. Toen hij dichterbij gekomen was, Kayes naam genoemd had, had hij de rode, onnatuurlijke blos gezien waarmee het gif van de koolmonoxide hun huid gekleurd had.

Hij slingerde zijn benen over de rand van het bed en deed zijn uiterste best om op adem te komen. Zo bleef hij een poosje zitten, terwijl hij probeerde de kwellende beelden van zijn netvlies te krijgen.

In de vage gloed van het nachtlampje zag hij hoe Harley overeind krabbelde en in haar flanellen nachtponnetje stond te jammeren.

Hij stond op en strompelde naar het voeteneinde van het bed, waar ze met haar handjes om de spijltjes van het ledikantje geklemd stond, haar mollige gezichtje glimmend van de tranen. 'Wat is er, schatje?'

Ze stak haar armpjes uit, smekend om opgetild te worden. Hij tilde haar in zijn armen, genietend van haar warmte, genietend van het leven in haar. 'Wil je wat drinken, liefje?'

'Mama?' Harley keek over zijn schouder naar het lege bed, met een vraag in haar slaperige oogjes.

Dougs knieën werden zwak. Hij liet zich in de schommelstoel naast het ledikantje vallen. 'Wil je met papa schommelen?' mompelde hij, terwijl hij haar hoofdje tegen zijn schouder probeerde te leggen, biddend dat ze weer in slaap zou vallen.

Ze trok haar hoofdje terug en lachte naar hem, terwijl ze haar armpjes weer uitstak naar het bed. 'Mama?'

Kaye was altijd degene die opstond als een van de kinderen buikpijn had of wat wilde drinken. Maar hij had twee banen en moest bij het krieken van de dag opstaan om voor Trevor te werken in de drukkerij – nog eerder op de dagen dat de *Courier* uitkwam, of als ze een haastklus hadden – en daarna naar huis om op het land te werken tot het donker werd. En alsof dat nog niet genoeg was, was hij ook nog vrijwilliger geweest op de ambulance en bij de brandweer.

Het spijt me, Kaye. Hij fluisterde in het donker: 'O, God, het spijt me zo.' Kon hij haar maar terugkrijgen, dan zou hij haar zijn leven lang vergoeden wat hij haar in de dertien jaar dat ze samen waren geweest niet had kunnen geven. Ze had zo veel meer verdiend dan dit verwaarloosde boerenbedrijfje. Hij had het niet willen laten schieten uit trots. Het was waar hij was opgegroeid. De enige erfenis die zijn ouders hem hadden nagelaten.

En hoewel er een tweede baan voor nodig was geweest en Kaye

ook moest gaan werken, was het hem gelukt de kleine honderd hectare die zijn vader hem had nagelaten, te behouden. Pa had altijd geloofd dat er betere tijden zouden komen. Doug besloot dat ook te geloven.

Maar het grootste deel van hun huwelijk hadden ze met de opbrengst van de oogst nauwelijks de rekeningen kunnen betalen, en had hij er een 'echte baan' bij moeten nemen, zoals Kayes moeder het noemde, om de eindjes aan elkaar te knopen. Al heel lang waren het zijn baan bij de drukkerij en die van Kaye die brood op de plank brachten, en moesten ze af en toe aanspraak maken op het kleine trustfonds dat Kayes vader hen had nagelaten.

Harley kronkelde en probeerde zich van zijn schoot te laten glijden. Hij droeg haar terug naar haar ledikantje. 'Het is tijd om lekker slapies te doen, Harley.'

Zodra haar voetjes het matrasje van haar bedje raakten, begon ze weer te huilen. 'Mama!'

'Harley. Hou op. Ga liggen, dan zal papa je over je rugje wrijven.' Het was een trucje dat hij kende van Kaye, maar ze wilde er vannacht niets van weten.

Ze kroop over het matrasje naar een hoek van het ledikantje en ging nog harder huilen. 'Nee! Mama. Wil mama!'

'Mama is er niet, Harley.' Hij tilde haar weer uit het bedje en liep de gang op. 'Kom, dan gaan we wat drinken halen.'

In de keuken haalde hij haar tuitbekertje uit de koelkast, maar ze sloeg het uit zijn hand en schudde wild met haar hoofd.

Hij nam haar mee terug naar de slaapkamer en ging weer met haar in de schommelstoel zitten. 'Kom op, Harley. Sst...'

Iedere andere nacht zou dit alles hem alleen maar gefrustreerd hebben. Vannacht brak haar gehuil zijn hart. Hoelang zou dit nog doorgaan voordat Harley eraan gewend was dat mama er niet meer was? Voordat *hij* eraan gewend was?

Hij verbleekte bij die gedachte. Trevor had gelijk gehad. Hij *wilde* er niet aan wennen.

Hij hield zijn dochter tegen zijn borst, ook al stribbelde ze tegen, en wiegde haar zoals hij Kaye had zien doen. Na een poosje stopte ze met tegenstribbelen en veranderde haar gesnik in schokkerige ademstootjes. Het geluid deed iets met hem. Verlamde hem. Hoe moesten ze het ooit redden zonder Kaye?

Het was onmogelijk om de boerderij in zijn eentje draaiende te houden én zijn baan in de drukkerij te behouden, én de kinderen te voeden en te kleden.

Zijn kracht vloeide weg, en hij klampte zich aan het kind vast alsof zij hem op de een of andere manier zou kunnen steunen.

Kayleigh lag op haar rug naar de plafondventilator te staren, die apathisch ronddraaide boven haar hoofd. *Apathisch.* Ze was dat woord tegengekomen in het bibliotheekboek dat ze vanavond had liggen lezen voordat ze het licht uitdeed. Voor deze ene keer had ze er niet overheen gelezen en geprobeerd de betekenis uit de context op te maken. Het was geen woord dat ze al op school bij spelling hadden gehad, dus ze was naar papa's computer gegaan om het op te zoeken. *Mat, loom, lusteloos, inert.* Toen had ze *inert* moeten opzoeken. Ze vond het vreselijk als het woordenboek het ene moeilijk te begrijpen woord gebruikte om het andere te omschrijven. Vanavond had het haar er in elk geval van weerhouden om aan mama en Rachel te denken.

Ze rolde op haar zij. In het andere tweepersoonsbed aan de andere kant van de kamer hoorde ze de gelijkmatige ademhaling van de tweeling. Maar de lege ruimte naast haar voelde aan als een zwart gat. Rachels kant van het bed.

Oma zei dat ze moesten praten over wat er gebeurd was. Dat ze zich verhalen over mama en Rachel moesten herinneren, zodat ze hen nooit zouden vergeten. Alsof *dat* ooit zou gebeuren. Soms wilde ze dat ze *kon* vergeten. Het deed te veel pijn om te blijven herinneren. Meestal wist ze niet om wie ze moest huilen. Als ze aan Rachel dacht en om haar snikte, had ze het gevoel dat ze verraad pleegde tegenover mama. En als ze om mama huilde, maakte ze zich zorgen dat Rachel jaloers zou zijn. Het hielp een beetje om zich voor te stellen dat ze samen in de hemel waren. Ze waren in elk geval niet eenzaam daarboven.

Of wel? Zij had papa en Landon en haar andere zusjes nog, hier beneden, maar daardoor leek wat er gebeurd was juist nog erger. Het deed haar pijn om de afwezige blik in papa's ogen te zien, om hem nooit te zien glimlachen. Om te zien hoe Landon zich helemaal in zichzelf terugtrok. Om de tweeling voortdurend vragen te horen stellen over mama en de hemel.

Zou mama hen van daaruit kunnen zien? Ze kon toch niet gelukkig zijn in de hemel als ze zag hoe verdrietig ze hier beneden allemaal waren?

Ze vroeg zich af of mama aan haar verjaardag gedacht had. Verder had niemand eraan gedacht. Kayeleigh Jane DeVore was drie dagen geleden twaalf jaar geworden, en er waren nog altijd geen cadeautjes of ballonnen, en ze had het ook zonder de gebruikelijke jarige-job-behandeling moeten doen waar mama altijd voor gezorgd had. Oma had een kaart gebracht met tien dollar erin en papa had een briefje van twintig uit zijn portemonnee getrokken en haar dat op de ochtend van haar verjaardag gegeven.

Misschien was er wel een groot feest geweest in de hemel. Mama zei altijd dat de engelen in de hemel feestvierden als je jarig was. Maar het zou fijn zijn geweest als er hier beneden ook taart was geweest.

Een geluid van beneden deed haar overeindschieten in bed. Harley. Ze huilde om mama. Kayeleigh hield haar adem in en wachtte. Papa zou wel opstaan voor haar.

Ze legde een kussen over haar oren en viel weer in slaap. Maar even later schrok ze wakker van een aanhoudend gejammer. Harley lag nog steeds te huilen. Waarom haalde papa haar niet uit bed? Hij moest haar wel horen. Het ledikantje stond nog geen meter bij zijn bed vandaan.

Ze schoof onder de dekens vandaan en ging op de rand van haar bed zitten. De maan wierp een driehoekig stuk licht op de houten vloer en Kayeleigh volgde zijn baan, terwijl ze voorzichtig een weg zocht door het doolhof van knuffeldieren en barbiepoppen op de vloer.

Ze liep op haar tenen de trap af, waarbij ze de plekken vermeed waar de oude treden kraakten. Maar het was niet nodig om op haar tenen te lopen. Harley huilde hard genoeg om het hele huis wakker te maken.

Terwijl ze door de woonkamer liep, probeerde ze niet te denken aan de lege hoek waar de kerstboom had moeten staan. Ze hadden hun boom altijd op de zondag na Thanksgiving opgezet. Ze wist dat er dit jaar geen boom zou komen. Geen kerstfeest. Dat wilde ze ook niet.

De deur van de slaapkamer van papa en mama stond een stukje open en vanuit de gang kon ze het lege ledikantje zien. Ze bleef even staan, omdat ze plotseling hetzelfde gevoel had als afgelopen zomer, toen ze op een ochtend onverwachts hun slaapkamer binnengekomen was en haar ouders zoenend en giechelend aangetroffen had, met naakte schouders boven de dekens, terwijl Harley zachtjes lag te snurken in het ledikantje naast hun bed. Het schaamrood steeg haar naar de kaken bij de herinnering.

Maar mama was dood. Iets deed haar stilstaan en scherper luisteren. Ze hield haar adem in. Het was niet Harley die dat vreselijke geluid maakte. Haar kleine zusje was opgehouden met huilen.

Trillend keek ze om een hoekje van de deur. Papa zat in de schommelstoel met Harley op zijn schoot. Ze lag opgekruld tegen zijn borst en zoog op haar duim, zoals ze altijd deed als ze op het punt stond om in slaap te vallen.

Het vreselijke geluid, kwam van papa. Hij huilde. Hij snikte en kermde – het klonk als het geluid dat Frisky gemaakt had toen hij op de autoweg door een vrachtwagen was aangereden. Ze hadden het hondje daarna moeten laten inslapen.

Kayeleighs hart bonkte zo hard, dat ze bang was dat ze dood zou gaan. In de twaalf jaar van haar leven had ze papa nog nooit zien huilen. Ze wilde zich in zijn armen werpen en met hem meehuilen. Maar haar benen weigerden dienst.

Ze strompelde naar achteren. Zou papa boos worden als hij wist dat ze hem gezien had? Zwaar ademend bleef ze staan, bang dat hij haar zou zien en tegelijkertijd wensend dat hij haar zou zien – wensend dat hij zou *ophouden*.

Maar hij bleef huilen, terwijl hij Harley tegen zich aan klemde. Zijn snikken klonken als harde hikken.

'Pap?' fluisterde ze.

Hij leek haar niet te horen.

Ze riep nog een keer gesmoord zijn naam.

Deze keer stopte hij met huilen, hief zijn hoofd op en keek de gang in. Zelfs in de gedempte, gele gloed van Harleys nachtlampje zag ze dat zijn ogen rood en dik waren. Maar hij keek langs haar heen, en op de een of andere manier wist ze dat hij haar niet zag. Iets in zijn uitdrukking maakte haar bang.

Ze trok zich nog verder terug in het schemerduister van de gang, terwijl ze probeerde te bedenken wat ze moest doen.

Alles was nu stil in huis. Kayeleigh bleef stokstijf staan, met haar schouderbladen tegen de koude deurpost gedrukt. Ze wachtte. Waarop wist ze niet. Tot papa Harley weer in bed zou leggen? Tot hij weer in zijn eigen bed zou stappen?

Maar de enige geluiden die ze nu hoorde, waren de schokkerige ademhaling van haar kleine zusje en het gekraak van de schommelstoel. Heen en weer. Heen en weer.

Uiteindelijk, angstvallig de krakende traptreden vermijdend, sloop ze weer de trap op en kroop terug in het lege bed. Maar de slaap wilde niet meer komen en ze lag wakker tot de zon rood en helder opkwam boven de witte halve gordijntjes die mama voor hun kamer had genaaid.

Toen wist ze dat niets ooit nog hetzelfde zou zijn.

5

Mickey repte zich door het klaslokaal, terwijl ze de laatste kerstversieringen van de muur haalde en het oerwoud aan planten op de zonnige vensterbank die over de hele breedte van het lokaal liep, water gaf. Ze had ze tijdens de kerstvakantie verwaarloosd, maar met een beetje water en wat plantenvoeding zouden ze wel weer opleven.

Het begin van een heel nieuw jaar had iets verkwikkends. Maar de tragische gebeurtenissen van de afgelopen maand temperden haar enthousiasme deze ochtend. Terwijl ze met een schuin oog het raam naar de straat in de gaten hield, zette ze de gieter weg en legde ze papier en vingerverf op de tafeltjes.

De kinderen DeVore zouden vandaag terugkomen, en ze wist niet goed hoe ze hen moest helpen om zich aan te passen. Ze had Doug DeVore niet meer gesproken sinds de begrafenis, hoewel hij een korte boodschap achtergelaten had op het antwoordapparaat van de kinderopvang, waarin hij haar vroeg de plaatsen van de kinderen vrij te houden.

Mary Harms, de bibliothecaresse, had Mickey verteld dat Doug de kinderen de hele maand december van school had gehouden, en dat Kayes moeder niet naar Florida was gegaan waar ze altijd overwinterde, zodat ze bij hen kon blijven.

Wat een verdrietige Kerst moest het bij de familie DeVore geweest zijn. En vandaag, terwijl iedereen vol goede moed aan het nieuwe jaar begon, moesten Doug en de kinderen leren verder te gaan zonder hun moeder en zus. Ze schudde haar hoofd. Soms begreep ze helemaal niets van het leven.

Terwijl ze een stoeltje op peuterformaat onder de puzzeltafel schoof, herhaalde ze de woorden die ze bedacht had nog eens in zichzelf. Ze had wel tien keer geoefend wat ze tegen Doug en de kinderen zou zeggen als ze terugkwamen. Maar nu klonk niets goed. Hoe kon ze ook maar iets zeggen wat niet clichématig en onoprecht klonk?

Toen ze opkeek, zag ze de deur opengaan en een hoofd met een honkbalpet op en neer bewegen boven de boekenkasten. De zenuwen schoten weer door haar lijf, maar ebden al gauw weg toen ze zag dat het Mike Jensen maar was, die zijn kinderen kwam brengen.

Ze had gehoopt dat de kinderen DeVore er als eersten zouden zijn, zodat ze wat tijd met hen zou kunnen doorbrengen en zou kunnen inschatten hoe de kinderen met de nieuwe situatie omgingen.

Ze ging Brett Jensen en zijn zusje Hallie begroeten. Ze gaven hun vader een afwezige afscheidsknuffel en kwebbelden er toen tegen Mickey op los over de cadeautjes die ze met Kerst gekregen hadden. Ze leidde hen naar de leeshoek en installeerde ze met wat boekjes en spelletjes.

Tegen de tijd dat ze weer terugkwam, was Brenda Deaver, haar hoofdleidster, al koffie aan het zetten.

'Hoi, Mickey. Leuke jaarwisseling gehad? Nog iets bijzonders gedaan?'

'Niet echt, hetzelfde als ieder jaar. Ik ben bij mijn broer geweest.' Ze wist dat Brenda's eigenlijke vraag was: 'Heb je een afspraakje gehad?' Ze werd het een beetje zat om iedereen teleur te stellen met haar liefdesleven – of liever gezegd het gebrek daaraan. Misschien moest ze zich maar op de eerstvolgende man storten die de behoefte voelde om te zeggen: 'Je bent zo mooi; ik kan niet geloven dat je niet getrouwd bent.' Alsof schoonheid een soort magische sleutel was voor huwelijksgeluk.

Tijd om van onderwerp te veranderen. 'Hoor eens, Brenda, zou jij het erg vinden om vanochtend het voorleesuurtje voor je rekening te nemen? De kinderen DeVore komen vandaag weer terug en ik wil ze een beetje in de gaten houden.'

Brenda fronste haar voorhoofd. 'Natuurlijk. Die arme kinderen...'

De deur ging weer open en Doug kwam binnen, met een dik ingepakte Harley op zijn arm. Hij stuurde de tweeling naar Mickey en Brenda terwijl hij hen met een knikje begroette, en Harley toen op de grond zette.

Mickey veegde haar handen af aan haar broek en ging hen verwelkomen, waarbij ze de kinderen aandachtig opnam. De tweeling leek vrolijk, alsof het een gewone ochtend was. Ze trokken hun jas uit en liepen achter Brenda aan naar de leeshoek.

Maar Harley bleef met een verdrietig snoetje staan en probeerde haar duim, die nog in haar wantje zat, in haar mond te steken.

Doug hurkte neer en trok haar wantjes uit. Daarna ging hij verder met de koordjes van haar capuchon, die onder haar kin vastgeknoopt zaten. Hij keek even op naar Mickey. 'Ze is nog niet helemaal wakker.'

'Kom, laat mij dat maar doen.' Mickey hurkte naast hem neer en stak haar hand uit naar de groezelige, witte koordjes, terwijl ze met haar ogen toestemming vroeg.

'Ze maken die stomme touwtjes te kort. Of mijn vingers zijn te groot.' Hij keek naar zijn handen alsof hij ze nog nooit eerder had gezien. Er zaten donkere kringen onder zijn ogen en zijn gezicht was magerder dan anders.

Mickey slikte moeizaam en bleef druk in de weer met de natte knoop, terwijl ze haar aandacht op de peuter gericht hield. 'Hoe gaat het vanochtend met jou, Harley? We hebben je gemist. Heb je een fijne Kerst gehad?' Haar hart sloeg een slag over en ze smeekte in stilte dat de onnadenkende, domme woorden in het niets zouden verdwijnen.

In plaats daarvan bleven ze tussen haar en Doug hangen. *Heb je een fijne Kerst gehad?* Was ze nou helemaal gek geworden? Op de een of andere manier was haar zorgvuldig uit het hoofd geleerde toespraakje verdampt en had ze dezelfde nietszeggende woorden uitgesproken waarmee ze de andere kinderen begroet had toen ze binnenkwamen.

Met vuurrode wangen van schaamte ging ze verder met het uit de knoop halen van de koordjes van Harleys capuchon. Ze ritste het jasje open en deed de capuchon af, waaronder blonde krullen tevoorschijn kwamen, die nodig gekamd moesten worden. Toen ze opstond, stond ze op ooghoogte met de kraag van Dougs flanellen overhemd.

Haar keel zat dicht. Ze dwong zichzelf om hem aan te kijken en stamelde een verontschuldiging. 'Het spijt me,' mompelde ze, waarna ze zich realiseerde dat hij waarschijnlijk dacht dat ze zich verontschuldigde voor haar onnadenkende opmerking. Daar kon ze het niet bij laten.

Met gebalde vuisten begon ze opnieuw. 'Ik vind het heel erg wat er gebeurd is. We bidden allemaal voor jou en de kinderen. We zullen Rachel zo missen. En Kaye natuurlijk,' voegde ze er vlug aan toe.

Woorden die in haar hoofd meelevend hadden geklonken, kwamen er lomp en kil uit. *Hou je mond nu het nog kan, Valdez.*

Ze zag dat hij zijn best deed om een glimlach op zijn gezicht te toveren, maar het lukte niet en even was ze bang dat hij zou instorten.

De spieren in zijn kaak maakten krampachtige bewegingen en hij bukte zich om Harley weer op te tillen. 'Bedankt.' Hij hees het meisje op zijn heup en gaf haar een zoen op haar blonde kruintje, waarna hij haar weer neerzette.

Maar ze waggelde weer naar hem toe en hief haar handjes op. Haar gezichtje betrok. 'Papa!'

'Dag-dag, Harley. Jij blijft bij juf Mickey. Papa komt je vanavond weer halen.' Doug wierp Mickey een smekende blik toe en deed een stap naar achteren. Hij draaide zich om en liep met doelbewuste stappen naar de deur, maar Harley drentelde snikkend achter hem aan.

Het brak Mickeys hart. Ze liep vlug achter Harley aan. 'Kom lieverd. Kom maar met juf Mickey mee. Laten we eens kijken waar je zusjes zijn.' Ze tilde het peutertje op, maar Harley begon alleen maar harder te brullen.

'Papa!'

De schrille kreet deed pijn aan Mickeys oren en ze kromp ineen, maar Doug bleef doorlopen. Met een hand op de deurknop draaide hij zich om en wierp Mickey een blik toe die leek te zeggen: 'Help me alsjeblieft een beetje.'

Maar ze had Harley nog nooit zo meegemaakt. Meestal was het kleine meisje een zonnetje. Hoe kon hij zo bij haar weglopen, na alles wat ze had meegemaakt? Ze liep vlug naar de deur, met een brullende Harley op haar arm. 'Weet je zeker dat je haar op deze manier wilt achterlaten?'

Doug keek haar aan. 'Ik heb geen keus. Ik ben al te vaak weggebleven van mijn werk.'

Ze knikte. 'Goed dan.'

Arme Harley. Haar gezichtje was rood en nat van de tranen, maar het huilen werd al wat minder. Snuffend keek ze van de een naar de ander, plotseling geïnteresseerd in hun gesprek.

Mickey liet de peuter op en neer wippen op haar heup. 'Ze lijkt een beetje tot rust te komen. Misschien kan ik haar afleiden. Het komt vast wel goed.' Ze wees met haar hoofd in de richting van de leeshoek, waar Sarah en Sadie rustig zaten. 'Hoe gaat het met de meisjes? Is er iets wat ik moet weten, iets waar ze het extra moeilijk mee hebben?'

Zijn uitdrukking was dof. 'Buiten het voor de hand liggende, bedoel je?'

Zijn sarcastische toon bracht haar even uit haar evenwicht, en ze keek een andere kant op. Dit was een kant van de man die ze nog nooit had gezien gedurende de vijf jaar dat hij zijn kinderen naar de opvang gebracht had. De tranen sprongen haar in de ogen, maar ze knipperde ze weg. Dat hij zich schuldig zou gaan voelen dat hij haar gekwetst had, was wel het laatste wat hij nu kon gebruiken.

Maar hij leek het niet te merken. 'Ik moet ervandoor.' Hij duwde de deur open.

Ze knikte en liep met Harley terug naar de leeshoek. Ze deed haar uiterste best om haar stem niet te laten trillen. 'Laten we eens gaan kijken wat je zusjes aan het doen zijn.'

Harley wees naar de speelzaal en glimlachte verlegen. Mickey zuchtte. Ze had Harley net zo moeten aanpakken als ieder ander kind dat niet achtergelaten wilde worden. Toch was dit anders. Harley was dan misschien nog niet oud genoeg om te begrijpen welke tragedie haar familie getroffen had, maar ze was wel blootgesteld aan hun verdriet. Dat moest ook zijn uitwerking hebben.

Mickey liet Harley onder de hoede van haar zusjes achter, terwijl ze met haar duim in haar mond naar een prentenboek keek, maar het gesprekje met Doug zat haar niet lekker. Ze begreep dat hij niet zichzelf was, maar hij had wel wat meer mee kunnen werken. Onder de gegeven omstandigheden zou ze er niet verkeerd aan hebben gedaan om erop te staan dat hij zou blijven tot Harley een beetje gekalmeerd was.

Toen ze zich omdraaide om naar haar bureau te lopen, zag ze Doug over de boekenkast heen kijken. Ze liep vlug naar hem toe.

'Gaat het weer een beetje met haar?' vroeg hij met een bezorgde rimpel in zijn voorhoofd.

Ze forceerde een glimlachje en merkte dat haar boosheid een beetje wegebde. 'Het gaat prima. Het spijt me dat ik...'

Hij stak een hand op. 'Nee. Ik ben degene die zich moet verontschuldigen. Ik had niet zo tegen je moeten snauwen.' Hij boog zijn hoofd.

'Het geeft niet. Ik begrijp het. Dit moet vreselijk moeilijk zijn... voor jullie allemaal.'

Hij knikte. 'Ik denk dat ze bang is om achtergelaten te worden. Ze wil niet dat er nog iemand uit haar leven verdwijnt.'

'Natuurlijk.' Ze kon zichzelf wel slaan. Zij was degene die de deskundige op het gebied van kinderontwikkeling zou moeten zijn. 'Maak je geen zorgen. We zullen haar geruststellen dat je gauw weer terug komt.'

'Bedankt.' Hij keek op zijn horloge. 'Ik moet ervandoor.'

Ze tilde een hand op. 'Ga maar. Volgens mij komt het wel goed met haar. Met alle drie.'

Doug wierp zijn meisjes nog een laatste, verlangende blik toe, waarna hij zich omdraaide en de deur uit liep.

Een minuut geleden had ze hem nog een klap kunnen verkopen. Maar nu zorgde de aanblik van zijn afgezakte schouders ervoor dat Mickey een arm om hem heen wilde slaan. Arme kerel.

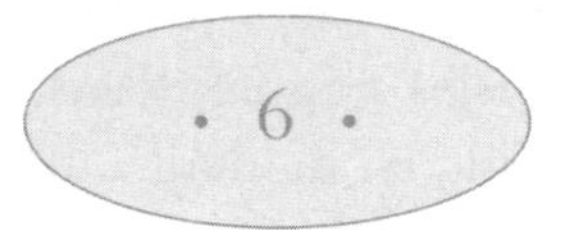

Mickey ritste het jasje van Timothy Plank dicht en gaf hem mee aan zijn moeder. Nu waren ze allemaal opgehaald, behalve de kinderen DeVore. Ze gebaarde naar Brenda Deaver. 'Jij kunt ook wel naar huis gaan, hoor. Ik blijf wel met de kinderen wachten.'

De leidster rolde met haar ogen. 'De kinderen zijn nauwelijks drie weken terug en hij is ze al iedere avond te laat komen ophalen, Mickey.'

'Dat valt best mee. Ik heb met hem te doen.'

'Ga je met hem praten?'

'Hoe kan ik dat nou doen, Brenda? Hij probeert vader en moeder tegelijk te zijn.' De zucht die Mickey slaakte, deed de te lange pony op haar voorhoofd opwippen. Ze had dinsdag een afspraak bij de kapper gemist, omdat Doug te laat was. 'Hij kan het ook niet helpen.'

Brenda zette haar handen in haar zij. 'Ga je de kinderopvang dan iedere avond tot zeven uur openlaten? Als je dat van plan bent, kun je beter nog iemand in dienst nemen.'

'Ik weet het. Maar wat moet ik dan?' Mickey gooide haar handen in de lucht. Brenda was haar enige fulltime werknemer en Mickey had er nu al moeite mee om haar hulp voor de naschoolse opvang en haar invalkrachten te betalen en daarnaast zichzelf en Brenda van een behoorlijk salaris te voorzien.

'Ik dacht dat Kayes moeder bij de kinderen bleef.' Brenda keek even naar de speelkamer.

Het gelach van de kinderen klonk door de ramen die de receptieruimte van de rest van het centrum scheidden. Kayeleigh en Landon waren uit school gekomen en deden een lawaaiig spelletje 'Ik zie, ik zie, wat jij niet ziet' met hun jongere zusjes. Mickey glimlachte. Normaal gesproken had ze hen misschien een beetje tot rust gemaand. Maar het was fijn om te zien dat ze weer wat plezier hadden. Ze waren al te veel dagen van dit nieuwe jaar verdrietig geweest.

Ze wendde zich weer tot Brenda en dempte haar stem. 'Kayeleigh zei dat Harriet een paar dagen terug naar Florida is gegaan om haar appartement daar af te sluiten. Kennelijk blijft ze de rest van de winter in Clayburn. Maar ik kreeg een beetje de indruk dat ze niet veel aan haar hebben.'

Brenda knikte. 'Dat had ik al gezien. Ze is nu niet bepaald Mary Poppins. Maar dan is er in elk geval iemand om...'

De telefoon op Mickeys bureau rinkelde. Ze stak haar hand op. 'Een ogenblikje. Kinderopvangcentrum Clayburn, u spreekt met Mickey.'

'Mickey, met Doug. Het spijt me, maar het wordt weer wat later. Ik moest wat drukwerk afleveren in Ellsworth. Alles goed met de kinderen?'

'Het gaat prima met ze.' Ze gebaarde Brenda dat ze weg kon gaan en nam de telefoon mee naar de deuropening van de speelkamer. 'Je kunt ze waarschijnlijk horen.'

'Ja, ik hoor ze,' zei hij met een lachje in zijn stem. Iets wat tegenwoordig veel te weinig het geval was voor een man die vroeger altijd vrolijk was. 'Het zal waarschijnlijk nog een minuut of twintig duren. Ik rijd net de stad uit, maar ik ben met de bestelauto, dus ik moet eerst nog langs de drukkerij om mijn eigen auto op te halen.'

Dat betekende dat het nog zeker vijfentwintig minuten zou duren. 'Ik zal de kinderen wel thuis brengen. Dan hoef jij niet helemaal terug te rijden.'

'Dat hoef je niet te doen.' Maar zijn stem klonk hoopvol.

'Ik vind het niet erg, ik heb toch niets anders te doen. Ik zie je daar wel.'

'Passen ze wel allemaal in je auto?'

'Ik kan het busje van de kinderopvang nemen. Wacht even, dan kijk ik even of hier wel een autostoeltje is.'

Ze nam de telefoon mee naar de kast en zag het autostoeltje onder een doos met kerstversieringen staan die ze nog niet had opgeruimd. 'Ja, er staat er hier een,' zei ze tegen Doug. 'Dan kunnen we gaan.'

'Bedankt, Mickey. Ik stel het echt op prijs. Ik zal de volgende keer wat extra geld overmaken voor de benzine.'

Ze hielp de kinderen in hun jas. Ze vond het echt niet erg. Dat extra ritje doorkruiste heus geen veelbelovend afspraakje of zo.

Twintig minuten later parkeerde ze het busje achter Dougs auto op de oprit van de familie DeVore. Ze zou het huis nooit gevonden hebben als Kayeleigh en Landon haar niet hadden laten weten waar ze moest afslaan. De twee verdiepingen tellende boerderij stond midden op het terrein, met de voorgevel op het oosten, maar hij lag bijna een kilometer van de weg, verborgen achter een brede windhaag van cypressen. Ten noorden van het huis stond een overwoekerde, bouwvallige schuur, hij leek verbleekt en kaal door tientallen zomers.

Het erf voor het huis lag bezaaid met fietsen in allerlei soorten en maten en op de balustrade van de veranda zaten drie gestreepte katten. Het huis zag eruit alsof er in de loop der jaren talloze keren een stuk aangebouwd was, maar een nieuwe witte verflaag verenigde de lappendeken van toegevoegde kamers met het huis.

Ze maakte Harley los uit het autostoeltje, terwijl de kinderen een voor een uit het busje stapten. Met de peuter op haar heup liep ze achter de andere kinderen het verandatrapje op. Ze verdrongen zich om als eerste naar binnen te gaan, maar Mickey aarzelde. Het voelde wat ongemakkelijk om zomaar naar binnen te banjeren. 'Wacht even. Kayeleigh, is je vader thuis?'

'Zijn pick-up staat er niet,' zei Landon.

Kayeleigh wenkte haar naar binnen. 'Hij heeft hem waarschijnlijk achter het huis gezet. Kom verder.'

Mickey schudde haar hoofd. 'Ik moet naar huis. Maar ik wil er zeker van zijn dat je vader er is voordat ik wegga.'

Kayeleigh trok haar magere schoudertjes op. 'Dat hoeft niet. Ik kan wel oppassen tot hij thuiskomt.'

Mickey aarzelde. 'Ik weet zeker dat je dat kan, maar ik moet echt wachten tot...' Ze schraapte haar keel en begon opnieuw. 'Ik moet blijven tot hij thuiskomt.'

De woonkamer was een zwijnenstal. Er was geen betere manier om het uit te drukken. En het huis rook muf, als een kelder die te lang afgesloten was geweest. De salontafel stond vol vuile borden, en ze moest zich voorzichtig een weg banen tussen speelgoed en stapels kranten en tijdschriften door voor ze een plekje vond om Harley neer te zetten. Ze hielp de tweeling hun jas en handschoenen uit te doen, terwijl Kayeleigh hetzelfde deed bij de baby.

Met de drie jasjes over haar arm vroeg ze aan Kayeleigh: 'Waar moet ik deze ophangen?'

Kayeleigh keek om zich heen in de kamer, alsof ze hier niet haar hele leven al had gewoond. 'Gooi ze maar gewoon op de bank.'

Op de bank stond al een wasmand en er lag een berg witte was die nog maar gedeeltelijk opgevouwen was. Ze stopte de handschoenen van de meisjes in de zakken van hun jas, haalde een stapel ongeopende post van de leuning van de bank en legde de jassen daar.

'Wilt u onze kamer zien, juf Mickey?' Sarah pakte haar ene hand en Sadie de andere, en ze begonnen haar door de met speelgoed bezaaide woonkamer te trekken.

Ze maakte zich los uit hun greep. 'Een andere keer, meisjes. Jullie vader komt vast zo thuis. Het is laat en ik moet terug.'

'Waarom? Zit uw man te wachten op het eten?'

'Hou op, Sadie.' Kayeleigh leek in verlegenheid gebracht. 'Juf Valdez is niet getrouwd.'

'Ja, dommerd,' liet Landon zich horen. 'Waarom denk je dat ze *juffrouw* Valdez wordt genoemd?'

Sadie gaf met een ondeugende grijns te kennen dat ze dat inderdaad wist.

Voor ze kon bedenken wat ze daarop moest zeggen, hoorde Mickey de voordeur dichtslaan. Ze draaide zich om, nog altijd geflankeerd door de tweeling, en zag Doug binnenkomen.

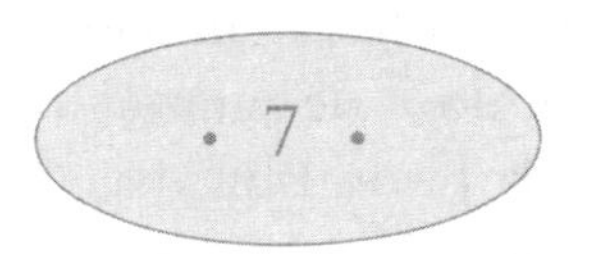

Doug gooide een grote zak van de snackbar op een rommelig tafeltje naast de bank, zette zijn honkbalpet af en groette Mickey met een knikje. 'Hallo.'

Omdat ze zich een indringer voelde, deed ze een stap naar de deur. De tweeling hield nog altijd haar handen vast, maar bij het horen van Dougs stem lieten ze haar los en renden naar de deur. 'Papa!'

Harley slaakte een gilletje en waggelde ook naar hem toe.

Zelfs Landon sprong van de bank, waarop hij met de afstandsbediening voor de tv was neergeploft. 'Hoi, pap.'

Doug kneep even in zijn schouder, gaf de meisjes stuk voor stuk een aai over hun bol en tilde Harley op. Maar hij bleef Mickey aankijken. 'Ik hoop dat je niet al te lang hebt hoeven wachten. Het duurde wat langer dan ik dacht.'

'Nee, we zijn er net. Ik hoop dat je het niet erg vindt dat ik binnengekomen ben. De kinderen hebben me min of meer...' Ze haalde haar schouders op.

Hij schudde zijn hoofd. 'Natuurlijk niet. Ik waardeer het dat je ze thuisgebracht hebt. Het spijt me dat het zo gelopen is.'

'Het is niet erg.' Met een ongemakkelijk gevoel zocht ze haar weg tussen kinderen en speelgoed door naar de deur. 'Ik kan maar beter gaan, zodat jullie kunnen eten.' Ze keek nadrukkelijk naar de zak, waaruit een smakelijke geur van hamburgers en frietjes opsteeg die de muffe lucht van het huis verdreef.

Sarah pakte haar hand weer. 'U kunt bij ons blijven eten. Ja, toch, pap?' Als een uitgelaten puppy bewoog ze met haar hoofdje, waardoor haar krullen op en neer wipten.

Mickey ontweek Dougs blik. 'Dat is lief, Sarah, maar ik moet weg.' Terwijl ze langs hem heen reikte naar de deurknop, keek ze op en dacht dat ze opluchting zag in zijn ogen.

Maar hij verraste haar door de patatzak op te tillen en even heen en weer te schudden. 'Ja hoor. Blijf maar eten. Er is genoeg.' Hij maakte Landons haar door de war. 'Als deze kleine wolfshond zich tenminste een beetje kan inhouden.'

'We delen wel. Ja, toch, jongens?' Dat was Sadie, altijd de bemiddelaar.

Mickey stak haar hand op en deed de deur open, terwijl ze haar hoofd schudde. 'Dank je, maar dat kan ik niet doen.'

'Eet gerust mee.' Doug wenkte haar en nam de zak van de snackbar mee naar de aangrenzende eetkamer.

Ze slenterde achter hem aan en bleef zwijgend staan, terwijl hij bergen folders en een stapel condoleancekaarten van de tafel haalde.

'Zie het maar als je beloning voor het naar huis brengen van de kinderen. Dat is wel het minste wat ik kan doen.'

Ze voelde zich in de val zitten nu ze hem hierheen gevolgd was. Het was ongemakkelijk om hier met hem en de kinderen te zijn. Maar de hamburgers roken lekker en het zou nog pijnlijker zijn om zich nu terug te trekken. 'Weet je zeker dat er genoeg is?'

'O, ja. Geen probleem.' Hij zette Harley op de grond en klapte in zijn handen. 'Kayeleigh en Landon, pakken jullie de papieren bordjes en de servetten even?' Met een schaapachtige blik zei hij tegen Mickey: 'We proberen de afwas hier zo veel mogelijk te vermijden.'

Ze schoot in de lach. 'Dat begrijp ik.' Maar toen ze langs Doug heen de keuken in keek, was het duidelijk dat hij geen grapje maakte. De gootsteen stond vol vuile vaat en het aanrecht was bezaaid met cornflakesdozen en lege sapflesjes.

Doug trok een stoel naar achteren. 'Kom, ga zitten.'

Ze ging zitten, terwijl de tweeling vocht om de stoelen links en rechts van haar. Kayeleigh en Landon zetten enigszins gekreukte papieren bordjes voor iedereen neer. Doug installeerde de peuter in de kinderstoel met een handje Franse frietjes. Terwijl ze haar mond volpropte, sloeg Harley op het blad van de kinderstoel om meer.

Doug gaf haar nog wat en verdween toen in de keuken. Hij kwam terug met een halflege fles ketchup, een tweeliterfles huismerkfrisdrank en een stapel plastic bekertjes.

Kayeleigh deelde broodjes hamburger en frietjes uit, waarbij ze er twee op elk bord legde, behalve op dat van haarzelf. 'Geef Harley allebei een stuk van jullie broodje,' zei ze tegen de tweeling.

'Bedankt, schat, maar ik kan geen twee broodjes op. Alsjeblieft.' Mickey gaf een van haar broodjes hamburger terug.

De tweeling keek opgelucht, maar zij vond het vervelend dat Kayeleigh nog steeds maar één broodje had.

Zonder aankondiging boog iedereen om de tafel het hoofd. Ze baden samen hardop een gebed dat Mickey soms op de kinderopvang gebruikte.

Dank U voor ons mooie land,
Voor het eten uit Uw hand.
Dank U dat de vogels zingen.
Dank U voor de mooie dingen.

Dougs 'amen' leek voor iedereen het signaal om aan te vallen op het eten dat voor hen stond. Kayeleigh pakte haar broodje hamburger uit, scheurde er een stuk af voor zichzelf en legde de rest op het blad van Harleys kinderstoel. Mickey gaf Kayeleigh een knipoog en volgde onopvallend haar voorbeeld.

Ze aten een poosje zonder iets te zeggen, waardoor ieders kauwgeluid duidelijk hoorbaar was.

Landon gaf Sarah een duw met zijn elleboog, terwijl hij naar haar tweede broodje hamburger keek. 'Ga je dat opeten?'

'Ja, dat gaat ze opeten,' antwoordde Doug voor haar. 'Als je nog honger hebt, dan liggen er nog wel een paar appels in de koelkast.'

'Nee. Die zijn smerig, pap. Ze hebben allemaal beurse plekken.'

'O. Nou ja, misschien kan oma er een appeltaart mee maken.'

Harley kraaide om meer eten en Kayeleigh legde nog een handje frietjes voor haar neer.

Doug nam een slok frisdrank en zei met een scheef lachje tegen Mickey: 'Het is alsof je naar een troep varkens rond een trog kijkt, hè?'

'Eerlijk gezegd voel ik me helemaal thuis.' Mickey grijnsde. 'Zo ziet de lunch er elke dag uit op de kinderopvang.'

Ze schoten allebei in de lach en ze ontspande zich een beetje terwijl ze naar het gekwebbel van de kinderen luisterde. Ze had niet langer het gevoel dat ze het gesprek gaande moest houden.

Toen het laatste frietje weggewerkt was, stond Doug op en begon de papieren bordjes en plastic bekertjes op te stapelen, in de hoop dat Mickey de wenk zou begrijpen en naar huis zou gaan. Ze stond op om te helpen, maar hij stak een hand op. 'Doe geen moeite. Ik doe het verder wel.'

Ze liep achter hem aan naar de keuken en rolde onder het lopen haar mouwen op. 'Laat me helpen met de afwas.'

Hij besloot het met een luchtig grapje te proberen en ging met zijn rug naar de propvolle gootsteen staan, terwijl hij zijn armen uitstrekte alsof hij de puinhoop kon verbergen. Hij zei met een diepe stem: 'Sluit je ogen en doe een stap naar achteren. Er is hier niets te zien, mensen.'

'Te laat,' zei ze lachend. Ze had een leuke lach.

'Je hoeft je er niet mee in te laten.'

'Dat vind ik niet erg. Ik kan wel tegen een stootje.' Haar uitdrukking werd serieus. 'Laat me helpen. Het is altijd gemakkelijker met zijn tweeën.' Zodra de woorden over haar lippen waren gerold, kromp ze in elkaar.

Hij herinnerde zich de keer bij de kinderopvang, dat hij haar afgesnauwd had. Daar voelde hij zich nu rot over.

'Het spijt me,' zei ze. 'Het was niet mijn bedoeling om...'

Hij wuifde haar woorden weg. 'Zit er maar niet over in. Ik heb gemerkt dat iedereen de laatste tijd bang is om iets verkeerds tegen me te zeggen.'

Ze knikte.

'Het gaat niet om jou. Alles lijkt een dubbele betekenis te hebben, snap je?'

'Precies.' In haar donkere ogen stond opluchting te lezen. Hij had nooit eerder opgemerkt dat ze zulke mooie ogen had. Hij schudde zijn hoofd, terwijl hij de gedachte probeerde te verdrijven. Waar was hij mee bezig? Kaye was nog geen twee maanden dood en hij stond al te zwijmelen over de mooie ogen van een vreemde vrouw? *Schei uit, De Vore.*

Hij pakte de fles afwasmiddel van het aanrecht en spoot een scheut in de gootsteen waar de minste vaat in stond, waarna hij de hete kraan aanzette.

Mickey ging bij de andere gootsteen staan en ging aan de slag met een pan waarin een dikke laag macaroni aan de bodem geplakt zat.

Doug pakte een vaatdoek en spoelde hem uit in het sop. Hij liep terug naar de eetkamer, waar de kinderen ruzie maakten over waar ze naar wilden kijken op tv. 'O, nee. Uit dat ding. Geen tv tot jullie klaar zijn met je huiswerk,' zei hij.

'Pa-ap,' protesteerde Landon.

Doug onderbrak hem. 'Punt uit.' Hij gaf Kayeleigh de natte vaatdoek. 'Wil jij de tafel even afnemen, zodat jij en Landon aan jullie huiswerk kunnen beginnen?' Hij legde een hand op de hoofdjes van de tweeling. 'Jullie gaan je pyjama aandoen... en neem Harley mee.'

Toen hij zeker wist dat de kinderen allemaal deden wat ze moesten doen, ging hij terug naar de keuken om verder te gaan met de vaat. Mickey had al één gootsteen leeg en begon net aan de tweede.

'Sjonge. Jij bent snel.'

'Ik kom ruimte te kort.'

'Hè?'

Ze wees met haar hoofd naar de wankele stapel borden en kopjes in het afdruiprek.

Hij rolde de mouwen van zijn overhemd op en pakte een paar theedoeken van de rugleuning van een keukenstoel. Hij rook er heimelijk aan, in de hoop dat ze niet al te vies waren, waarna hij er haar een gaf. Ze werkten een poosje zwijgend door, terwijl hij zijn hersens pijnigde om iets te zeggen.

'Ik hoop dat de kinderen lief zijn geweest vandaag,' zei hij uiteindelijk. 'Het spijt me dat ik weer te laat was.'

'Je kinderen zijn altijd lief. Ze zijn nog nooit lastig geweest.'

Hij legde de theedoek neer en keek haar schuins aan. 'Hebben we het over dezelfde kinderen?'

Weer die vrolijke lach. 'Ja, dat hoor ik vaker. Ik denk dat wij de kinderen op hun best meemaken, omdat ze niet moe zijn of honger hebben of te horen krijgen dat ze hun klusjes in huis moeten doen. Kinderen zijn er heel goed in om elkaar de les te lezen. Ze weten dat ze in een omgeving als de opvang lang niet zo veel kunnen maken.' Ze klonk als een professor die een lezing gaf over kinderontwikkeling, en hij wreef hard over een koekenpan die al droog was, terwijl hij zijn gezicht in de plooi probeerde te houden.

Ze leek het niet op te merken, maar spoelde het laatste bord af, waarna ze het in het afdruiprek zette. 'Waar liggen de schone theedoeken? De mijne is een beetje nat.' Ze hield hem omhoog alsof hij bewijs nodig had.

'O, ze liggen in de bijkeuken. Ik pak er wel een voor je.' Hij liep door de deuropening naar de afgesloten veranda, die als achteringang en bijkeuken diende, vurig hopend dat hij een niet al te verfrommelde theedoek uit de droger zou kunnen opdiepen.

'Wie is er hier zo artistiek?' Haar stem achter hem deed hem schrikken. Ze was achter hem aan gelopen naar de deur en keek langs hem heen naar de ezel met zijn half afgemaakte schilderij erop.

Hij schudde zijn hoofd. 'Ik, maar *artistiek* is een beetje te veel gezegd, hoor. Ik had het plan opgevat om te leren schilderen. Het afgelopen najaar heb ik wat lessen gevolgd bij Jack Linder. Maar ik heb ontdekt dat ik er mijn baan niet voor zou willen opgeven.'

Ze schoot in de lach en hij waardeerde het dat ze hem niet probeerde tegen te spreken, of zelfs maar commentaar leverde op zijn werk. Hij wist trouwens niet waarom hij haar dat allemaal verteld had. Het interesseerde haar waarschijnlijk geen snars.

Hij liep langs haar heen en ze liep weer mee terug naar het aanrecht. Samen droogden ze de rest van de vaat af en zij nam de paar vieze plekken in de keuken af met een doekje. Hij moest het hier echt samen met de kinderen opruimen. Zaterdag misschien.

Harley kwam de keuken binnendrentelen. Ze zag er snoezig uit in een pyjamapak met voetjes dat een paar maten te groot was en met haar duim in haar mond. Maar toen ze Mickey zag, trok ze haar duim uit haar mond en liep met opgeheven armpjes op haar af.

Hij kwam snel tussenbeide. 'Kom, Harley, zal papa...'

Maar Mickey tilde het kleintje op alsof ze aan het werk was in het kinderdagverblijf. 'Zie jij er even gezellig uit! Helemaal klaar om naar bed te gaan!'

Harley begon haar hoofd te schudden. 'Nee. Niet bed. Niet bed.'

'Dat zullen we nog wel eens zien,' zei Doug, terwijl hij zijn handen naar haar uitstak.

'O, o, dat was de verkeerde opmerking, geloof ik.' Mickey gaf Harley nog een knuffel, waarna ze haar aan Doug gaf. 'Tot morgen, schatje. Ga maar gauw naar papa. Juf Mickey moet naar huis.'

Harley ging vrolijk naar hem toe, en Mickey leek blij dat ze met goed fatsoen van het toneel kon verdwijnen.

Hij liet haar uit, plotseling gegeneerd dat ze voorzichtig een weg moest zoeken door een mijnenveld van speelgoed en rommel in de woonkamer. Zes kinderen – *vijf* kinderen – konden een huis in een mum van tijd in een puinhoop veranderen, maar Kaye zou het nooit zo uit de hand hebben laten lopen. Zaterdag, dat stond vast. Ze zouden dit huis wel weer eens even op orde maken.

'Landon, doe die tv uit. Ben je klaar met je huiswerk?'

'Ik heb nog het hele weekend, pap.'

Doug deed de deur voor Mickey open en knipte achter haar rug met zijn vinger naar Landon. 'Snap je wat ik bedoel?' zei hij met een schaapachtige grijns.

Ze haalde haar schouders op. 'Bij mij gedragen ze zich voorbeeldig.' Toen deed ze een ongemakkelijke stap achteruit. 'Nou, tot ziens.'

'Ja, tot ziens. Nogmaals bedankt. Dat je de kinderen thuisgebracht hebt en dat je me geholpen hebt met de afwas. Dat stel ik op prijs.'

'*Jij* bedankt voor het eten.' Ze zwaaide over zijn schouder. 'Dag, jongens.'

Ze draaiden zich net lang genoeg om van de tv om terug te zwaaien. 'Dag, juf Mickey.'

Doug bleef bij de open deur wachten tot ze veilig van de veranda en in het busje was. De motor sloeg aan en haar koplampen schenen over de oprit.

Hij deed de deur dicht en leunde ertegenaan, terwijl hij de puinhoop overzag die zijn huis was. Een golf van verlangen – naar Kaye – overspoelde hem, en trok hem mee omlaag.

Harley had haar dekentjes van zich af geschopt en Doug stopte ze in rond haar slapende lijfje. Ze lag op haar buik, met haar duim in haar mond en haar ronde achterwerkje omhoog. Kaye noemde haar altijd het Harleygebergte als ze in die houding sliep.

Hij trok de deur dicht en liep naar boven om bij de andere kinderen te kijken. Landon lag breeduit dwars over zijn tweepersoonsbed. De dekens zaten om zijn magere armen en benen gewikkeld. Wanneer was hij zo lang geworden? De kinderen waren allemaal gegroeid en veranderd in de twee maanden sinds hij Kaye en Rachel verloren had. In zijn hoofd vormde zich een levendig beeld van Kaye, die door de deur naar binnen kwam, alsof ze thuiskwam van een weekje Florida met haar moeder. 'Lieve help,' hoorde hij haar zeggen, zo duidelijk alsof ze naast hem in de kamer stond. 'Ze zijn allemaal een kop groter geworden sinds ik wegging.'

Doug schudde het beeld van zich af, van streek, maar tegelijkertijd vreemd getroost door de herinnering aan Kayes stem. Het zat hem dwars dat hij zich af en toe niet meer voor de geest kon halen hoe haar stem had geklonken.

Hij bevrijdde Landon uit de dekens en dekte hem weer toe. Daarna veegde hij met zijn voet het speelgoed wat opzij, zodat de jongen zijn nek niet zou breken als hij om vijf uur opstond om naar de wc te gaan, zoals hij altijd deed.

Hij liep de gang door om bij de meisjes te gaan kijken. Sadie en Sarah lagen opgekruld in het midden van het bed, rug tegen buik, als theelepeltjes in een la. Hij benijdde hen bijna. Het drong opeens tot hem door dat zij de enige twee van het gezin waren die nu de troost van elkaars warmte hadden.

Hij keek de kamer door naar Kayeleighs bed en bleef abrupt

staan. Er lagen twee gestaltes onder het donzen dekbed. Het beeld trok hem met een ruk twee maanden terug in de tijd, toen hun lieve Rachel Kayeleighs bedgenoot was geweest. Heel even was hij in de war. Had Kayeleigh een vriendinnetje uitgenodigd om te blijven slapen? Dat kon hij zich niet herinneren. Maar ja, zijn geheugen was niet bepaald betrouwbaar de laatste tijd. Maar een extra persoon aan de eettafel zou hij toch wel opgemerkt hebben

Misschien was een van de tweeling bij Kayeleigh in bed gekropen. Maar een vlugge blik op hun bed bevestigde dat hij inderdaad twee krullenkopjes op de kussens had gezien. Hij had zojuist ook Landon en Harley in hun bed gezien. Iedereen was er.

Ze kon maar beter niet een van de vale honden naar binnen hebben gehaald om bij haar te slapen. Terwijl hij zijn ogen in het vage licht tot spleetjes kneep, liep hij op zijn tenen naar Rachels kant van het bed om erachter te komen wie er bij Kayeleigh in bed lag. Wie het ook was, hij lag diep onder de dekens.

Voorzichtig trok hij de dekens terug. Een kussen. Hij trok de dekens nog verder omlaag. Nog een kussen, in de lengte. Kayeleigh lag diep te slapen naast het rijtje kussens. Doug trok de dekens weer over de gestalte die Rachel moest voorstellen heen en stopte ze toen weer om Kayeleighs schouders in, hunkerend naar de dochter die hij verloren had. En voor het eerst realiseerde hij zich de omvang van Kayeleighs verlies.

Ze was de laatste tijd zo narrig geweest, zo afstandelijk. Het leek wel alsof hij alles wat hij zei minstens twee keer moest herhalen omdat ze ergens anders zat met haar gedachten. Hij wist niet of hij dat moest toeschrijven aan verdriet of gewoon aan opspelende hormonen. Kaye had hem al een jaar lang gewaarschuwd dat Kayeleigh gauw in de puberteit zou komen en dat hun misschien een woelige tijd met hun lieve oudste dochter te wachten zou staan.

Met een enorme brok in zijn keel liep hij zachtjes de trap a naar zijn eigen bed. Hij wilde niet nog een dochter kwijtraken. Hij moest een manier vinden om tot haar door te dringen.

Harley bewoog toen hij de koude kamer binnenkwam, maar ze

werd weer rustig en haar ademhaling werd weer gelijkmatig nadat hij nog een deken over haar heen had gelegd.

Hij deed de lamp op zijn nachtkastje uit en kroop diep onder de dekens, in een poging om warm te worden. Hij rolde op zijn rug en staarde naar het plafond. Daarna draaide hij zich op zijn buik en stompte zijn kussen in vorm, niet in staat een prettige houding te vinden. Na tien minuten woelen liet hij zich uit bed glijden en ging naar de woonkamer.

Daar pakte hij een kussen van de bank en nam het mee naar zijn kamer. Hij sloeg de dekens terug en legde het aan Kayes kant van het bed, terwijl hij het voorzichtig in een foetushouding boog – zoals Kaye in koude winternachten sliep. Hij stopte de dekens in rond de levenloze vorm en ging ernaast liggen.

Kayeleigh zat onderuitgezakt op een van de achterste banken van de schoolbus. De gele bus hobbelde over de provinciale weg die mama altijd wasbordweg had genoemd. Ze hield haar handen voor haar oren om niet te hoeven luisteren naar Landon en de andere basisschoolkinderen voor in de bus. Ze wist niet wat erger was – als een klein kind naar de buitenschoolse opvang te moeten na schooltijd, of naar huis te gaan en daar door oma Thomas opgevangen te worden. Waarom liet papa haar niet gewoon een paar uur alleen thuisblijven?

Goed, ze wist wel waarom. Hij was bang dat haar hetzelfde zou kunnen overkomen als mama en Rachel overkomen was. Hij probeerde haar alleen maar te beschermen, en dat vond ze lief van hem, maar kom op, zeg. Ze was niet onverantwoordelijk. Ze deed geen domme dingen. En trouwens, ze was bijna een tiener, en hij kon haar niet altijd blijven beschermen.

Het leek wel alsof papa de laatste tijd ieder vrij moment besteedde aan het repareren van dingen. Sinds de dag na de begrafenis had hij bijna iedere avond met grote stappen door het huis gelopen, op zoek naar iets wat niet goed werkte. Losse scharnieren, kastdeuren die niet goed sloten, de elektrische bedrading in het medicijnkastje in de badkamer. Al die dingen waarover mam hem altijd aan het hoofd had zitten zeuren dat hij ze moest repareren. Nou, nu was het te laat. Al repareerde hij alles in het hele huis, dat zou niks veranderen.

De bus kwam langzaam tot stilstand voor hun oprit. Landon sprong op van zijn stoel achter haar en gaf haar een klap tegen haar achterhoofd. 'Kom op, sufkop. Haal je neus uit dat boek. We zijn thuis.'

'Ik zit niet te lezen, uilskuiken.'

'Nou, word dan wakker uit je slaapje.'

'Hou je kop.'

'Hou zelf je kop.'

Landon negeerde haar en sleepte zijn veel te grote rugzak langs haar heen door het middenpad. Ze keek door het raam toe hoe hij met grote sprongen door de voortuin rende. Hij dacht waarschijnlijk dat hij eerder dan zij bij de laatste chocoprince in de kast zou zijn. Wat hij niet wist, was dat zij haar eigen geheime voorraadje had in de bijkeuken. En daar voelde ze zich absoluut niet schuldig over. Het was de enige manier om ervoor te zorgen dat je af en toe wat lekkers had in dit stomme huis.

Ze zocht haar spullen bij elkaar en stapte de bus uit, terwijl ze over haar schouder zwaaide naar meneer Turner, de buschauffeur. Ze stopte even bij de brievenbus bij de ingang van de oprit, maar die was leeg. Oma had de post zeker al opgehaald.

Toen ze binnenkwam, had Landon zich al breeduit geïnstalleerd voor de tv. Hij zwaaide met een glimmende, lege wikkel in de lucht. 'Ha! Jammer, ze zijn op.'

'Nou en? Kan mij wat schelen! Ik wilde niet eens zo'n stomme chocoprince. Ik hoop dat je voedselvergiftiging krijgt.'

'Kayeleigh,' klonk oma's strenge stem vanuit de keuken. 'Zo praat je niet tegen je broer.'

Landon stak zijn tong uit tegen haar.

Ze stak op haar beurt haar tong uit tegen hem en liep naar de keuken. 'Hallo, oma.'

Ze bereidde zich voor op een preek over beter opschieten met Landon, maar oma glimlachte alleen maar en vroeg haar hoe het op school was geweest.

Kayeleigh haalde haar schouders op. 'Wel goed, hoor. Is er post voor mij?'

'Hoezo, verwacht je iets?'

'Nee, niet echt. Mag ik zien wat er allemaal gekomen is?'

'De post ligt op de eettafel. Maar er zit niks voor jou bij, schat. Het zijn allemaal belangrijke brieven voor je vader.'

'Dat weet ik... ik kijk alleen maar even.'

'Nou, als je maar niks kwijtmaakt.'

'Zal ik niet doen.' Ze liep naar de tafel in de eetkamer en vond daar het stapeltje folders en enveloppen. Ze keek het vluchtig door. Een paar van die stomme aanbiedingen voor creditcards en verder rekeningen, zo te zien. Er zat ook een kaart in een lavendelkleurige envelop tussen. Waarschijnlijk nog een condoleancekaart. De eerste tijd was er een stortvloed aan kaarten gekomen, samen met kerstkaarten, die soms ook aan mama geadresseerd waren. Sommige mensen – degenen die ver weg woonden – hadden het nog niet gehoord van mama en Rachel. Die kaarten maakten papa altijd verdrietig. Dat wist ze, omdat hij als hij ze las altijd een hele poos voor zich uit bleef zitten staren.

Maar na Nieuwjaar waren er bijna geen kaarten meer gekomen. Ze keek even naar de torenhoge stapel op de hoge ladekast. Pap bleef maar zeggen dat hij ze moest beantwoorden, maar dat deed hij nooit. Ze had gehoord dat hij er tegen oma op had gezinspeeld of zij het wilde doen. Maar oma zei dat ze haar eigen stapel had om te beantwoorden.

'Mag ik deze condoleancekaart openmaken, oma?'

Haar oma verscheen in de deuropening, met een theedoek in haar hand. 'Ik weet het niet, aan wie is hij geadresseerd?'

Kayeleigh las de voorkant van de envelop. 'Doug DeVore. Het is waarschijnlijk een condoleancekaart.'

'Laat eens zien.' Oma pakte de kaart aan. 'Hm, geen afzender.

Hij ziet er niet uit als een condoleancekaart. Het lijkt meer op een uitnodiging.'

'Mag ik hem openmaken?'

'Hij is toch niet aan jou geadresseerd?'

'Nee, maar van papa mag ik altijd de kaarten openmaken,' zei ze hoopvol. Ze merkte dat oma ook vreselijk nieuwsgierig was. Zij ook, nu het misschien een uitnodiging was.

'Nou ja, ik denk... als je vader jou de kaarten laat openmaken... Maar zeg niet dat het mocht van mij.'

'Zal ik niet doen.' Ze scheurde de envelop open, terwijl haar oma over haar schouder meekeek.

In de envelop zat een tweede, kleinere envelop. Daarop stond alleen maar: *Doug DeVore en introducé.*

'En introducé?' zei oma verontwaardigd. 'Wat ongepast.'

Kayeleigh snapte niet wat ze daarmee bedoelde. Ze haalde een glanzende, crèmekleurige kaart uit de tweede envelop. 'Het is een trouwkaart.'

Oma keek over haar schouder. 'Van wie?'

Kayeleigh las de met sierlijke letters gedrukte tekst. 'O, hij is van Vienne, van de espressobar. Ze gaat trouwen met die kunstenaar bij wie papa op schilderles gezeten heeft.'

'Jackson Linder. O, ja. Ik kan me herinneren dat ik hun verlovingsbericht heb zien staan in de *Courier.*'

'Volgens mama heeft papa waarschijnlijk Jacks leven gered toen hij van het dak van de espressobar viel.'

Oma knikte. 'Ik was in Florida toen het gebeurde, maar je moeder heeft het me verteld. Je vader heeft heel wat levens gered.'

Behalve dat van mama en Rachel. Kayeleigh negeerde het beschuldigende stemmetje in haar hoofd en draaide de binnenenvelop om om het adres te lezen. 'Waarom staat er "en introducé" op?'

Oma snoof weer, alsof ze het iets vreselijks vond. 'Het betekent alleen maar dat je vader iemand mag meenemen naar de bruiloft.'

Kayeleigh slaakte een kreetje. 'Mij?'

Oma's bedenkelijke blik veranderde in een lachje. 'Of mij.'

'Oma...' Heel even dacht Kayeleigh dat ze het meende. Ze liet de adem die ze ingehouden had ontsnappen toen ze de twinkeling in haar oma's ogen zag.

Maar oma werd al gauw weer serieus. 'Laat je vader maar beslissen of hij erheen wil, Kaye. Misschien is hij nog niet klaar voor zoiets.'

Kayeleigh nam niet de moeite om oma erop te wijzen dat ze haar moeders naam tegen haar gebruikt had, alweer. Papa deed dat soms ook. In plaats daarvan stond ze zichzelf toe te dagdromen dat ze samen met papa naar de bruiloft zou gaan. Dan zou ze haar roze jurk aan kunnen trekken. De jurk die mama voor haar gemaakt had om tijdens de kerstviering in de kerk aan te trekken. Ze had die jurk nooit aangehad. De kerstviering was drie weken nadat mama en Rachel gestorven waren, en papa vond het geen goed idee om naar de kerk te gaan. Ze wist nog altijd niet goed waarom.

Het maakte niet uit. Ze zou waarschijnlijk toch niet hebben kunnen zingen zonder te huilen. Maar ze had de mooie jurk sinds die tijd al een aantal keren aangepast en ermee door haar kamer gedanst als de tweeling sliep, terwijl ze net deed alsof alles nog net zo was als voor het ongeluk. Alsof mama en papa naar de kerstviering waren gekomen om haar *Er is een roos ontsprongen* te horen zingen. Ze kon ze haast naast elkaar in de gymzaal van de middelbare school zien zitten, met Harley klappend in haar handjes op papa's schoot. Ze schudde het droombeeld van zich af. Soms wist ze niet meer wat er werkelijk gebeurd was en wat ze alleen maar gewenst had in haar verbeelding.

Wat werkelijk gebeurd was, was dat papa juffrouw Gorman gebeld had en tegen haar gezegd had dat Kayeleigh pas na Oud en Nieuw weer op school zou komen. Haar vriendin Rudi had haar verteld dat juf Gorman Kayeleighs solo aan Lisa Breck gegeven had toen ze hoorde dat ze niet mee zou doen. Lisa was daar tenminste niet steeds op teruggekomen, zoals ze anders altijd deed.

Ze las de uitnodiging nog een keer. De bruiloft was op 10 maart. Ze zou papa vragen of ze de uitnodiging op het prikbord boven

haar bed mocht hangen. Maar ze zou hem eerst mee naar schoo
nemen om erover op te scheppen. Ze wist zeker dat Lisa Breck
niet eens uitgenodigd was.

In maart zou het lente zijn. En in de lente zou papa vast we
weer eens ergens heen gaan. Misschien was een bruiloft precies wa
hij nodig had om hem eraan te herinneren hoe fijn hij het vond
om onder de mensen te zijn, hoe leuk hij altijd was geweest.

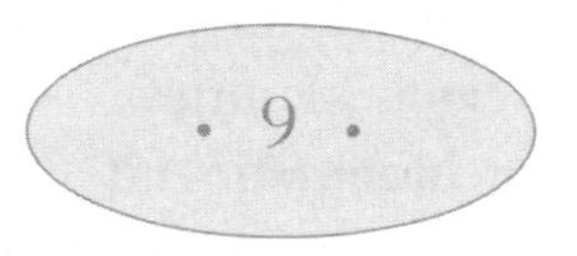

Mickey vulde de gieter bij het kindergootsteentje in de hoek van de speelkamer en keek naar de winderige, maartse lucht. Ze zou blij zijn als ze een paar van deze planten weer buiten in haar tuin zou kunnen zetten. Terwijl ze de vergeelde blaadjes van een doorgeschoten philodendron plukte, bekeek ze de rest van de planten. Ze begonnen een beetje weg te kwijnen. Deze winter had ze er te weinig naar omgekeken.

Ze goot flink wat water op de aarde in de bloempot en ging verder naar de volgende plant. Brenda zei weleens plagend dat ze haar planten net zo vertroetelde als de kinderen in het kinderdagverblijf. Dat was niet waar, natuurlijk, maar Brenda begreep waarschijnlijk niet hoeveel het voor haar betekende om omringd te worden door het groene bladergordijn – vooral als de winterdagen korter werden en de zon zich veel te weinig liet zien.

Brenda had zelf kinderen. Ze was al op haar eenentwintigste moeder geworden. Ze kon niet weten hoe het was om ernaar te verlangen een baby van jezelf in je armen te houden, maar die wens jaar in jaar uit niet in vervulling te zien gaan.

Zo lang ze zich kon herinneren had Mickey ervan gedroomd om een groot gezin te hebben, net als het gezin waarin ze opgegroeid was. Toen ze op de middelbare school zat, had ze nooit gedacht dat ze op haar dertigste nog vrijgezel zou zijn.

En de huwelijkskandidaten lagen in Clayburn bepaald niet voor het oprapen, zoals haar broers graag zeiden. Ook al waren haar broers en hun vrouwen allemaal uit Clayburn weggetrokken nadat allebei hun ouders overleden waren, het lukte de familie Valdez nog altijd om ieder eerste weekend van de maand bij elkaar te komen – meestal in Ricks huis in Salina. Ze was dol op haar neefjes

en nichtjes. Ze had er vier van elk, en Ricks vrouw Angie kon n
ieder moment nog een meisje krijgen. Maar het was niet hetzelfd
als het hebben van haar eigen kleintjes.

Ze kneep een puntig bloemetje uit een coleus, die ze voo
de winter naar binnen had gehaald. Het was verleidelijk om d
bloempjes te laten bloeien, maar de kleuren van de bladeren – d
ware schoonheid van de coleus – waren helderder als de bloempje
werden weggeknepen zodra ze verschenen. Dat was een van d
vragen die ze God zou stellen zodra ze in de hemel kwam. Waaron
zou Hij een bloem scheppen die het veld moest ruimen voorda
hij tot volle bloei kon komen?

Ze wist niet of ze gelukkig zou kunnen zijn als ze alleen doo
het leven zou moeten gaan, zonder ooit te weten hoe het was on
te bevallen, om een kind borstvoeding te geven. Ze wilde in d
ogen van haar kinderen kijken, zoals haar broers en hun vrouwe
deden. En dan papa's Cubaanse trekken zien in de bruine oge
en het ravenzwarte haar van een klein meisje, of hun moeder
Zweedse bloed in de blauwe ogen en de onverzettelijke kaak va
een klein jongetje.

Mickey had van beide ouders evenveel geërfd. Ze had de donke
re ogen van haar vader en haar moeders lichte huidskleur. Het wa
een combinatie waar haar vriendinnen op de middelbare schoo
jaloers op waren geweest, maar soms zou ze liever haar moeder
zijdezachte, witblonde haar en blauwe ogen hebben gehad. Maa
zelfs als dat haar zou hebben geholpen om bij de Europees-Ame
rikaanse bevolking van Clayburn te passen, de naam Valdez – e
het katholieke geloof dat daarbij hoorde – zou haar nog altijd i
een uitzonderingspositie hebben geplaatst in een telefoonboek vc
Andersens en Petersens, Schmidts en Johannsens.

Ze zou het nooit tegen haar broers durven zeggen, maar eerlij
gezegd had ze altijd gehoopt op een kans om haar naam te veran
deren om een man te kunnen vinden. Haar broers waren allema
met een Latijns-Amerikaans meisje getrouwd – dat ze Mexicaar
waren in plaats van Cubaans maakte niet uit. Ze hadden zich aan

gesloten bij de kerk van hun vrouw en hadden stuk voor stuk een groot, lawaaiig gezin gesticht. En ze waren gelukkig. Misselijkmakend gelukkig. Ze leken zich niet misplaatst te voelen in het Middenwesten. Ze waren natuurlijk ook niet in Clayburn blijven hangen. Rick was gaan studeren en Tony en Alex waren meteen na de middelbare school een vakopleiding gaan volgen. En ze waren sindsdien alleen nog naar Clayburn teruggekomen om haar op te zoeken.

Ze schaamde zich niet voor haar Cubaanse afkomst, maar haar moeders Zweedse bloed stroomde ook door haar aderen. Puur inheems Clayburnbloed. Waarom herinnerden de mensen zich dat niet?

Ze zou haar achternaam nooit verloochenen, maar ze zou het ook niet erg vinden om hem ooit van zich af te schudden. Misschien zou iedereen dan niet meer automatisch aannemen dat haar vader aan de spoorweg had gewerkt (wat hij inderdaad had gedaan) en dat haar moeder tegen opa Swensons wil haar lutherse geloof vaarwel had gezegd om met pap te kunnen trouwen in de katholieke kerk (wat ze inderdaad had gedaan).

Papa was een goede man geweest en hij had zijn gezin goed onderhouden. Opa Swenson had hem bijna alles vergeven toen Mickeys broers geboren werden. Maar mama had altijd gezegd dat het Mickey was geweest die uiteindelijk zijn hart had laten smelten. Ze werd Michaela Joy genoemd, naar Michael Swenson, en daarmee was het pleit beslecht.

Opa stierf toen Mickey tien jaar was, maar ze had mooie herinneringen aan de witharige man met dezelfde glinsterende blauwe ogen als mama.

Ze miste haar ouders en het deed haar pijn te bedenken dat haar kinderen hun papa en nana Valdez nooit zouden kennen zoals de meeste kinderen van haar broers. Ze keek de speelkamer in en zag de tweeling DeVore met Harley spelen. Soms leek het zo onlogisch dat God toestond dat iemand als Kaye DeVore stierf, terwijl Mickey Valdez, die niemand had die van haar afhankelijk was, niemand die 's avonds op haar wachtte, er zonder kleerscheuren van afkwam.

Papa en mama hadden hun vier kinderen altijd voorgehouden dat het leven niet eerlijk was, niet *verondersteld* werd eerlijk te zijn, maar dat weerhield Mickey er niet van zich af te vragen *waarom*. Als God almachtig was, zoals ze altijd had geleerd, dan had Hij de macht om de onrechtvaardigheden in de wereld in evenwicht te houden. Waarom *zorgde* Hij er niet gewoon voor dat het leven eerlijk was?

Ze keek even op de klok. Doug zou zo komen. Hij was veel stipter geworden met het op tijd ophalen van de kinderen sinds die avond dat zij ze thuis had moeten brengen. Mickey vermoedde dat Brenda iets tegen hem gezegd had, hoewel ze dat ontkende. Hoe dan ook, al weken had geen van hen meer langer hoeven blijven om op Doug te wachten.

Ze had nog vaak teruggedacht aan de keer dat ze bij hen thuis was geweest. Kayeleigh en Landon waren sinds eind januari niet meer naar de naschoolse opvang gekomen, omdat Kayes moeder terug was die de kinderen na schooltijd opving. Met de tweeling en Harley leek het goed te gaan – ze lachten en speelden net zo veel als de andere kinderen, hoewel ze meer dan eerst bij elkaar leken te blijven en minder met de andere kinderen speelden. Ze vroeg zich onwillekeurig af wat voor blijvende emotionele schade ze zouden hebben opgelopen. Zelfs als volwassene had het verlies van je moeder nog een enorme invloed op je leven.

Ze hoorde de voordeur opengaan en zag hoe Doug zich een weg baande door het doolhof van meubeltjes op peuterformaat en boekenkasten naar de plek waar zij stond.

Hij vroeg met een hoofdgebaar naar de gieter in haar hand. 'Probeer je een beetje groen in je leven te houden?'

'Dat probeer ik, ja. Ik heb ze de laatste tijd een beetje verwaarloosd. Ze zien er nogal verlept uit.'

Hij kneep het blad van een hibiscus tussen zijn wijsvinger en duim. 'Flink wat water geven en ze leven wel weer op.'

Ze zuchtte. 'Ik hoop alleen dat ik er niet te lang mee heb gewacht.'

Hij schonk haar een meelevend lachje, terwijl hij zijn portemonnee uit zijn zak haalde. 'Ik wil mijn rekening betalen.'

'O, goed. Ik zal even een kwitantie uitschrijven.' Ze zette de gieter neer en liep naar de archiefkast.

Doug liep achter haar aan, draaide een stoel bij haar bureau om en ging er schrijlings op zitten. Hij haalde een cheque uit zijn portemonnee en pakte een pen uit het pennenbakje dat ooit door een kind van het kinderdagverblijf was gemaakt.

Het gekras van zijn pen stopte en het drong tot haar door dat hij wachtte tot ze hem het bedrag zou noemen. 'O, neem me niet kwalijk.' Ze controleerde de uren en noemde het bedrag.

Hij vulde het in en gaf haar de cheque, terwijl hij naar het prikbord achter haar keek. 'Ik zie dat jij ook uitgenodigd bent voor de bruiloft.'

Ze draaide zich om naar de kaart op het prikbord. 'O, ja... van Jack en Vienne. Ga jij?' vroeg ze. Ze had nog niet besloten of ze wel of niet zou gaan. Waarschijnlijk wel naar de kerk, voor Vienne. Maar na de huwelijkssluiting was er een receptie en een feest in Café Latte en ze wist niet of ze zichzelf daaraan wilde blootstellen.

'Ik denk wel dat ik ga. Kayeleigh kan over niets anders meer praten sinds de dag dat de uitnodiging in de bus viel.'

Mickey glimlachte. 'Ik was op die leeftijd ook dol op bruiloften.' Het was waar, maar ze vertelde hem er niet bij dat ze de laatste tijd alleen maar dienden om te benadrukken wat ze niet had.

Doug was plotseling geheel in beslag genomen door een losse draad in het vloerkleed, waar hij met de neus van zijn schoen overheen wreef. 'Heb jij enig idee wat een man moet aantrekken bij zo'n gelegenheid? Ik hoef toch geen smoking te huren of zo?'

Ze zei met een lachje: 'Nee, je kunt gewoon een net pak aan. Maar het liefst wel met een stropdas.'

Hij trok aan de kraag van zijn sportieve overhemd alsof alleen a de gedachte aan een stropdas hem claustrofobisch maakte. 'Goed dan. Nou, misschien zie ik je daar dan wel.' De schaapachtige grijn die hij haar toewierp bezorgde haar een raar gevoel in haar buik.

Misschien zou ze toch wel naar dat feest gaan. Op haar uitnodiging stond *en introducé*. Misschien kon ze een van haar broers lenen om haar die avond te begeleiden. Dat was altijd beter dan thuis zitten kniezen.

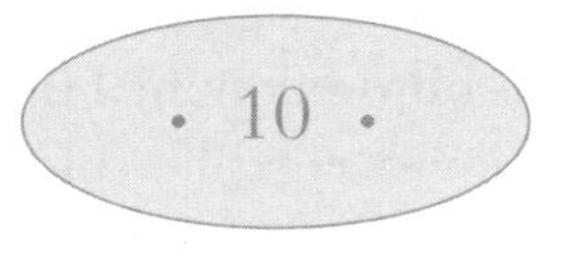

Doug gaf een ruk aan zijn stropdas en rekte zijn hals om zichzelf te kunnen zien in de achteruitkijkspiegel van de pick-up.

'U ziet er prima uit, papa.' Kayeleigh wierp hem een veelbetekenend lachje toe. 'Heel knap.'

Beschaamd omdat hij betrapt was terwijl hij zich als een meisje had zitten opdirken, gaf hij haar een klopje op haar knie. 'Jij ook, jongedame. Dat is een mooie jurk. Heeft oma die voor je gekocht?'

Ze snoof. 'Nee, pap. Weet u dat niet meer? Die heeft mama voor me gemaakt. Voor de kerstuitvoering.'

'De kerstuitvoering? Van vorig jaar? Past die nog?' Hij kon zich niet herinneren dat hij haar die jurk eerder had zien dragen.

'Van afgelopen Kerst.' Ze keek recht voor zich uit, door de voorruit, en zag eruit alsof ze elk moment kon gaan huilen.

'O... ja, natuurlijk.' Had hij iets verkeerds gezegd? Er leek de laatste tijd niet veel voor nodig te zijn om haar in tranen te krijgen. Hoe kreeg hij het voor elkaar om altijd precies het verkeerde te zeggen? 'Nou, je ziet er ontzettend leuk uit.'

Ze keerde zich naar hem toe met een verlegen lachje en een bibberende kin. 'Bedankt.'

Ze legden de rest van de weg naar de stad in stilte af. Kayeleigh streek voortdurend met haar handen over de rok van haar jurk, zodat hij bang was dat ze er een gat in zou maken. Ze moest net zo zenuwachtig zijn als hij. Hij was nooit dol geweest op bruiloften, maar als Kaye er was geweest, zou hij gewoon haar voorbeeld gevolgd hebben. Kaye was het middelpunt van ieder feest, en waar ze ook samen naartoe gingen, haar levendige persoonlijkheid had de weg gebaand en ervoor gezorgd dat hij het er goed vanaf bracht.

Het was al meer dan drie maanden geleden – meer dan een kwartaal – en het deed nog steeds pijn om aan haar te denken. Hoe moest hij alleen die kerk binnenlopen? Hij gaf Kayeleigh nog een klopje op haar knie. Hij wist eigenlijk niet of hij wel zo blij was dat ze hem overgehaald had om te gaan, maar als hij dan toch ging dan was hij blij dat hij zijn dochter bij zich had.

Hij keek vanuit zijn ooghoek naar haar. Sinds wanneer was ze zo volwassen geworden? Zoals al hun kinderen had Kayeleigh het dikke, blonde haar van haar moeder. Maar ze had meer van de De-Vores dan van de Thomassen. Haar gelaatstrekken waren scherper dan het fijne Thomas-profiel dat de andere kinderen geërfd hadden. Toch was Kayeleigh net zo knap als haar moeder, ook al zat ze nu nog in die slungelige prepuberfase. Hij had tot zijn ergernis opgemerkt dat haar figuur al heel lichte vrouwelijke rondingen begon te krijgen. Hij durfde er niet eens over na te denken hoe hij *dat* aspect van de opvoeding onder ogen moest zien zonder Kaye.

Hij reed de parkeerplaats van de Community Christian Church op en zette zijn auto naast de wagen van Pete Truesdell. Kayeleigh had haar hand al op de portierhendel.

'Heb jij de kaart?'

Ze hield de veel te grote – en veel te dure – felicitatiekaart omhoog die zij had helpen uitzoeken. Die kaart kostte bijna evenveel als het knisperende briefje van twintig dat hij erin gestopt had. Hij kon bijna horen hoe Kaye hem uitmaakte voor gierigaard, maar hij moest aan zijn kinderen denken en ze zouden krap bij kas zitten tot de oogst binnen was. Als zijn tarwe tenminste geen hagelschade opliep. Hij stapte uit de auto en keek even naar de lucht. Donkere wolken pakten zich dreigend samen boven hun hoofd. 'Kom voordat we nat regenen.'

Hij liep om de auto heen en pakte Kayeleighs hand, en ze renden over het parkeerterrein. Hij duwde de deur van de kerk open en liep achter haar aan naar binnen. De hal was versierd met kaarsen en linten. Kaye zou het geweldig hebben gevonden. Kayeleigh vond het geweldig. Ze keek stralend naar hem op.

Een meisje in een feestelijke jurk gaf elk van hen een liturgie, en een in smoking gestoken zaalwacht – een van de jongens van Brunner, vermoedde hij – ving hen in de zaal op. 'Vrienden van de bruid of de bruidegom?'

Doug haalde zijn schouders op. 'Van allebei, eigenlijk.'

De zaalwacht bood Kayeleigh zijn arm aan. Giechelend stak ze haar arm door de zijne, maar ze moest bijna rennen om de langbenige knul bij te houden. Hij bleef bij de vijfde bank van voren staan en gebaarde dat Kayeleigh daar plaats mocht nemen.

Doug liep achter haar aan naar het midden van de rij en voelde de ogen van de mensen in de banken op hen gericht. Hij was blij dat ze zaten en de banken achter hen ook vol raakten. Twee lege plekken scheidden hen van het middenpad links van hem, en hij ging gemakkelijk zitten, blij dat hij ruimte had om zijn benen te strekken. Het duurde niet lang. Hij moest weer recht gaan zitten toen een van de andere broers Brenner Mickey Valdez naast hem liet plaatsnemen.

Hij glimlachte en mompelde een groet. Mickey zag er fantastisch uit. Haar kaneelkleurige haar zat niet in de gebruikelijke paardenstaart, maar viel prachtig rond haar schouders, en ze droeg glinsterende oorbellen.

Kayeleigh boog zich langs hem heen en zwaaide naar juf Valdez. Hij merkte dat Mickey net zo met haar handen over haar rok streek als Kayeleigh onderweg naar de stad had gedaan. Misschien waren het niet alleen zenuwen. Misschien zat er een reden achter.

Even later kwam Jack Linder door een deur achter het podium, gevolgd door Trevor Ashlock en nog een man, die Doug niet kende. Hij voelde een rukje aan de mouw van zijn pak en zag Mickey naar zijn liturgie wijzen. 'Mag ik die even inzien?' fluisterde ze.

Hij gaf haar zijn liturgie en wees naar het exemplaar dat Kayeleigh zat te bekijken. 'Hou maar. Wij hebben er nog een.'

De organist hield een lange noot aan en sloeg met een hand de bladmuziek om. De atmosfeer in de kerk leek te veranderen en hij herkende een lied dat hij eerder op bruiloften had gehoord. Misschien zelfs op hun eigen bruiloft. Hij keek over Kayeleighs schouder naar de liturgie. *Trompet Voluntaire* stond er. Kayeleigh draaide zich half om naar de ingang van de zaal. Alle anderen leken ook die kant op te kijken.

Plotseling, als op een onzichtbare wenk, stond iedereen op. Doug stootte Kayeleigh aan en ze stonden ook op en keken achterom waar een zeer elegante Vienne Kenney aan de arm van Pete Truesdell over het middenpad schreed. Ze had een stralende glimlach op haar gezicht, maar had alleen oog voor Jack.

Doug herinnerde zich diezelfde blik in Kayes ogen toen zij door het middenpad van die grote kerk in Salina was komen lopen. Hij had haar nog nooit zo mooi gevonden… tot op de dag dat ze de pasgeboren Kayeleigh in zijn armen had gelegd. En later die lieve Rachel…

Zijn ogen prikten en hij moest zijn blik afwenden.

Kayeleigh trok aan de achterkant van zijn jasje en fluisterde 'Papa, ik kan het niet zien.'

Mickey moest het gehoord hebben, want ze wenkte Kayeleigh om aan de andere kant naast haar te komen staan, bij het middenpad. Doug legde zijn handen op Kayeleighs schouders en schoof haar voor hem en Mickey langs, terwijl hij de leidster een dankbare glimlach toewierp.

Vienne bleef bij de voorste rij staan, waar haar moeder voorovergebogen in een rolstoel zat. Het was akelig om Ingrid Kenney zo broos te zien, maar ze wierp haar dochter een stralende, scheve glimlach toe en hief haar hoofd op om Viennes kus in ontvangst te nemen.

Pete droeg de bruid over aan Jack en het bruidspaar liep naar voren. Terwijl iedereen in de zaal weer plaatsnam, schoof Kayeleigh gauw weer voor Mickey langs om naast Doug te gaan zitten. Hij sloeg een arm om zijn dochter heen en genoot van haar warmte naast hem. Niets was beter dan een bruiloft om een man eraan te herinneren hoe eenzaam hij was.

Jack gaf met krachtige, heldere stem zijn jawoord. Doug was

oprecht blij voor hem. De arme man had een moeilijke tijd achter de rug, en het was fijn om te zien dat hij zijn geluk gevonden had. Hoeveel sneller zou Jack zijn alcoholverslaving overwonnen hebben – of zelfs helemaal vermeden – als God hem een glimp van deze dag had geschonken?

Even verlangde Doug hevig naar een glimp van zijn eigen toekomst. Als het waar was wat er in al die condoleancekaarten stond, dat de tijd ooit de scherpe kantjes van zijn pijn zou wegnemen, dan zou hij misschien weer kunnen gaan leven. Hij trok Kayeleigh dichter tegen zich aan.

Iedere ochtend deed hij plichtmatig wat er van hem verlangd werd, klokte hij in bij Trevor, deed zijn werk op de boerderij en haalde de kinderen op van het kinderdagverblijf.

Hij kon zichzelf niet toestaan al te veel na te denken over wat er van zijn leven geworden was, want hij wist niet zeker of zo'n leven wel de moeite waard was. Maar voor zijn kinderen *moest* hij doorgaan.

11

Kayeleigh zat bij het raam van Café Latte en hield haar vaders stoel bezet met haar roze tasje en de liturgie van de trouwerij. De espressobar leek totaal niet meer op de zaak waar papa haar en Landon een paar weken geleden mee naartoe had genomen voor een beker warme chocolademelk. Ze bevond zich nu in een prachtig versierde feestruimte, met een glanzend geboende vloer en bloemdecoraties langs de open haard.

Precies op het moment dat Jack en Vienne hun bruidstaart van drie etages aansneden, kwam papa terug van het ophangen van hun jassen. Met een glinstering in zijn ogen propte Jack een stuk van de witte taart in Viennes wachtende mond. Kauwend en lachend stopte ze haar sluier weg achter haar schouders en gaf Jack een stuk taart. Overal flitsten camera's. Het leek wel op die stroboscooplampen, die Seth Berger afgelopen zomer op zijn verjaardagsfeestje had.

Kayeleigh trok een rimpel in haar neus. 'Hebben u en mama dat ook gedaan?'

Papa kreeg een afwezige blik in zijn ogen. 'Ja, dat hebben wij ook gedaan. Het is traditie.'

Terwijl ze toekeek hoe de bruid het glazuur uit haar krullende haar probeerde te krijgen, besloot Kayeleigh ter plekke dat ze die traditie niet op haar bruiloft wilde. Maar ze wilde wel een toost uitbrengen met druivensap in mooie glazen en haar arm door die van haar bruidegom haken om een slokje te nemen, terwijl ze elkaar in de ogen keken.

Het orkestje begon te spelen en Kayeleigh slaakte een zucht. Ze hoopte dat ze er op haar trouwdag net zo mooi uit zou zien als Vienne Kenney. En dat God haar net zo'n knappe man zou geven als Jackson Linder. Ze keken elkaar aan alsof er niemand anders in de zaal was. Toen de muziek wegstierf, kuste Jack Vienne – en niet met de snelle, zachte kus die hij haar gegeven had zodra de dominee hen tot man en vrouw verklaard had. Deze keer deed zijn kus alle mensen klappen en juichen. Kayeleigh voelde haar gezicht warm worden.

Haar vader knipoogde naar haar en gaf een klopje op zijn stoel. 'Hou mijn plekje bezet. Ik ben zo terug.'

Ze knikte en keek toe hoe papa het zaaltje doorliep en een man een hand gaf. Waarschijnlijk iemand die hij kende uit de drukkerij. Toen papa's gezicht die droevige uitdrukking kreeg, wist ze dat de man iets over mama en Rachel zei. Maar toen praatten ze nog wat verder en moest papa zelfs lachen om iets wat hij zei. Daardoor voelde ze zich beter.

Papa draaide zich om en liep terug in haar richting, maar Wren Johannsen hield hem tegen. Nog altijd glimlachend omhelsde hij haar. Ze zei iets en wees toen haar kant op.

Ze zwaaide naar Wren en Wren zwaaide terug, maar toen nam Wren papa mee naar de plek waar juf Valdez zat. Papa verplaatste zijn gewicht van de ene voet op de andere en zag er een beetje verlegen uit.

Vanuit haar ooghoek zag ze Seth Berger haar kant op komen. Ze keek een andere kant op, maar hij had al oogcontact gemaakt. Haar handen begonnen te zweten. Wat moest hij van haar? *Kom op, pap. Schiet een beetje op… schiet een beetje op.*

Maar op hetzelfde moment dat ze die woorden dacht, hoopte een ander deel van haar vurig dat Seth haar zou aanspreken. Ze veegde haar handen af aan haar rok en ging met haar tong langs haar lippen.

'Hoi, Kayeleigh…' Seths stem sloeg over en hij schraapte zijn keel. 'Hoe vind je het hier?'

Hij droeg een wit overhemd met een stropdas. In zijn donkere haar zat gel, en hij had het laten knippen sinds ze hem vrijdag op school had gezien. Hij zag er echt knap uit.

Ze boog zich om hem heen om te kijken waar haar vader was. Ze ontdekte hem in de buurt van juf Valdez. Ze stonden tamelijk ver uit elkaar en praatten gewoon met elkaar, maar toch bezorgde het haar een raar gevoel om hem daar zo te zien staan.

'Wie zoek je?'

Ze keek weer naar Seth. 'Mijn vader. Hij zou zo terugkomen.'

Seth volgde haar blik. 'Hé, hij praat met die leidster van het kinderdagverblijf. Sjonge, wat een stuk is dat.'

'Seth!'

'Nou, het is toch zo.'

'Ze is oud genoeg om je moeder te zijn.'

Seth trok een wenkbrauw op. 'Of de jouwe.'

De manier waarop hij dat zei stond haar niet aan. Alsof haar vader iets had met juf Valdez.

Seth legde een hand op haar schouder. 'Kom op. Zullen we wat te drinken gaan halen?'

'Goed.' Met vlinders in haar buik liep ze achter hem aan naar de tafel met hapjes en drankjes en ze verloor haar vader uit het oog.

Na een paar minuten met Seth gekletst te hebben, voelde ze zich niet meer zo zenuwachtig. Ze kreeg hem zelfs een paar keer aan het glimlachen. Het was prettig om op een feest te kunnen praten met de knapste jongen die er rondliep.

Over Seths schouder heen zocht ze in de drukte naar papa. Ze vroeg zich af wat hij zou doen als hij haar met Seth zag. Haar vader stond nog altijd in de buurt van juf Valdez, en ook al moest ze bijna op haar tenen staan om over Seths schouder heen te kunnen kijken, ze bleef hen in de gaten houden, of ze wilde of niet.

Ze praatten met elkaar, met hun mond vlak bij elkaars oor, om boven het orkestje uit te kunnen komen. Ze lachten. Veel.

Ze had juf Valdez nog nooit zo mooi en knap gezien. In plaats van de paardenstaart of het knotje dat ze meestal op het kinderdagverblijf droeg, hing haar haar nu los tot op haar schouders. Ze lachte op die manier waarop Lisa Breck lachte als ze de aandacht van een bepaalde jongen probeerde te krijgen.

De muziek speelde nu mama's lievelingslied. Kayeleigh kende de woorden uit haar hoofd. Terwijl ze de tekst in haar hoofd meezong, probeerde ze papa's blik te vangen. Maar hij had alleen aandacht voor juf Valdez en leek een en al vrolijkheid. De enige keer dat ze papa zo had zien lachen was – als hij met mama samen was.

Terwijl ze naar Seth bleef luisteren, voelde ze zich verscheurd vanbinnen. Ze wilde dat papa gelukkig was. Ze had gehoopt dat deze bruiloft hem weer in herinnering zou brengen hoe hij moest glimlachen. Maar ze had niet gerekend op dit misselijke gevoel in haar maag. In al haar dagdromen over deze avond had ze zich voorgesteld dat papa hier met *haar* zou lachen, niet met juf Valdez. Hij deed niet echt iets verkeerds. Maar om de een of andere reden had ze het gevoel dat ze een andere kant op moest kijken – dat ze net moest doen alsof ze hen niet naar elkaar had zien glimlachen.

En papa leek zijn belofte om 'zo terug te zijn' helemaal te zijn vergeten. Ze zou zo weer gaan zitten en als papa bij juf Valdez bleef staan, zou ze het een of andere smoesje verzinnen om hem te halen. Misschien zou ze tegen hem zeggen dat ze zich niet lekker voelde. Haar maag deed *inderdaad* een beetje raar.

Voor ze een smoes kon verzinnen, hield het orkestje ineens op met spelen. Ze deed een stap naar achteren. 'Ik eh… ik ga een poosje zitten.'

Seths gezicht betrok. Hij stond wat te schuifelen. 'Oké. Misschien spreken we elkaar straks nog?'

'Misschien.' Ze draaide zich om en liep vlug naar de plek waar zij en papa hadden gezeten. Ze zag dat hij zijn weg terug zocht tussen de mensen door. Ze glimlachte, maar toen zag ze dat juf Valdez meteen achter hem aan kwam, met die grote lach op haar gezicht.

'Ik ga wat punch halen voor Mickey – voor juf Valdez.' Papa straalde helemaal. 'Wil jij ook wat, Kayeleigh?'

'Ja, goed.' Hij was zijn belofte echt helemaal vergeten.

Even later kwam hij terug, met drie plastic bekertjes perzikkleurige punch in zijn handen, en wenkte haar mee te komen naar de plek waar juf Valdez stond. Toen die haar zag, klaarde haar gezicht op. 'Hallo, lieverd. Ik laat jou alleen met je vader, dan ga ik even kijken of er hulp nodig is in de keuken.'

Papa stak een hand op, alsof hij juf Valdez wilde tegenhouden maar ze liep al naar de toonbank toe, waar mensen normaal gesproken hun bestelling plaatsten. Kayeleigh keek haar na.

Ze voelde een tikje op haar schouder en papa's warme adem in haar hals. Zijn aftershave prikte in haar neus.

'Neem me niet kwalijk, schone dame. Zouden wij nader kunnen kennismaken?'

Ze giechelde, maar probeerde toen serieus te kijken. 'Ik praat niet met vreemden.'

Daar schoot hij van in de lach. Hij tilde haar in zijn armen en zwierde haar in het rond. Het bloed steeg naar haar wangen. Als Seth haar zo zou zien, zou hij denken dat ze een klein kind was. Papa liet haar zakken, tot haar voeten de grond vonden en ze Seth vergat. Terwijl ze hem stevig vasthield rond zijn middel, drukte ze haar gezicht tegen zijn borst.

Ze sloot haar ogen en deed net alsof mama hier ook was. Dan zou zij toekijken hoe haar vader en moeder samen lachten, met twinkelende ogen, zoals hij en juf Valdez hadden gedaan.

Doug keek over Kayeleighs schouder en liet zijn blik over de rij stoelen gaan. De ruimte was nu helemaal gevuld met gasten, en hij zag Mickey praten met een man die hij niet kende. Hij kreeg een knoop in zijn maag. Was ze hier met een vriend gekomen? En hij had nog wel de hele avond beslag op haar gelegd.

Maar toen ze zich een kwartslag draaide, zag hij haar gezicht en de manier waarop ze zich hield – stijf en een beetje op afstand van hem. Toen wist hij op de een of andere manier dat ze geen relatie had met die man.

Ze zwaaide naar Doug en keek glimlachend naar Kayeleigh, terwijl ze haar duim naar hem opstak.

Ergens was hij dankbaar dat ze zich zo kies had teruggetrokken om hem Kayeleigh de aandacht te geven die ze verdiende, maar hij hoopte dat die vent zijn kans om later nog eens met Mickey te praten niet zou vergallen.

Hij was blij dat Kayeleigh hem had overgehaald om te gaan. Het was goed om niet alleen thuis te zitten. Goed om onder vrienden te zijn, om te lachen, om het leven te vieren. De winter had eindeloos lang geleken, maar vanavond kon hij eindelijk geloven dat het misschien lente zou worden.

Hij gaf Kayeleigh een kus bovenop haar hoofd en leidde haar naar de stoelen waar ze hun punchbekers hadden laten staan. Mickeys beker was weg, en Tom Bengstrom was met zijn omvangrijke achterwerk neergeploft op de stoel waarop Doug zijn liturgie had achtergelaten, in de hoop een stoel voor Mickey vrij te houden. Hij keek of hij haar ergens zag, maar ze was in de mengelmoes van gasten verdwenen.

Ze overtraden hier vanavond allerlei brandvoorschriften. Als voormalig vrijwilliger bij de brandweer zou hij er wellicht iets aan moeten doen, maar Blaine Deaver, de brandweercommandant, en sheriff Hayford stonden allebei bij de tafel met hapjes en drankjes en knepen kennelijk een oogje dicht, dus hij liet de gedachte varen.

Met Kayeleigh achter zich aan baande hij zich een weg door de menigte naar de voordeur. Hij legde een hand op het raam en keek met een hand boven zijn ogen naar buiten. De bui die al de hele middag dreigde, was nu in volle hevigheid losgebarsten. Het regenwater stroomde door de goten op Main Street. In de verte rommelde de donder. Hij liep naar de plek waar Blaine en de sheriff stonden. 'Er is toch geen weeralarm voor storm uitgegeven?'

Blaine wuifde met zijn vlezige hand. 'Nee. In Ellsworth County gaat het flink tekeer, maar hier loopt het allemaal niet zo'n vaart.'

Doug keek weer om zich heen of hij Mickey ergens zag. Toen hij haar niet zag, keek hij Kayeleigh schuin aan. 'Misschien moeten we maar eens gaan. Je weet hoe oma is. Ze zal zich zorgen maken.'

'Papa, nee! We zijn er net.'

Doug wierp nog een blik in de ruimte. Seth Berger stond aan de rand van de zaal als een hongerige kat naar Kayeleigh te loeren. Een reden te meer om te vertrekken. Maar aan de overkant van het zaaltje zag hij Mickey tegen de muur geleund nog steeds met die kerel staan praten. Nu wilde hij ook niet meer weg.

Hij zuchtte en haalde zijn mobieltje uit zijn zak. 'Goed, nog even dan. Maar ik zal oma wel laten weten dat we later komen.' Harriet, de moeder van Kaye, paste vanavond in haar eigen huis op de kinderen.

Kaye. Hij had vanavond nauwelijks aan haar gedacht.

Toen hij opkeek nadat hij Harriets nummer had ingetoetst, zag hij Mickey hun kant op komen lopen met haar tasje onder haar arm. Ze zwaaide even en legde haar hand op de deurknop. Hij zwaaide terug en wilde net vragen of ze al naar huis ging, toen Harriet de telefoon opnam. Hij hoorde Harley huilen op de achtergrond.

'Harriet? Is alles goed met haar?'

'Met Harley? O, niks aan de hand,' zei Harriet vlug. 'Landon heeft haar per ongeluk omvergelopen, dat is alles. Hoe is de bruiloft?'

Harriet hoorde de donder zeker niet boven het lawaai van de kinderen uit. 'Het is wel leuk. Ik wilde alleen even weten of bij jou alles goed ging. We blijven niet zo lang meer.'

Hij maakte Kayeleighs haar even door de war en keek toen uit het raam. Mickey stond onder de smalle luifel van Café Latte, alsof ze stond te wachten tot de regen lang genoeg zou ophouden om naar haar auto te rennen. Het leek er niet op dat dat snel zou gaan gebeuren.

'Ik moet ophangen, Harriet. Je kunt me op mijn mobiel bereiken als het nodig is.' Hij verbrak de verbinding zonder op een antwoord te wachten. 'Wacht hier even, Kayeleigh. Ik ben zo terug.' Hij opende de deur en zei hetzelfde tegen Mickey. 'Wacht even.'

Hij stoof naar het achterkamertje, dat vanavond als garderobe dienstdeed, griste zijn jasje van het rek en rende terug naar de deur.

Mickey stond nog op dezelfde plek waar hij haar achtergelaten had, maar Kayeleigh niet. Hij keek het zaaltje rond om te zien waar ze was. Zijn adem stokte toen hij haar dicht bij Seth Berger zag staan, die een hand op haar arm hield alsof ze een prooi was.

Doug kende het joch niet zo heel goed, maar zijn oudere broer deugde niet, en naar Seths houding die ene ochtend in de drukkerij te oordelen, was hij met hetzelfde sop overgoten. Doug had geen hoge pet op van de jongen, en de manier waarop de knul zijn dochter nu aanraakte, stond hem helemaal niet aan.

Hij baande zich een weg naar de plek waar Seth en Kayeleigh zich bevonden. Toen ze hem zag, sloeg ze Seths hand van zich af. Haar ogen smeekten hem 'Breng me *alstublieft* niet in verlegenheid.'

Hij deed zijn best om op een normale toon te blijven praten. 'Hé, meissie. We moeten ervandoor.'

'Pa-ap...'

Hij legde een hand op haar schouder en gaf Seth met een hoofdgebaar te kennen dat hij kon gaan. 'Het spijt me, maar we moeten gaan. Kom, Kayeleigh.' Hij troonde haar met zachte dwang mee naar de deur.

'Ik heb mijn spullen nog niet, pap.' Ze dook met een schouderbeweging onder zijn arm vandaan en liep terug naar de rij stoelen.

'Nou, ga ze dan gauw pakken; ik wacht buiten op je. En schiet een beetje op.'

Ze wilde protesteren, maar kennelijk zag ze de vastberadenheid op zijn gezicht, want ze liep vlug tussen de mensen door naar de stoel waar haar jas lag.

Hij slaakte een zucht en liep naar buiten. Mickey stond een stukje verderop onder de luifel naar de stortbui te kijken. 'Mickey!' Hij moest schreeuwen om boven de regen uit te komen die op de luifel neerroffelde.

Ze glimlachte toen ze hem zag. Ze was al doorweekt en haar haar viel sluik om haar knappe gezicht.

Terwijl hij zijn jasje uittrok, holde hij naar haar toe. Hij hield het jasje boven haar hoofd. 'Waar sta je geparkeerd? Ik breng je wel even naar je auto.'

Ze kreeg een schaapachtige uitdrukking op haar gezicht. 'Ik ben komen lopen.'

'Lieve help, je was toch niet van plan om naar huis te gaan lopen?'

Ze haalde haar schouders op. 'Ik wacht wel tot de regen wat minder wordt.'

'Alsjeblieft.' Hij stapte onder de beschutting van zijn jasje vandaan en gaf het aan haar. Ze stak haar armen, waar het kippenvel op stond, uit en nam zijn aanbod aan. Samen liepen ze terug naar de deur.

Precies op dat moment kwam Kayeleigh naar buiten, met een boze blik op haar gezicht die ze niet probeerde te verbergen. Mickey, die dat niet leek op te merken, trok haar vlug naar zich toe, terwijl ze de provisorische paraplu boven hun hoofd hield.

Doug deed net of hij de teleurstelling in Kayeleighs ogen niet zag. 'Blijven jullie hier maar even wachten, dan haal ik de wagen.'

Hij zou op een later tijdstip een poging moeten doen om de schade binnen de perken te houden bij zijn dochter, maar uiteindelijk zou ze hem er dankbaar voor zijn en hij was niet van plan om Mickey Valdez in die stortbui naar huis te laten lopen. Het zou al gauw donker zijn.

Terwijl hij op een holletje naar de achterkant van het gebouw rende, waar zijn wagen stond, speelde hij het op de een of andere manier klaar om op de ongelijke stoep in iedere plas te stappen. Zijn sokken sopten in de te strakke nette schoenen. Toen hij achter het stuur schoof, ving hij een glimp op van zijn spiegelbeeld. Een verzopen kat in een net overhemd en met een das om. Hij haalde zijn vingers door zijn haar, maar het bleef aan zijn schedel geplakt zitten.

Maar ondanks de plensbui en zijn nette kleren die in de maartse kilte aan zijn huid kleefden, voelde hij zich opgetogen. Voor het eerst in lange tijd had hij het gevoel dat hij weer echt leefde. En hij voelde zich maar een klein beetje schuldig dat hij het zo gezellig had gevonden.

Nu pas drong het tot hem door dat hij zich vanavond misschien niet gedragen had op een manier die Kaye eer aandeed. Het was pas vier maanden geleden. Misschien was het te snel om weer plezier te maken met andere vrouwen – een andere vrouw.

Maar hij was het zat om zichzelf in slaap te huilen. Hij was het spuugzat om alleenstaande ouder te zijn, om overal waar hij ging alleen te zijn. Deze avond was leuk geweest. En Kayeleigh had ervan genoten. Hij had het toch voornamelijk voor haar gedaan. Zij was degene die hem had overgehaald om naar de bruiloft te gaan. Hij kromp inwendig ineen toen hij weer dacht aan de teleurstelling op haar gezicht toen het tot haar doordrong dat ze het feest gingen verlaten. Hij had haar nauwelijks aandacht geschonken.

Hij reed naar de voorkant van Café Latte en parkeerde zo dicht mogelijk bij de stoeprand. Mickey hielp Kayeleigh over het snelstromende water in de goot en klauterde lachend achter haar aan de wagen in.

Ze legde zijn jasje netjes over haar knieën en duwde de natte haren uit haar gezicht. 'Ik weet niet of ik nog veel natter was geworden als ik naar huis was gaan lopen. En nu heb ik jou de regen in laten lopen en is je pak waarschijnlijk naar de haaien.'

Hij draaide de verwarming hoog. 'Maak je daar maar niet druk om. Zo zul jij in elk geval niet bevriezen.' Hij reed weg. 'Eens even kijken, jij woont toch in Pickering Street?'

Ze knikte. 'Het laatste huis aan de linkerkant. Bedankt. Ik stel het echt op prijs. Jullie hadden voor mij niet eerder weg hoeven te gaan.'

'We...' Hij keek even schuin naar Kayeleigh. Ze zat met haar armen stijf over elkaar geslagen naast hem. Zijn dochter had flink de smoor in. 'Ik moest toch naar huis. De kinderen zijn bij Kayes moeder.'

'O, ik hoorde dat ze terug was uit Florida. Fijn dat ze hier kan zijn.'

'Ja. Ik hoop dat ze voorgoed terug kan komen, om te helpen met de kinderen. Maar we zien wel. Ze heeft er grote moeite mee om haar appartement op te geven.' Hij wist dat Kayeleigh niets van hun gesprek miste, maar hij dempte zijn stem, alsof hij haar kon beschermen tegen de pijn in zijn woorden. 'De winters in Kansas zijn zwaar voor Harriet vanwege haar artritis, en het is niet gemakkelijk voor haar om hier te zijn. Er zijn veel... herinneringen.'

Mickey knikte ernstig. 'Dat begrijp ik.'

Hij slaakte een zucht. 'Ik weet niet wat ik moet beginnen als ze teruggaat.' Hij had zichzelf nog niet toegestaan daarover na te denken. Er waren te veel andere dingen om zich zorgen over te maken. Maar nu werd hij bevangen door paniek. Hij had nog ruwweg tien dagen om iemand te vinden, of om Harriet van gedachten te laten veranderen. En dat laatste was hem in de twintig jaar dat hij Hariet kende nog nooit gelukt. Hij sloeg af naar Pickering Street en ette de ruitenwissers in hun hoogste stand.

Mickey wees door de voorruit. 'Nog een stukje verder. Daar, dat uis met die kruiwagen ervoor.'

Het huis stond een eindje van de straat af. De achtertuin was fgesloten met een hoge schutting en het gazonnetje voor het huis ag er onberispelijk uit. Het gras begon al groener te worden door e regen van vandaag.

Mickey maakte haar gordel los en opende het zware portier van e pick-uptruck. 'Bedankt voor de lift.' Ze legde zijn jasje op de toel tussen haar en Kayeleigh en zwaaide even naar het meisje. Tot ziens.'

Ze wilde uitstappen, maar Doug gebaarde dat ze even moest vachten. Hij pakte het jasje, sprong uit de wagen en liep eromheen m haar te helpen uitstappen.

'Dat hoef je niet te doen. Echt, ik red me wel.'

'Ik vind het niet erg.' Hij spreidde het doorweekte jasje weer oven hun hoofd uit en ze doken eronder weg om naar het huis te ennen.

Onder de overkapping van de veranda zocht ze in haar tasje. Mijn sleutels zitten hierin. Je hoeft echt niet te blijven wachten.' e gebaarde naar zijn wagen. 'Kayeleigh zit te wachten. Ga maar.'

Doug vouwde zijn jasje over zijn arm. Met een vreemd gevoel va
paniek besefte hij dat hij zo afscheid moest nemen. Hij keek eve
naar de pick-up, die stationair stond te draaien bij de stoepranc
'Kayeleigh redt zich wel. Ik blijf even wachten tot ik zeker wee
dat je binnen bent.'

Mickey hurkte neer met haar tasje op haar schoot en zocht no
wat grondiger in het kleine tasje.

'Kan ik iets voor je vasthouden?'

Ze keek op, met vuurrode wangen. 'Ik weet *zeker* dat ze hieri
zitten.' Ze zocht nog even door, en keerde het tasje ten slotte on
in de rok van haar jurk. Haar knieën wiebelden terwijl ze haa
evenwicht probeerde te bewaren en de spulletjes doorzocht.

'Heb je nog ergens een sleutel?'

'Niet te geloven.' Ze propte alles weer in haar tasje en kwar
overeind. 'Ik moet ze in mijn andere tas hebben laten zitten toe
ik mijn spullen overhevelde.'

'Je bent een van die zeldzame figuren in deze stad die zijn hu
ook echt afsluit.'

'Dat weet ik. Op bevel van de broers Valdez.'

'Wijze mannen,' zei hij. 'Heb je soms ergens een reservesleut
verborgen?'

Ze keek schaapachtig. 'Ja, natuurlijk. Twee, in het huis.'

'Is de achterdeur misschien open?'

'Nee. Maar misschien kan ik aan de achterkant een raamp
openwrikken.' Ze stapte van de veranda weer de regen in.

'Nou, ik hoop het niet.' Hij vouwde zijn jasje gauw weer ope
en hield het weer boven haar hoofd, waarna hij achter haar aan o
het huis heen liep.

Ze keek hem tersluiks aan over haar schouder, terwijl de regen van haar wimpers drupte en over haar neusbrug naar beneden
gleed.

'Want als *jij* een raampje kunt openwrikken, dan kan de eerste
de beste griezel dat ook. Als dat zo is, dan hoef je ook geen moeite
meer te doen om je deuren op slot te doen.'

Ze grijnsde. 'Daar zeg je me wat. Maak je niet druk. Ik verzin
wel een manier om binnen te komen. Ga jij nu maar terug. Je hebt
l genoeg tijd verspild. Kayeleigh zal denken dat je haar in de steek
hebt gelaten.'

Hij wuifde haar bezwaren weg en deed het hek naar de achtertuin open. 'Je hebt toch geen hond, hè?'

'Nee. Een poes. Maar die zit binnen.' Ze hield zijn jasje wat hoger boven haar hoofd. 'Wil jij er ook weer onder?'

Hij keek naar de lucht. Het was wat minder hard gaan regenen,
of misschien was hij al zo nat dat hij het gewoon niet meer zo erg
voelde. 'Nee, dat hoeft niet.'

Ze liep voor hem uit naar de achterkant van het huis. 'Je had
misschien door een raampje van het souterrain naar binnen kunnen gaan, als ik niet...' Haar woorden werden onderbroken door
en gil, en voor Doug haar kon bereiken, ging ze hard onderuit op
een natte plek in het gras.

Ze krabbelde overeind en hij stak haar een hand toe. 'Gaat het?'

Ze veegde twee moddervlekken van haar rok en de vlammen
loeg haar weer uit. 'Wat een kluns ben ik toch.'

'Nou, na vanavond vind ik je allesbehalve een kluns.' Te laat besefte hij dat zijn woorden geklonken hadden als een armzalige
versiertruc. 'Je hebt je toch geen pijn gedaan, hoop ik?'

Ze sloeg een hand voor haar ogen. 'Alleen mijn trots is gekrenkt.
e hoeft dit echt niet te doen. Ik kan een van mijn broers bellen om
me te helpen. Je hebt al veel meer gedaan dan je had hoeven doen.'

Hij ging niet op haar woorden in en keek de tuin in. Nu pas zag
ij hoe mooi die aangelegd was. 'Zo hé! Jij hebt je eigen paradijsje
ier.'

Zijn opmerking leek haar goed te doen. Zelfs zo vroeg in he
voorjaar, voordat er iets in bloei stond, was het duidelijk dat d
tuin al gauw een oase zou zijn. Een smalle rotstuin slingerde zic
langs de border naast de schutting, en bij het huis werd een terras van flagstones omzoomd door een lage waterval en een kun-
stig aangelegde haag van rozenbogen. Hij kon zich voorstellen wa
een transformatie er in de komende weken zou plaatsvinden, al
het voorjaar naar Clayburn zou komen. Kaye zou er weg van zij
geweest. Ze had hem de afgelopen twee jaar proberen over te ha
len om hun rottende houten terrastegels te vervangen door flag
stones.

Hij schudde de golf van schuldgevoelens van zich af en ram
melde aan een raampje van het souterrain naast Mickeys garag
Hij zou het glas kunnen breken, maar dat zou hij pas in laatst
instantie doen. Jammer dat hij de gereedschapskist uit zijn wage
had gehaald om plaats te maken voor de fietsen van de kindere
toen ze de vorige keer bij Harriet bleven logeren.

Hij inspecteerde de garagedeur aan de achterkant. Misschie
kon hij hem forceren. Hij probeerde de deurknop. Hij draaide ee
halve slag en de deur zwaaide open.

Achter hem slaakte Mickey een kreetje. 'Hoe krijg je dat n
voor elkaar?'

'Nou, hij zat niet op slot.'

Ze sloeg een hand voor haar mond. 'O, lieve help. Ik moet ver
geten zijn hem weer op slot te doen nadat ik Sasha vanochten
binnengelaten heb. Mijn kat...'

Ze zei iets over het dier en hij luisterde, maar het enige waar
aan hij kon denken was hoe leuk het was geweest om met haar t
praten en te lachen op het feest. Hoe onbekommerd en norma
hij zich had gevoeld bij haar. Hij wilde niet naar huis, naar d
eenzaamheid die de laatste tijd zijn voortdurende metgezel wa
geweest.

Hij merkte dat hij zocht naar een manier om nog wat lange
samen te zijn. Er kwam een ideetje bij hem op, gevolgd door ee

:wakke waarschuwing die hij vlug van zich afzette.

Mickey duwde de deur open en stapte de schemerig verlichte ;arage binnen. Hij liep achter haar aan naar binnen. Ze draaide :ich om om hem zijn jasje terug te geven, maar in plaats van het an te nemen, pakte hij haar andere hand. 'Heb je zin om samen net mij naar een film te gaan? Morgenmiddag?'

Er verscheen een aarzelend lachje op haar gezicht. 'Vraag je me nee uit?'

Hij zei met een verlegen grijns: 'Eh... ja, dat denk ik wel. Zo :linkt het wel, hè?'

'Doug, weet je zeker...' Haar glimlach verflauwde en ze trok aar hand uit de zijne, terwijl ze hem zijn jasje toestak. 'Weet je eker dat je hier al aan toe bent?'

Zou hij tegen haar durven zeggen dat hij de uitnodiging er omaar uitgeflapt had? Maar nee, hij had er geen spijt van. Hij vas blij dat hij geen tijd had gehad om het zichzelf uit zijn hoofd e praten. Hij wilde haar weer zien. 'Ik heb vanavond een fijne vond gehad. En dat is iets wat ik de laatste tijd niet vaak heb :unnen zeggen. Ik... ik zou het fijn vinden om je nog een keer e zien.'

Ze keek hem even aan en liet haar adem toen ontsnappen. 'Die ieuwe Disneyfilm draait in Salina. We zouden de kinderen mee unnen nemen.'

Hij had haar wel kunnen zoenen. Maar zijn gezonde verstand von het deze keer. Hij liep achteruit naar de deur. 'We komen je m twaalf uur ophalen. Ga je akkoord met een etentje bij Mickey)?'

'Hé!' Ze wierp hem een quasi-boze blik toe. 'Doe niet zo denirerend over mijn naam.'

Hij stak beide handen verdedigend op. 'O. Daar dacht ik niet an. Maar het was niet beledigend bedoeld. Ik doe je naam juist eer an... tenminste, dat zullen mijn kinderen denken.'

'Zolang je maar niet Mickey V bedoelt.'

'Hè?'

'V... Valdez... Mickey V. Snap je? Ik ga *niet* koken tijdens on eerste afspraakje.'

Het voelde zo goed om weer te lachen, dat hij wel kon huilen.

14

Aickey trok haar natte kleren uit en droogde haar haar af. Terwijl e een donzige, witte badjas om haar middel vastknoopte, liep ze aar de keuken en zette de paar koffiebekers en het bestek die zich 1 de gootsteen opgestapeld hadden, in de vaatwasser. Ze nam de verkbladen in haar gezellige keukentje af en gaf de planten in de rker achter de gootsteen water.

Sasha sprong naast haar op het aanrecht, spinnend in afwachting an Mickeys liefkozing. Ze streelde de zijdezachte vacht van de apjeskat. 'Je weet dat je niet op het aanrecht mag, prinsesje.' Ze ilde de kat op en liep met haar naar de bank. 'Wat heb je de hele ag gedaan?'

Sasha maakte met uitgestrekte klauwtjes knedende bewegingen p Mickeys knie en begon nog harder te spinnen.

'Je hebt vast niet zo veel plezier gehad als ik.' Mickey voelde zich en dwaas, zoals ze zat te grijnzen naar een kat die geen woord be-reep van wat ze zei. Maar de glimlach leek niet te willen wijken an haar gezicht. Bruiloften waren meestal een kwelling voor haar, en kolossale herinnering aan alles wat God haar nu al bijna tien aar onthouden had, vanaf het moment dat ze Hem als serieuze udente om een man gebeden had. Ze had toen verkering met en man die niet zo veel van haar hield als zij van hem. Jon Lund-olm had haar twee jaar lang laten wachten op een huwelijksaan-oek, terwijl hij het ervan nam op de universiteit. De paar andere nannen met wie ze uitgegaan was, waren onvolwassen geweest, rutale vlegels die maar in één ding geïnteresseerd waren – iets wat e niet wilde geven.

Jon was best een leuke vent, maar zij was zo dom geweest te roberen hem in de vorm van 'volmaakte echtgenoot' te dwingen

waarvoor haar broers model stonden. Nadat hij haar de bons ha
gegeven, besefte ze dat ze hem met geen tien paarden in die vorn
had kunnen krijgen. Maar liefde was blind.

Een liedje dat het orkest gespeeld had en dat nog altijd in haa
hoofd zat, verdreef de sombere gedachten. Met een glimlach neu
riede ze het wijsje mee. En dan te bedenken dat ze het feest va
Jack en Vienne deze middag bijna had laten schieten. Ze dankt
er in stilte voor dat ze dat niet had gedaan. Ze had een fantasti
sche middag gehad. En dat kwam grotendeels door Doug DeVor
Kletskoek. Dat *grotendeels* kon ze weglaten.

Als ze haar ogen dichtdeed, zag ze die blauwe ogen nog voo
zich waarmee hij lachend op haar had neergekeken. Hij was ee
prima gesprekspartner. En knap om te zien, met een door de zo
gebruinde huid en zijn tot de kleur van tarwe gebleekte haar.

Vóór vandaag had ze nog nooit op die manier aan Doug ge
dacht. Tot nu toe had ze hem natuurlijk alleen maar gekend a
getrouwde man – gewoon een van de vaders van de kinderen va
het kinderdagverblijf. Ze was altijd onder de indruk geweest va
het soort vader dat hij was, maar toen ze hem op het feest zag me
Kayeleigh in zijn armen, was ze weer helemaal van hem gechar
meerd. Hij ging zo lief om met de slungelige puber in spe. Mic
key wist hoeveel dat moest betekenen voor een meisje dat haa
moeder had verloren op een leeftijd dat moeders heel belangrij
waren.

Doug had vanavond zo anders geleken. Ook al voelde het eer
een beetje ongemakkelijk toen Wren hen zo'n beetje had gekop
peld, ze hadden uiteindelijk een leuk gesprek gevoerd. Niet allee
over zijn kinderen, maar een echt gesprek waarin ze elkaar bete
leerden kennen dan ze ooit hadden gedaan.

Doug deed het goed met zijn kinderen. Hij was precies het soo
man dat ze ooit hoopte te vinden. Het zat haar een beetje dwa
– oké, behoorlijk dwars – dat hij nog altijd zijn trouwring droe
Een man die onlangs weduwnaar was geworden, met vijf kindere
stond nou niet bepaald op haar verlanglijstje.

Ze wreef haar handen in elkaar, terwijl ze terugdacht aan de varme aandrang van Dougs hand op de hare toen hij haar uitno-ligde om morgen samen met hem naar Salina te gaan. Op de een of andere manier had ze niet het idee dat hij van plan was geweest m dat te vragen. Ergens in haar achterhoofd ging een waarschu-vingslampje branden – alweer. Misschien had ze er verkeerd aan edaan om ja te zeggen. Ze maakte een rekensommetje en schrok r een beetje van dat het nog niet eens vier maanden geleden was at Kaye overleden was.

Ze kreeg een knoop in haar maag toen ze eraan dacht wat haar roers ervan zouden zeggen als ze erachter kwamen dat ze morgen net Doug uitging. Nou ja, ze was niet gek. En ook niet zo naïef m niet te voorzien dat Doug nog heel wat rouwverwerking voor e boeg had. Nog jaren waarschijnlijk.

Alsof ze al over een huwelijk gesproken hadden! Het kon toch eker geen kwaad om met een vriend naar een film te gaan. Het vas geen afspraakje of zo. Ze namen de kinderen tenslotte mee.

Alleen was dat haar idee geweest. En Doug had het wel een fspraakje genoemd. Maar pas nadat zij die suggestie gedaan had. Vat had hij anders moeten zeggen nadat ze zo koket tegen hem vas geweest?

Ze keek door het keukenraam naar de noordkant van de stad. Het was opgehouden met regenen, maar de nachtelijke hemel was iktzwart. Ze kon niet verder kijken dan de slingerende verbena, ie onder de overhangende dakrand van de veranda hing. Mis-chien had Doug inmiddels spijt van zijn uitnodiging.

Met een zucht trok ze de gordijnen dicht. Het was nu te laat om rug te krabbelen. Ze zou morgen met hem en de kinderen mee-aan. McDonald's en een film. En ze zouden waarschijnlijk een heel uke middag hebben. Morgen zou in het teken staan van vriend-chap voor Doug en bemoediging voor zijn kinderen. Meer niet.

Het was te vroeg voor iets anders, als 'iets anders' zelfs maar een ekomstmogelijkheid was. En wat Doug betrof betwijfelde ze dat. ij was eenzaam. Dat was alles.

Er daalde een wolk van neerslachtigheid op haar neer. Waarom konden de mannen tot wie ze zich aangetrokken voelde nou nooit eens *beschikbaar* zijn? Was dat te veel gevraagd?

Doug betrapte zichzelf erop dat hij die ochtend voortdurend in bed lag te woelen. Was hij gisteren al nerveus geweest voor de bruiloft, nu was hij regelrecht in paniek. Wat had hem in vredes naam bezield toen hij juf Mickey mee uitvroeg? Lieve help. Kon hij nu opeens alleen nog maar aan haar denken als 'juf' Micke zoals zijn kinderen haar noemden?

Terwijl hij zijn trouwring ronddraaide, draaide hij zich weer o zijn andere zij. Hij mocht dan technisch gesproken weduwnaa zijn, hij had zich niet meer getrouwd kunnen voelen dan als Kay naast hem gelegen had. Waarom had hij vanmiddag dan een af spraakje?

Hij had rouwende mensen eerder domme dingen zien doen e had zich dan afgevraagd wat hen bezielde. Nou, nu wist hij het. Z gebruikten hun hoofd niet. Gisteravond was hij zo opgegaan in d troost van het moment, een mogelijkheid om te lachen en een paa uur de rampspoed te vergeten die hem getroffen had.

Kayeleigh had de rest van de avond zitten kniezen omdat ze z vroeg weggegaan waren van het feest, maar ondanks haar poginge om de avond te bederven, was hij gisteravond vol enthousiasm over de plannen voor deze middag gaan slapen.

Maar zodra hij vanochtend zijn ogen open had gedaan, was h gaan twijfelen aan de beslissing die hij genomen had. Nou ja, h was te laat om er nu nog op terug te komen.

Zodra de wekker afliep, verzette hij zijn zinnen met de druk van zijn gezin. Hij maakte ontbijt en spoorde de kinderen aa elkaar te helpen bij het aankleden en tanden poetsen. Toen ze een maal met z'n allen in de auto zaten, slaakte hij een zucht van ve lichting.

Hij had Harriet gevraagd om vanmiddag weer op Harley te pa sen. Hij en Kaye hadden door schade en schande geleerd dat h nmogelijk was om een tweejarige stil te houden in een bioscoop. Ook al was de film op kinderen gericht, Harley sloot liever vriendchap met de mensen in de rij achter hen. Of, zoals tijdens hun atste desastreus verlopen uitje naar de film met haar, ontdekte lieer hoeveel popcorn ze in het hoog opgestoken haar van de vrouw oor hen kon gooien. De herinnering deed hem glimlachen, en eroorzaakte een nieuwe golf van verlangen naar hoe het toen was.

Hij dwong zijn gedachten een andere kant op en controleerde f iedereen goed in de gordels zat. Tegenwoordig zat Kayeleigh oorin naast hem en de tweeling achterin, terwijl Landon samen net Harley op de middelste bank zat. Hij zou Kayeleigh moeten aarschuwen dat ze vandaag haar plekje zou moeten afstaan.

Hij had de kinderen nog niet verteld dat Mickey met hen mee ou gaan. Hij had op een heleboel vragen geen antwoord willen even. Maar nu het erop aankwam, stelde hij zich voor dat hij noeilijke vragen zou moeten beantwoorden waar ze bij was.

Geen vrolijk vooruitzicht.

Zodra ze de oprit afreden, vatte hij de koe bij de horens. 'Hoor ens, jongens, zodra we Harley bij oma afgezet hebben, gaan we uf Valdez ophalen – juf Mickey – en ze gaat met ons mee naar de lm.'

In zijn achteruitkijkspiegel zag hij hoe de tweeling elkaar met rote ogen aankeek en op en neer begon te springen op de bank. e klapten in hun handen en gilden: 'Juf Mickey! Juf Mickey!'

'Waarom gaat *zij* met ons mee?' Hij hoorde Landons zachte stem auwelijks boven het kabaal van de tweeling uit.

'Ik heb haar uitgenodigd. Ik dacht dat ze... de film wel leuk zou nden.' Landons sceptische blik kruiste die van hem in het spieeltje en richtte zich tot Kayeleigh, hopend op wat steun. 'Zou dat et leuk zijn?'

Ze keek hem met een achterdochtige, boze blik aan. 'Hebt u een *spraakje* met juf Valdez?' Ze trok een rimpel in haar neus en liet vraag voor hem bungelen alsof het een van Harleys vieze luiers as.

Hij schudde zijn hoofd en bleef strak naar de weg kijken. 'He is niet echt een afspraakje.' Maar stel nu dat Mickey het wel z noemde? 'We dachten alleen dat het leuk zou zijn om vandaa samen iets te doen.'

Kayeleigh draaide zich half om, plotseling twee handen op ee buik met haar broer. 'Papa heeft gisteren op de bruiloft de halv avond met juf Valdez staan praten.'

'Ieuw!'

'Ophouden, jullie. En wees aardig tegen Mic... tegen juf Valde Ik meen het.'

'Neemt u haar mee naar McDonald's? Dat zal ze echt geweldi vinden, zeg.' Kayeleigh rolde op een brutale, overdreven manie met haar ogen – iets wat ze de laatste tijd vaak deed.

Hij probeerde er luchthartig op te reageren, door een uitdruk king te gebruiken die hij Kayeleigh had horen zeggen. 'Het is nie bepaald een spannend afspraakje of zo.'

'Papa, hou er alstublieft over op. Ik wil er niet eens over *nade ken*.' Kayeleigh rilde.

Dit zou moeilijker worden dan hij dacht.

Hij zei tegen de kinderen dat ze in de auto moesten blijven, te wijl hij Harley naar Harriet bracht. Hij zette Harley op de gron en ze trippelde naar de mand met speelgoed naast de bank.

Hij gaf Harriet de luiertas en liep achteruit naar de deur. 'Z zal vanmiddag waarschijnlijk lang slapen. We zijn uiterlijk om ee uur of zes, zeven terug.' Hij klopte op zijn borstzakje. 'Ik heb mij mobiel bij me, als je me nodig hebt.'

'Het zal best lukken,' zei Harriet kortaf, terwijl ze zijn blik on week. Als hij gisteravond toen hij de kinderen ophaalde niet zo hartelijk gesprek met haar had gevoerd, zou hij hebben gedacht d ze kwaad op hem was.

'Is er iets? Ik hoop dat ik geen misbruik maak van je aanbod o op de kinderen te passen. Als ik...'

'Ik zal je zeggen waar je misbruik van maakt.' Kayes moed richtte zich op tot haar volle lengte van een meter vijfenzevent n keek hem strak aan. 'De reputatie van mijn dochter.'

O, o. Dit kon niet goed zijn. 'Waar heb je het over, Harriet?'

Harriets stemmingen hadden altijd voor de nodige spanning ge-orgd in hun leven, maar ze was nu bovengemiddeld kregelig. Met aar handen in haar zij gaf ze hem de wind van voren. 'Er gaan eruchten over jou en dat meisje van Valdez op het feest gister-vond.'

Hij bereidde zich voor op het ergste. 'Wat voor geruchten?'

'Ben je met haar naar het feest gegaan?'

'Nee, Harriet. Ik ben met Kayeleigh gegaan.'

'Maar je hebt met Mickey Valdez staan praten.' Het was geen raag.

'Ja.' Hij schoot in de verdediging, maar deed zijn uiterste best m rustig te blijven praten. 'Ik was me er niet van bewust dat het en misdaad was om met een vriendin te praten.'

'Nou, naar wat ik gehoord heb konden jullie,' haar gezicht werd uurrood en ze keek een andere kant op, 'niet van elkaar afblijven.'

'Wat? Van wie heb je *dat* in vredesnaam gehoord?' Dit was bela-helijk. Maar ja, het had hem niet moeten verbazen. Hij was opge-roeid met het roddelcircuit van een klein stadje.

'Ik heb het van *iedereen* gehoord. Zo, nou weet je het.' Harriet ing harder praten. 'De telefoon heeft roodgloeiend gestaan.'

Dat betekende waarschijnlijk dat ze één telefoontje had gehad, naar Harriet was niet van plan het te laten rusten. 'Ik ben half en alf van plan om de hoorn van het toestel te leggen.'

Hij weerstond de neiging om een opmerking te maken over dat nalf en half'. Toch, ook al had ze maar één telefoontje ontvangen, an was dat er één te veel. 'Wie heeft je gebeld? Ik wil weten wat r gezegd wordt, want als dat was dat Mickey en ik "niet van elkaar f konden blijven" dan kan ik dat gerucht nu meteen uit de weg uimen.'

'Ik ga niet zeggen wie het was, Douglas, maar het was iemand ie het met eigen ogen gezien heeft, en Clara...' Harriet sloeg een and voor haar mond.

Hij rolde met zijn ogen. Clara Berger. Dat had hij kunnen weten. Kaye zei altijd dat Clara's motto was: Eerst doorvertellen, dan verifiëren. Nou, als dat het sappigste nieuwtje was dat die oud roddeltante kon bedenken, dan kon ze maar beter vlug uit Clayburn verhuizen.

'Harriet, ik weet niet wat die vrouw je verteld heeft, maar ik verzeker je dat niemand ook maar enige moeite had om met zijn handen van iemand af te blijven. Ik had Kayeleigh bij me, nota bene! Denk je dat ik zoiets zou doen?' Hoofdschuddend liet hij zijn woorden wegsterven. Het had geen zin om over zoiets te gaan bekvechten. Maar hij moest de schade ook een beetje binnen de perken zien te houden.

Hij haalde diep adem. 'Ik heb Mickey gisteren wat beter leren kennen. En je mag net zo goed weten dat ze vanmiddag met mij en de kinderen meegaat naar Salina.'

'*Wat?*' Harriet legde een hand tegen haar keel. 'Wilde je zeggen dat je een *afspraakje* met haar hebt?' Haar gezicht werd bleek en Doug dacht even dat ze zou flauwvallen.

'We gaan een hapje eten bij McDonald's en nemen de kinderen mee naar een film. Meer niet. Allemensen, ze is de leidster van de kinderopvang waar de kinderen heen gaan!' Waarom voelde hij zich genoodzaakt om iedereen ervan te verzekeren dat dit geen afspraakje was, terwijl hij tegenover Mickey toegegeven had dat het dat wel was?

Harriet keek naar de grond en schudde haar hoofd. 'Ik kan gewoon niet geloven dat je dit Kaye aandoet. Ze is nauwelijks een paar maanden *dood*,' ze bleef bijna steken bij het woord, 'en je bent al weer verder gegaan met je leven. Ik kan het gewoon niet geloven dat je dit doet. Dat je zo weinig respect toont voor de moeder van je kinderen.'

'Harriet. Hou op.'

Harley keek op van het speelgoed waarop ze zat te kauwen, met een frons tussen haar blonde wenkbrauwen. 'Papa?'

'Niks aan de hand, schatje.' Hij dwong zichzelf om wat rustiger e worden en wilde zijn hand in een geruststellend gebaar op Harriets arm leggen, meer voor Harley dan voor Harriet. Maar ze trok aar arm met een ruk weg.

Hij deed een stap naar achteren. 'Het spijt me dat je er zo over lenkt. We kunnen er later over praten als je wilt. De kinderen zitten in de auto te wachten.'

Vonden andere mensen dat hij zich belachelijk had gemaakt op et feest? Als Mickey Kaye was geweest, was er beslist niets geweest vaarover hij zich had moeten schamen. Maar misschien zagen anleren dat anders. Hij gebaarde zwakjes naar de oprit, waar de Sub-rban stationair draaide. 'Ik moet ervandoor.'

Ze keerde hem haar rug toe. 'Ga dan maar. Ga alsjeblieft weg.'

Mickey keek uit het raampje, terwijl ze naarstig zocht naar iets om te zeggen. Wat was er gebeurd met de ontspannen manier waarop ze gisteren tijdens het feest met elkaar gepraat hadden?

Sarah en Sadie kwebbelden erop los op de achterbank van de Suburban, maar de stilte vanaf de middelste bank was verpletterend. Kayeleigh en Landon waren kort nadat ze haar opgehaald hadden met een bokswedstrijdje begonnen, en Doug dreigde dat hij hen in de auto zou laten bij de McDonald's. Kennelijk hadden ze besloten die straf te vermijden door niets te zeggen, hoewel Mickey vermoedde dat er bij Kayeleigh meer achter zat. Het meisje had vanaf het moment dat ze instapte haar blik ontweken. Gisteren had ze in de auto ook al het gevoel gehad dat er iets was. Maar misschien gedroeg ze zich gewoon als een bokkige twaalfjarige.

'Het is vandaag warmer dan ik dacht,' zei Doug. Hij stak zijn hand uit naar de knopjes op het dashboard. 'Is het koel genoeg voor je?'

'Ik vind het prima zo, dank je.' Ze stelde haar gordel wat bij en sloeg haar benen over elkaar.

'Ik heb gehoord dat dit een goede film is. Volgens de beoordelingen is hij ook leuk voor ouders – voor volwassenen, bedoel ik.' Zijn adamsappel ging op en neer en hij richtte zijn blik weer op de weg.

'Ja, dat heb ik ook gehoord.' Ze wilde hem niet vertellen dat ze de film afgelopen weekend al gezien had met haar tantezeggertjes.

'Heb je honger?'

'Ik zou wel een hapje lusten.' Eerlijk gezegd was ze uitgehongerd. Ze had geprobeerd de paar pondjes kwijt te raken die ze tijdens de feestdagen aangekomen was, maar op dit moment leek en cheeseburger precies wat ze nodig had. Als ze echt een goede ndruk wilde maken, of die extra pondjes kwijt wilde raken, zou ze oor een salade kiezen.

Op de parkeerplaats van de McDonald's hielp ze Doug de kinderen naar binnen te loodsen en ging ze aan een tafeltje zitten.

'Iedereen hetzelfde als altijd? Mickey, wat wil jij?'

'Ik wil... o, doe maar een salade met een yoghurtdressing.' Dat ou ze wel compenseren met popcorn en M&M's in de bioscoop. En een cola light, alsjeblieft.'

'Begrepen. Komt eraan.' Hij wenkte Landon. 'Kom jij even helen dragen?'

Terwijl ze zaten te wachten, deelde de tweeling zakjes ketchup, ietjes en servetten uit die Kayeleigh van de toonbank had geaald.

'Hoe gaat het op school, Kayeleigh?'

Zonder Mickey aan te kijken, haalde ze heel even haar smalle choudertjes op. 'Wel goed.'

'Zo te horen ben je aan de zomervakantie toe.'

Nog een schouderophalen.

Mickey begreep de wenk en probeerde niet langer een gesprek p gang te brengen. Gelukkig verschenen Doug en Landon met olgeladen dienbladen. Mickey hielp de tweeling met de rietjes oor hun drankjes.

Doug had nauwelijks 'amen' gezegd na zijn gebed of de eerste ola viel al om. Het was die van Sadie, en ze barstte in tranen uit.

Mickey sprong op van haar stoel en begon de ijskoude plas cola p te deppen met haar servet. 'Het geeft niet, Sadie. Je hoeft niet te uilen. Kom. Is je bloesje nat geworden?'

Ze haalde vlug een van de dienbladen weg en veegde de nattigeid van de tafel. Alles was weer bijna schoon toen ze zich ervan ewust werd dat Doug naar haar zat te kijken. Eerst was ze bezorgd at zijn uitdrukking afkeuring betekende omdat zij zich zijn gelag toe-eigende. Maar zijn frons veranderde al gauw in een grijns. Goed gedaan. Bedankt.'

'Hé, dit is mijn dagelijks werk.'

'Nou, ik heb je niet meegenomen om onze troep op te rui-men.'

Ze antwoordde lachend: 'Het gaat vanzelf. Ik kan die knop nie uitzetten als ik niet op mijn werk ben.'

Hij stak zijn handen op in een gebaar van zogenaamde overgave 'Ik vind het best. Je dept maar raak.'

Ze schoot in de lach, blij dat een omgevallen beker cola het ij gebroken had.

Toen ze even later de tafel afruimden en aanstalten maakte om weg te gaan, pakte ze een foldertje mee van de film waar z naartoe wilden. Een van de illustraties bracht haar een scène va de film in herinnering – een scène van een muizengezinnetje da hun moeder verloor bij een felle bosbrand.

Vorige week had haar vierjarige neefje nog op haar schoude gehuild in de bioscoop. Ze had het er zelf ook een beetje te kwaa mee gehad. Terwijl ze weer naar de kleurige illustratie keek, be greep ze waarom. De scène had haar aan Kaye en Rachel doe denken – aan hoe de kinderen DeVore hun moeder hadden verlo ren.

Waarom had ze daar niet aan gedacht toen Doug haar uitnodig de? Dit was op dit moment geen goede film voor deze kindere En voor Doug ook niet.

De kinderen stapten enthousiast kwetterend over de film die z zouden gaan zien in de auto. Mickey pijnigde haar hersens hoe z hier onderuit kon komen. Doug zette koers naar het winkelcen trum waar de bioscoop was.

Halverwege de rit legde ze even haar hand op zijn arm. Hij kee met een vragende blik opzij.

'Doug, ik denk dat we onze plannen moeten wijzigen.'

'Onze plannen? Voor de film?'

Ze knikte, ervan overtuigd dat haar schaapachtige grijns ha zou verraden.

'Hoezo? Wat is er aan de hand?'

'Ik heb hem vorige week eigenlijk al gezien en… nou ja, tijdens le lunch drong het opeens tot me door dat het misschien niet de uiste keuze is.' Ze probeerde met haar ogen duidelijk te maken vat ze bedoelde, zich ervan bewust dat Kayeleigh en Landon ieder voord konden verstaan.

'Heb je de film al gezien?'

Ze knikte.

'Dus je… wilt hem liever niet nog een keer zien?'

'O, daar gaat het niet om.' Dacht hij dat ze alleen aan zichzelf lacht? 'Ik denk dat het niet zo'n geschikte film is voor je kinderen. Er komt een situatie in voor met…' Ze haalde diep adem en begon opnieuw. 'Herinner je je Bambi nog?'

'Bambi's moeder ging dood,' riep Sarah vanaf de achterbank. Dat was zielig.'

Doug keek haar aan. 'O…'

Ze knikte.

Hij schudde zijn hoofd. 'Ik denk niet dat *ik* dat wil zien. Laat taan de kinderen.'

'En als we nu eens gingen bowlen?'

'Bowlen?'

'Ja,' zei ze, opeens enthousiast over het idee. Ze had tot een paar aar geleden in een bowlingteam gezeten. 'Ga je weleens bowlen? Starlight Lane is vlak achter de bioscoop.'

Hij schudde zijn hoofd. 'Ik heb het heel lang niet gedaan.'

Landon leunde zo ver mogelijk naar voren als zijn gordel toe-tond. 'Ik ben een keer wezen bowlen. Op het feestje van Eric 'eldon. Dat was gaaf. Laten we dat doen, pap.'

Doug rekte zijn hals om in het achteruitkijkspiegeltje te kijken. Is iedereen het daar mee eens? Naar de bowlingbaan?'

Kayeleigh haalde alleen maar haar schouders op, maar de andere inderen juichten.

'Goede beslissing.' Doug stak zijn rechterhand op voor een high ve.

Mickey sloeg haar hand tegen de zijne, vreemd trots dat ze met

een in zijn ogen goed idee was gekomen. Het was een fijn gevoe
te bedenken dat ze misschien een kleine bijdrage had geleverd aan
de brede glimlach op zijn gezicht.

Doug keek toe hoe de zware, gemarmerde bal Landons hand verliet en over de baan zwalkte. Hij belandde met een bons op he
gepolijste hout van de baan en rolde toen gevaarlijk dicht naar de
goot, waarna hij weer met een boogje in het goede spoor belandde
Heel langzaam raakte de bal de voorste kegel. Als dominostenen
vielen de andere kegels een voor een om.

'Strike!' riep Mickey, terwijl ze op en neer sprong. 'Je hebt een
strike, Landon!' Je zou denken dat ze zelf de kegels omgegooid had
Ze wenkte Sadie. 'Jouw beurt, lieverd.'

Ze sloeg haar arm om Sadie heen, liet haar zien hoe ze de ba
moest vasthouden en nam samen met haar de aanloop. Toen Doug
weer aan de beurt was, belandde zijn eerste bal vlak voor hij de ke
gels bereikte in de goot en gooide hij bij de volgende worp slecht
één kegel om.

Mickey volgde hem met een strike.

Ze draaide zich met een triomfantelijke juichkreet om en para
deerde terug naar haar stoel om de kinderen een high five te geven
Nou ja, alle kinderen behalve Kayeleigh, die met haar armen ove
elkaar bij het controlepaneel zat.

Doug rolde met zijn ogen. 'Je had me niet verteld dat je op bow
len hebt gezeten.'

Ze giechelde. 'En jij hebt me niet verteld dat je nog nooit in je
leven gebowld hebt.'

'Ik ben het een beetje verleerd, meer niet.' Hij wreef met vee
vertoon in zijn handen. 'Wacht maar tot ik een beetje opgewarm
ben.'

Maar bij zijn volgende beurt begon hij te denken dat er ee
fabrieksfout zat in de zwalkende bal die hij had gekozen. Hij in
specteerde de bal en legde hem toen weer terug in het ballenrek
Terwijl hij in zijn handen wreef, kwam hij met de vingers van zij

echterhand tegen het gladde goud van zijn trouwring. Terugdenkend aan Mickeys nadrukkelijke blik op zijn linkerhand gisteravond, draaide hij zich om en wurmde het ding van zijn vinger. Hij stopte hem veilig in de zak van zijn spijkerbroek – samen met een knagend schuldgevoel.

Landon gooide bij zijn volgende beurt in twee keer alle kegels om. Mickey wierp Doug een zijdelingse grijns toe en wees naar Landons score op het bord boven hun hoofd. 'Nog even en je vader eindigt als laatste, knul. Jouw beurt, Kayeleigh.'

Kayeleigh was de hele middag bokkig gebleven. Ze kwam sloom van de bank en pakte de felroze bal, die ze voor zichzelf opgeëist had. Ze gooide twee kegels om bij haar tweede worp.

'Goed gedaan, Kayeleigh,' jubelde Mickey.

Kayeleigh deed alsof ze het niet gehoord had, liep vlak langs Mickey heen en liet zich weer onderuit op de bank zakken.

Mickey leek het blijk van minachting niet op te merken, maar ging naast haar zitten en gaf haar een klopje op haar knie. 'Je bent een natuurtalent, meid. Echt, je bent geweldig in vorm.'

Met een schok besefte hij dat Mickey zijn kinderen in sommige opzichten beter kende dan hij. Ze wist elk van de kinderen op de een of andere manier te geven waar ze het meest behoefte aan hadden, door Landons ego te strelen, de tweeling aan te moedigen en Kayeleigh uit haar mineurstemming te lokken.

Maar Kayeleigh trok zich met een schouderbeweging onder Mickeys hand uit en bleef strak naar de grond kijken.

Doug wist niet welke neiging hij moeilijker vond te weerstaan: die om zijn dochter mee naar buiten te nemen om haar eens goed de waarheid te zeggen of die om Mickey te omhelzen voor de manier waarop ze met Kayeleigh omging.

Het lukte hem om ze allebei te onderdrukken en tegen het einde van de dag was Kayeleigh een beetje opgefleurd en had Mickey hen allemaal aan het lachen gebracht. Ze had hem helpen inzien dat ze nog altijd een gezin vormden, en een paar uur lang had Doug een zwak straaltje hoop gevoeld. Misschien zouden er ooit toch weer momenten van geluk in zijn leven komen.

Ze reden terug naar Clayburn toen de zon onderging. De tweeling lag tegen elkaar aan te slapen op de achterbank toen hij voor Mickeys huis stopte. Hij zette de motor uit. Om de een of andere vreemde reden moest hij denken aan zijn verkeringstijd met Kaye. Hun eerste afspraakje was in de zomer na hun vierde jaar op de middelbare school. Hij had net zijn rijbewijs gehaald en voelde zich een hele piet. Om een beetje indruk te maken, was hij voor het huis van de familie Thomas gestopt en had op de claxon gedrukt.

Kaye was naar buiten gekomen met Harriet op haar hielen. Die had hem op niet mis te verstane wijze duidelijk gemaakt dat er niet meer getoeterd zou worden naar haar dochter. Hij zou als een heer naar de deur moeten komen of een ander meisje moeten zoeken om mee uit te gaan. Maar wat hem betrof, bestond er geen ander meisje. Vanaf die dag had hij zich zonder enige moeite aan Harriets regels gehouden en was hij naar de deur gekomen voor Kaye en was hij met haar meegelopen naar de veranda als hij haar 's avonds thuisbracht. Dat deed hij natuurlijk alleen maar om een vlug kusje te stelen voordat Kayes vader naar buiten kwam om voor chaperon te spelen.

Mickey legde een hand op de portierhendel. 'Bedankt voor de leuke middag.'

'Ja, het was leuk. Bedankt dat je met ons meegegaan bent.'

Ze draaide zich om en zwaaide naar Landon en Kayeleigh. 'Zie ik jullie maandag na schooltijd?'

'Ja, pap?' vroeg Landon.

'Nee, maandag niet. Jullie gaan na schooltijd naar oma. Maar dinsdag misschien wel.'

'Tot dinsdag dan,' zei Mickey. 'Nogmaals bedankt, Doug.' Ze stapte uit en deed het portier achter zich dicht.

Doug ving Kayeleighs blik in het achteruitkijkspiegeltje. 'Blijf even rustig zitten, terwijl ik met juf Mickey meeloop naar de deur. Ik ben zo terug.'

Hij moest rennen om Mickey in te halen.

Ze maakte een sprongetje toen hij opeens naast haar liep. 'Heb ik iets in de auto laten liggen?'

'Nee. Ik loop alleen even met je mee naar de deur.'

'Dat hoef je niet te doen, Doug.'

'Jawel.' Hij deed zijn mond open om haar te vertellen van Harriets bevel al die jaren geleden, maar bedacht zich. Dat deed hem denken aan Harriets tirade van vanochtend. Daar zou hij haar ook niets over vertellen. Hij was niet van plan zijn laatste paar minuten met Mickey te laten bederven. Hij liep achter haar aan over het paadje. 'Ik mag dan geen goede bowler zijn, ik ben wel een heer.'

Ze schoot in de lach. 'Dat ben je zeker.'

'Weet je wat...' Gedachten aan Harriets geruchtenmolen deden hem aarzelen. Maar nee. Het was een geweldige, heilzame dag geweest voor hem en de kinderen, en hij was niet van plan zijn leven te laten dicteren door een stel roddeltantes. Met een stralende lach hield hij Mickey zijn uitdaging voor. 'Wat dacht je van een revanchewedstrijd? Zelfde tijd, zelfde plaats, volgende week?'

'Eh, ik heb eigenlijk...' Ze beet op haar onderlip en liet haar adem ontsnappen.

Even was Doug bang dat ze hem zou gaan afwijzen. Maar meteen daarna zei ze vol overtuiging: 'Ja, graag. Maar reken er niet te veel op dat je wint.'

Hij bewoog zijn wenkbrauwen op en neer. 'Ik ga de hele week oefenen, hoor.'

'Ik denk niet dat je aan een week genoeg hebt, vriend,' zei ze plagend. 'Ik ben behoorlijk goed, voor het geval je dat nog niet opgevallen was.' En met die opmerking stak ze haar sleutel in het slot en verdween in het huis.

Doug liep lachend terug naar de auto.

'Hoe bedoel je: je kunt niet komen? Heb je een spannend afspraakje of zo?'

Mickey plofte neer op de bank in haar woonkamer en klemde de telefoon tussen haar hoofd en haar schouder. 'Nee, Rick. Ik heb geen spannend afspraakje.'

'Nou dan,' haar broer snoof in de telefoon, 'wat kan er dan belangrijker zijn dan een etentje met de familie Valdez?'

'Ik ga bowlen.'

'Bowlen? Speel je weer in de competitie of zo?'

'Nee. Helemaal niet.'

'Nou, misschien kan ik Angie zover krijgen dat ze iedereen belt om te proberen het een week te verplaatsen.'

'Dat hoef je niet te doen.'

'Je gaat hier toch geen gewoonte van maken, hoop ik?'

'Nee. Alleen deze keer.'

Hij zweeg even, wachtend op een uitleg, wist ze. Uiteindelijk zei hij: 'Loop nou niet zo geheimzinnig tegen me te doen. Wat is er aan de hand?'

'Er is niks aan de hand, Rick. Ik ga met een paar kinderen. Van de opvang.' Het was niet echt een leugen. 'Volgende maand ben ik er weer. Dat beloof ik. En dan kom ik natuurlijk ook eten.' Ze had niet verwacht dat haar broer haar het vuur zo na aan de schenen zou leggen. Hun maandelijkse familiebijeenkomsten waren belangrijk voor haar. Sterker nog, ze had bijna nee tegen Doug gezegd toen hij haar gevraagd had nog een keer te gaan bowlen. Maar iets in zijn jongensachtige enthousiasme had ervoor gezorgd dat ze hem niet afwees. Ze had afgelopen zaterdag een ontzettend leuke middag met hem en zijn kinderen gehad, en ze was gebrand ɔp een revanche, in meer dan een opzicht.

'Nou, goed dan.' De ontevredenheid was hoorbaar in Ricks .tem. 'We zullen je missen.'

'Ja, ja. Jullie zullen alleen die appeltaart missen die ik zou mee-ıemen.'

Hij schoot in de lach. 'Wat? Wilde je zeggen dat je die taart niet :ven afgeeft, onderweg naar de bowlingbaan?'

'Ha! Dat zou je wel willen. Doe Angie en de kinderen de groe-en van me. Hoe voelt ze zich?'

'Dik.'

'Rick!'

'Ik zei niet dat ze dik *is*. Jij vroeg hoe ze zich voelde. Ik vertel ılleen maar de waarheid. Volgens de dokter komt de baby pas over :en week of twee.'

'Geef haar maar een dikke knuffel van me. Alle anderen ook. En ɔel me zodra je babynieuws hebt. Ik zal jullie missen.'

Ze zou hen inderdaad missen. Misschien had ze geen plannen noeten maken. Familie was belangrijk. Maar ze verheugde zich ɔok op het uitje... misschien meer dan ze wilde toegeven.

'Nou, kom dan na het bowlen nog even langs,' zei Rick.

Ze moest lachen om het chagrijn in zijn stem. Heel even over-voog ze Doug te bellen om het af te zeggen. Maar dat moment ;ing snel voorbij.

'Reken er maar niet op,' zei ze tegen haar broer. 'We zullen waar-chijnlijk pas laat klaar zijn. Ik bel je nog wel.' Ze hing op voordat ıij haar nog verder kon uithoren.

ɔie zaterdagmiddag stopte Dougs Suburban stipt om half een voor ⁄lickeys deur, en ze rende vlug naar buiten voor hij uit de auto :on stappen om aan te bellen. Hij zwaaide door de voorruit en eikte over de bank om van binnenuit het portier voor haar open e doen.

Hij was een heer. Dat moest ze hem nageven. Hij was deze week wee keer met haar blijven praten toen hij de kinderen kwam ophalen bij de opvang… wel een half uur lang, terwijl de kinderen zich in de speelkamer vermaakten. Het was prettig om met hem te praten en hij leek hetzelfde over haar te denken. Ze kon zijn hart bijna zien genezen, naarmate de dagen voorbijgingen. En ook al praatten ze voornamelijk over zijn kinderen, ze had het gevoel alsof ze een nieuwe vriend gevonden had.

Dat is alles wat we zijn… vrienden. Daar moest ze zichzelf aan blijven herinneren.

Ze stapte in de auto en draaide zich om om de kinderen te begroeten.

Eerlijk gezegd ging ze er ongemerkt te vaak toe over om zich voor te stellen hoe het zou zijn als zij en Doug echt iets met elkaar kregen. Natuurlijk kon hij onmogelijk op die manier aan haar denken, maar soms hoopte ze dat hij dat wel zou doen.

Vanuit het niets verscheen het beeld van Trevor Ashlock in haar gedachten en er daalde een wolk van twijfel op haar neer. Was er iets mis met haar, dat ze zich aangetrokken voelde tot de weduwnaars van Clayton? Bestond daar niet een verhaal of legende over? Een zwarte weduwe, die zich aan mannen vastklampte die hun vrouw hadden verloren. Ze huiverde. Zelfs zij snapte hoe griezelig dat klonk.

Maar ze was jong geweest, nauwelijks vijfentwintig, en nog altijd bezig met het likken van haar wonden van de breuk met Jon toen ze tot over haar oren verliefd werd op Trevor, kort nadat hij zijn vrouw verloren had. Hij had haar gevoelens nooit beantwoord – had waarschijnlijk zelfs nooit geweten wat ze voor hem voelde. Ze had ook niet achter hem aan gezeten of zo. En Trevor was nu getrouwd… gelukkig getrouwd. En er kon nu elk moment een baby geboren worden.

En dit was geen schoolmeisjesverliefdheid die ze voor Doug DeVore koesterde. Ze was wijs genoeg om te begrijpen dat het te snel voor hem was om zelfs maar een andere relatie te overwegen. En trouwens, de gevoelens die ze voor Doug had, waren meer verwant aan medeleven en genegenheid dan aan romantische liefde

Ze stelde zich alleen maar voor wat de toekomst voor hen in petto zou *kunnen* hebben. Niet zoals het ongezonde fantaseren dat ze over Trevor gedaan had. En deze vriendschap kwam van twee kanten. Doug was tenslotte degene die haar uitgenodigd had om met hem naar Salina te gaan. Niet andersom.

Toch kon ze niet voorkomen dat ze Doug door de ogen van haar broers bekeek. Zouden zij ermee instemmen? Tony en Alex misschien wel. Zij waren niet zo verzot op haar als haar oudste broer. Aan Rick zou ze een zware dobber hebben. Vooral als ze nog meer familie-etentjes zou laten schieten vanwege Doug.

Harley wipte op en neer in haar autostoeltje.

'Gaat mevrouwtje Harley deze keer mee?'

Doug haalde zijn schouders op. 'Niet echt omdat ik dat zo graag wilde. Harriet had vanmiddag andere plannen. Ik dacht dat ze het beter uit zou houden bij de bowlingbaan dan in de bioscoop. We zullen zien.'

'O, ze vermaakt zich vast prima.' Mickey zwaaide naar de andere kinderen, draaide zich weer om en deed haar gordel om.

Landon boog zich met een brede grijns voorover. 'Papa zegt dat hij u helemaal gaat inmaken vandaag. Hij heeft een nieuwe bal.'

'Landon! Verklap mijn strategie nou niet!'

Dat spoorde de jongen alleen maar aan. 'Hij heeft de geluksbal van oom Brad geleend en heeft boven op de overloop geoefend.'

'Hé! Hé!' Doug wierp Landon een boze blik toe in het achteruitkijkspiegeltje. 'Kom op nou. Doe me dit niet aan.'

Mickey verbeet een lach. 'Geoefend?'

'Ja, hij heeft zowat een gat in de muur gemaakt, omdat hij steeds in de goot gooide.' Landon was op dreef.

Ze kon haar lach niet langer inhouden. Ze monterde helemaal op en iedere twijfel over het missen van een Valdez-samenzijn verdween als sneeuw voor de zon. 'Nou, ik ben benieuwd!'

Toen ze een paar uur later het bowlingcentrum uit liepen, zeiden Dougs lange gezicht en afhangende schouders genoeg. Het lukte hem te lachen om het pak rammel dat ze hem had verkocht. 'Oké je hebt me dan misschien verslagen, maar ik ben overtuigend derde geworden.'

Mickey hees Harley wat hoger op haar heup en veinsde een afkeurende blik. 'Een beetje zielig als je moet opscheppen dat je beter bent dan kleine kinderen om jezelf een goed gevoel te bezorgen.'

Daar had hij even geen weerwoord op. Hij maakte Landons haar door de war. 'Weet je, als mijn kinderen *echt* van me zouden houden, dan zouden ze er op zijn minst voor gezorgd hebben dat ik tweede werd.'

'Je had maar twee punten meer dan ik, pap,' bracht Kayeleigh hem in herinnering.

Landon, die de tweede plek ingepikt had, dook onder Dougs hand vandaan en verkneukelde zich. 'Ja, die geluksbal heeft niet zo veel geluk gebracht, hè, pap?'

'Nee, zeker niet. Ik zal eens een hartig woordje wisselen met die zwager van me. Een geluksbal, laat me niet lachen,' mompelde hij.

Mickey schoot weer in de lach, en Harley deed mee alsof ze precies wist waar het over ging. Mickey keek om om zich ervan te vergewissen dat de tweeling nog achter hen aan kwam. 'Loop eens een beetje door, jullie.'

Ze keek over hun hoofden heen en zag hun weerspiegeling in de ruit van het bowlingcentrum. Door de laagstaande zon veranderde het glas in een spiegel, en wat ze zag deed haar de adem inhouden. Ze zagen eruit als een gezinnetje. Het gezin dat ze altijd had willen hebben. Doug had een kind onder elke arm, de tweeling huppelde hand in hand achter hen aan en zij – zij droeg de peuter. Ze hadden allemaal een glimlach op hun gezicht en zagen eruit alsof ze bij elkaar hoorden. Het was als een donkere videoopname van haar droom die uitgekomen was.

'Alles goed met je?'

Toen ze opkeek, zag ze dat Doug naar haar stond te kijken, terwijl hij wachtte tot de tweeling hen ingehaald had.

Ze schudde de fantasie van zich af. Ze had niet het recht om zulke gedachten te koesteren. *We zijn vrienden*, bracht ze zichzelf weer in herinnering. Ze waren een paar keer gaan bowlen. En wat dan nog? Ze haalde zich belachelijke dingen in haar hoofd.

'Mickey?'

'Er is niks.' Beschaamd, met het gevoel alsof hij haar gedachten gelezen had, keek ze een andere kant op en spoorde de tweeling met veel vertoon aan om door te lopen.

De terugrit naar Clayburn was lawaaiig, maar ze was dankbaar voor het kabaal van de kinderen, dat Doug en haar ervan weerhield een gesprek te voeren.

Toen net voorbij de stadsgrens van Clayburn de snackbar in zicht kwam, zwichtte Doug voor de smeekbedes van de kinderen om een ijsje. 'Ga je daarmee akkoord?' Een retorische vraag, want ze piekerde er niet over zijn kinderen nu teleur te stellen.

'Ja, hoor. We zouden het zelfs kunnen meenemen naar mijn huis als je wilt.' Ze keek omhoog naar de wolkeloze, blauwe hemel. 'Even genieten van dit heerlijke weer.' De zon ging al snel onder, en de vijftien graden zouden verleden tijd zijn als ze bij haar huis waren, maar ze zou een vuurtje kunnen maken in de vuurkuil die Rick en Tony vorige zomer voor haar gemaakt hadden. Ze voelde zich opgetogen bij het vooruitzicht om de avond nog wat te rekken.

'Klinkt goed.' Doug knikte. 'We halen een tweeliterbak en nemen die mee.'

'Chocoladeijs!' riep Landon.

Kayeleigh gaf hem een stomp tegen zijn arm. 'Niks ervan! Jij wilt altijd chocoladeijs. Vanille, pap. Hij mag altijd kiezen.'

'Ophouden, jullie.'

Mickey stak haar hand op om als scheidsrechter op te treden. 'Als we nou eens een liter van elk nemen? Ik trakteer,' voegde ze er vlug aan toe.

'Diplomatisch opgelost.' Doug stak zijn hand op voor een high five.

Ze sloeg met een grijns haar hand tegen de zijne.

Twintig minuten later zaten Doug en zij in klapstoeltjes bij he vuur, terwijl hun ijs sneller langs de hoorntjes droop dan ze he konden oplikken. Buiten in de tuin speelden de kinderen tikkertj in de ondergaande voorjaarszon.

'Het was een leuke dag,' zei Mickey, terwijl ze haar enthousiasm probeerde te temperen. Eerlijk gezegd was het een van de mooist dagen van haar leven geweest. Maar dat kon ze niet tegen Doug zeggen.

Doug liep met zwierige tred naar de wagen, genietend van Mickey en de kinderen die achter hem de slappe lach hadden. Hij had haar eindelijk, eindelijk verslagen met haar eigen spelletje – met een score van 236 punten. En dat zou hij ten volle uitbuiten.

Terwijl zij de kinderen hielp met het omdoen van hun gordels, ging hij vol leedvermaak achter het stuur zitten.

Ze gespte Harley vast in haar stoeltje en stapte toen naast hem in de Suburban.

'Eens even kijken,' zei hij. 'Hoe hoog was jouw score ook weer? Dat ben ik vergeten.'

'Nee, toch.' Ze rolde met haar ogen. 'Dit zal ik mijn hele leven moeten blijven horen, vrees ik.'

'Tenzij je de kampioenstitel op de een of andere manier weet terug te winnen. En tussen twee haakjes: als ik het me goed herinner was de regel dat de verliezer trakteert op een etentje. Klopt dat?' Hij trok zijn wenkbrauwen op, wat hem een stomp tegen zijn arm opleverde. 'Au!'

'Goed, goed. Ik trakteer.'

Hij kon merken dat ze haar uiterste best moest doen om niet te lachen. En hij genoot met volle teugen. Op de een of andere manier had Mickey hem – hen allemaal – weer leren lachen. Iedere week hielp ze hen een paar uur lang het vreselijke drama dat hen overkomen was, vergeten. En daar bewonderde hij haar om.

En de kinderen ook, al dachten ze er waarschijnlijk niet in zulke concrete termen over na. Maar Mickey had hen zo mogelijk nog meer voor zich ingenomen dan ze als juf van de kinderopvang al had gedaan.

Soms, als hij de kinderen ophaalde van de opvang en nog even met Mickey bleef praten, bespraken ze hoe de kinderen de vre selijke gebeurtenis verwerkten. Soms praatten ze over Rachel, e dan hielp Mickey hem om zich lieve dingen te herinneren die zij dochter had gedaan en gezegd.

Maar door stilzwijgende overeenstemming waren uitjes enkel e alleen bedoeld voor plezier. Het was de beste therapie waarop hi had kunnen hopen. Voor het hele gezin.

'Weer naar Mickey D ?' vroeg hij, terwijl hij de auto startte.

'Nee…' Ze dacht even na, en toen verscheen er een glinsterin in haar ogen. 'Wat dacht je van Mickey V vanavond?'

Hij schoot in de lach, terwijl hij terugdacht aan haar waarschu wing toen ze de eerste keer waren gaan bowlen. 'Goed idee.'

'Mijn broer heeft vorige week geslacht, en ze hebben me ee aantal hamburgers gebracht. Die kunnen we buiten op de barbe cue leggen.'

'Hoe bedoel je: "we"?' vroeg hij plagend. 'Ik dacht dat de verlie zer moest trakteren.'

'Ik zorg voor het eten, makker. Ik ben niet van plan om oo voor kok en afwasser te spelen.'

Hij stak zijn handen omhoog in een gebaar van overgave. 'Wee ik, weet ik. Ik maak maar een geintje.' Het water liep hem al in d mond bij de gedachte aan een dikke, sappige hamburger.

'Als jij de barbecue bedient, dan zorg ik voor de rest.'

'Afgesproken.' Het klonk als een prima deal…

Een uur later keek hij naar de kinderen, die in Mickeys grote tui aan het spelen waren, terwijl zij genoten van de maaltijd die ze 'i elkaar had geflanst'.

De zon was onder. Het was kil en de geur van gegrild vlees hin nog in de lucht.

'Heb je trek in ijs?' Haar tanden klapperden en ze rilde.

'Raar mens… biedt me ijs aan, terwijl ze zit te rillen.' Hij kee omhoog naar de donker wordende lucht. 'Het is bijna koud hie buiten, vind je niet?'

'Laat dat "bijna" maar weg. En ik dacht nog wel dat het kor-
:broekenweer was.' Mickey trok haar goedgevormde benen op
e gietijzeren bank waarop ze zaten en sloeg haar armen om haar
nieën. 'Wil je naar binnen?'

Hij keek de tuin in, waar de kinderen radslagen maakten in het
ras. 'Ik weet niet of ik er wel op kan vertrouwen dat de kinderen
: bloemen niet vertrappen.'

'Daar maak ik me niet druk om.'

'Wil jij naar binnen?'

'Nee, hoor.'

Hij zag het kippenvel bijna verschijnen op haar blote armen.

'Hier.' Het leek de gewoonste zaak van de wereld om zijn wind-
.ck uit te trekken en over haar schouders te draperen. Hij had er
iet op gerekend dat hij zijn arm daar zou laten liggen. Maar hij lag
:. En nu leek het een beetje pijnlijk om weer opzij te schuiven.

Mickey leunde een heel klein beetje naar hem toe, net genoeg
m te begrijpen dat ze met de mogelijkheid rekening had gehou-
en. Minutenlang worstelde hij met wat er uit zijn eenvoudige ge-
aar zou kunnen voortvloeien. Toen ze samen bezig waren met de
oorbereidingen van het eten, had hij de hele tijd voorwendselen
ezocht om hun vingers met elkaar in aanraking te laten komen,
f om zijn hand even op haar onderrug te leggen als hij langs haar
een schoof om iets te pakken. Als hij zijn arm nu om haar schou-
er zou laten liggen, haar op hem zou laten reageren zoals hij wist
at ze zou doen, zou hun vriendschap automatisch overgaan naar
:n ander niveau.

Hij werd zich acuut bewust van de warmte van haar arm onder
jn hand. Haar haar streek langs zijn schouder, en de geur van haar
ampoo vulde zijn neus. Het verlangen sloeg door hem heen,
als het niet meer was gebeurd sinds Kaye…

Hij wilde Mickey dolgraag tegen zich aantrekken, de druk van
aar lichaam tegen zich aan voelen. Zijn vingers door haar zijde-
chte haar halen. Met haar vrijen…

Hij kapte de gedachte af, niet omdat hij dat wilde, maar omdat

hij wist dat hij dat moest. Het leek een mensenleven geleden d
hij voor het laatst de aanraking van een vrouw had gevoeld. D
aanraking van *zijn* vrouw. Mickey was een mooie, vreselijke he
innering daaraan.

In het besef dat het een prijs zou hebben die hij op dat momen
echter niet wilde berekenen, schoof hij dichter naar haar toe, totd
hun heupen elkaar bijna raakten op de bank. Hij sloeg zijn ar
nog vaster om haar heen. 'Mickey…'

Ze schoof ook dichter naar hem toe en legde haar hoofd op zij
schouder. Ze legde een slanke hand op zijn knie en haar vinge
tekenden zachte kringetjes in de stof van zijn spijkerbroek.

'Het is een fijne dag geweest, Doug. Dank je wel.' Haar ade
kriebelde in zijn nek.

Ze huiverde en volgens hem was dat niet van de kou.

'Het was inderdaad een fijne dag, Mickey…' Ergens wist h
dat hij moest terugkrabbelen. Dat hij moest stoppen, voordat z
een grens overgingen, die ze nooit meer ongedaan zouden kun
nen maken. 'Ik… ik geniet van onze uitjes samen. Die hebben m
enorm geholpen.'

Ze leunde nog zwaarder tegen hem aan. *O, God. Ik weet niet w
ik moet doen. Kaye…* De aanwezigheid van zijn vrouw leek zo ster
Een knellend schuldgevoel maakte zich van hem meester. Ma
Kaye was dood. Ze zou nooit meer terugkomen. En hij voelde ie
– iets krachtigs voor deze vrouw die hem weer had laten lache
Hem weer had laten hopen.

Maar het was beslist te snel.

Hij keek neer op Mickey. Lange, dikke wimpers lagen tegen d
ronding van haar olijfkleurige wang. Ze was een mooie vrou
Kaye was knap geweest op een alledaagse, oer-Amerikaanse m
nier. Maar Mickey Valdez was in alle opzichten een schoonhei
Met haar steile, bruine haar en die donkere ogen was ze er ong
twijfeld aan gewend dat mensen hun hoofd naar haar omdraaide
Hij wist dat vreemden aannamen dat ze zijn vriendin was – of zij
vrouw – als ze samen in het openbaar verschenen. Hij genoot va

e jaloerse blikken van andere mannen als hij en Mickey samen varen tijdens hun afspraakjes.

Afspraakjes? Het woord rolde zo gemakkelijk door zijn gedachen. Nou ja, wat waren het dan? *Kom op, DeVore. Wees eerlijk. Je zou et zo goed met haar kunnen uitgaan.* En wat was daar mis mee? Niemand verwachtte van hem dat hij altijd zou blijven rouwen, dat hij ltijd alleen zou blijven.

Hij kneep even in Mickeys schouder en legde zijn hand teen de zijkant van haar hoofd. Ze legde haar hand op de zijne en reelde zijn vingers. Hij zei met een gesmoord lachje: 'Ik heb het lotseling helemaal niet koud meer.'

Ze keek hem glimlachend aan. Een glimlach die hem liet weten at zij dezelfde dingen voelde als hij. Hij plantte een kus op haar oofd, terwijl hij een pluk haar uit haar gezicht streek.

Vanuit de tuin bracht Harleys opgetogen gegil hem met een ruk ij zijn positieven. Met een zacht duwtje schoof hij Mickey van ich af. Toen stond hij op en liep bij haar weg om over de balusade van de veranda te kijken. 'Landon, niet te dol met haar.' *Je zou aar je eigen advies moeten luisteren, DeVore.* 'Het is bijna tijd om te aan. Jullie moeten je spullen gaan opruimen.'

Ze hadden niets bij zich, maar iets anders kon hij op dat moent niet bedenken.

Hij boog zich naar Mickey en legde een hand op de hare. Ze at nog op dezelfde plek als waar hij haar achtergelaten had. Haar oofd was gebogen, en hij wist niet of ze verlegen was, of gewetst... of zat te bidden... of wat dan ook.

Hij schraapte zijn keel. 'Bedankt voor alles. We moeten echt weg. moet zorgen dat die kleine druktemaker in bed komt.'

Ze hief haar hoofd op en op de een of andere manier las hij dere nuance van haar glimlach. Die maakte hem duidelijk dat ze ist dat hij wilde blijven, wist dat hij meer wilde van waar ze een oorproefje van hadden gehad. Misschien wist ze zelfs dat het *zou* ebeuren. Snel genoeg.

Nou ja, misschien had ze gelijk. Maar voor dit ogenblik was hij klaar. Hij wreef in zijn handen. Het was niet zijn bedoeling ge weest dat dit zou gebeuren, en hij zou het niet verder laten gaa Vanavond niet. Niet voordat hij een kans had gehad om er goe over na te denken.

Ze stond op en deed een stap naar hem toe. Eén angstaanjagen ogenblik was hij bang dat ze hem een afscheidskus zou geve Maar ze liep rakelings langs hem heen en begon de tuintafel af t ruimen.

De kinderen mopperden dat ze al zo gauw weg moesten, en h moest zich met hen gaan bemoeien. Tegen de tijd dat ze eindelij allemaal in de auto zaten, was de betovering van zojuist verbroke Hoewel hij beslist een stempel achterliet.

Mickey leek weer zichzelf te zijn. Ze hielp hem met het om doen van de gordels, terwijl ze druk praatte met de kinderen e uitdagingen rondstrooide voor hun volgende bowlingmiddag. Z leek niet op te merken dat hij niet aanbood om met haar mee t lopen naar de deur.

Terwijl hij naar huis reed, vroeg hij zich af of hij zich alles ver beeld had. Dat hij de spanning die er tussen hen had gehange daar in haar tuin, verzonnen had. Maar nee. Zijn vingers tintelde nog van de aanraking met de hare. Zijn lippen brandden nog va de kus op haar geurige haar. Hij kende haar pas twee weken – o deze manier in elk geval. Maar het viel niet te ontkennen dat h verliefd op haar begon te worden.

En hij had geen idee wat hij daarmee aan moest.

18

Kom binnen, vreemdeling.' Rick deed de deur wijd open en tikte tegen een denkbeeldige hoed.

'Nee, maar, kijk eens wie er besloten heeft in de schoot van haar familie terug te keren,' riep Tony vanaf zijn vaste plek op de bank voor de tv.

'Hou je mond, jullie.' Mickey wierp haar broers een gemaakt woeste blik toe en bracht de chocoladeroomtaart die ze gemaakt had naar de keuken.

Angie en Rita stonden bij het aanrecht in Angies nette keuken groenten te snijden voor de salade.

'Mmm, wat ruikt het hier lekker.'

'Rick heeft een barbecue voorbereid.'

'Jammie.' Ze zette de taartdoos op het aanrecht en omhelsde haar schoonzussen. 'Zijn Alex en Gina er nog niet?'

'Ze hebben net gebeld,' zei Angie. 'Ze zijn onderweg.'

'De grote vraag is: waar is die baby? Je ziet er geweldig uit, Angie.'

'Bedankt, schat. Ik voel me goed.' Angie keek even op de klok. 'Ze slaapt, maar je mag haar wel pakken als je wilt. Het is toch bijna tijd voor haar voeding.'

Mickey waste haar handen bij de gootsteen en liep terug naar de babykamer. Ze had de kleine meid van Rick en Angie twee weken geleden al vastgehouden in het ziekenhuis, maar ze popelde om het popje weer in haar handen te hebben.

De kamer rook naar babypoeder. Van Angie moest alles altijd schoon en netjes zijn. Mickey liep naar de wieg en keek over de rand. De aanblik van het slapende kleintje benam haar de adem. Ze wist niet waarom de verwondering nooit minder werd, maar zo lang ze zich kon herinneren had ze zo op baby's gereageerd.

Ze pakte het slapende bundeltje op en hield het voor haar l chaam, zodat ze alle tere gelaatstrekken kon inspecteren. In slech twee weken tijd was de baby al zo veranderd. De verfrommeld pasgeborene met het rode hoofdje was een absolute schoonhei geworden. Hun eerste meisje. Ze zou schromelijk verwend wo den, net als Mickey. Ze glimlachte om de affiniteit die ze had m dit kleine schatje.

Emerald hadden ze haar genoemd. Mickey vond het een moo naam, maar nog voordat ze samen met de baby thuiskwamen u het ziekenhuis, had Rick het al afgekort tot Emmy. Haar gave, olij kleurige huid had iets goudkleurigs, en tegen haar bolle wangetj lagen lange, donkere wimpertjes.

Ze begon te wriemelen en tuitte haar lipjes. Ze was volmaak Zo volmaakt, dat Mickey tot tranen geroerd was. Maar die trane waren ook vermengd met verdriet – en angst. Zou zij ooit ee kind van haarzelf vasthouden? Zou God ooit de droom in vervu ling doen gaan die ze al sinds haar kindertijd koesterde?

God was zo goed geweest om vele, vele kinderen in haar leve toe te staan, in de vorm van haar lieve nichtjes en neefjes en op h kinderdagverblijf. Dougs kinderen hadden gedurende de afgelope weken een heel bijzonder plekje in haar hart gekregen. Ze kee even naar de roze klok in de vorm van een rozenknop aan de mu van de babykamer. Ze zouden nu wel zo ongeveer onderweg zij naar de bowlingbaan. Ze miste hen en kreeg even het gevoel d ze buitengesloten werd.

Ze wist dat haar vriendschap met Doug en zijn kinderen ee geschenk van God was. Maar dat was niet hetzelfde. Ze verlang ernaar om een kind in haar buik te dragen, het te voelen groeie Anders dan sommige vrouwen zag ze niet op tegen het idee va een bevalling. Ze wilde de pijn voelen van het naar buiten pers van een kind. Ze wilde baby's voeden aan haar borst en hen van de dag van hun geboorte zien veranderen en groeien. Misschie was het egoïstisch van haar dat ze niets anders toestond in ha komen. Maar God had haar vast niet geschapen als vrouw met zulke sterke moederverlangens om haar de vervulling daarvan te onthouden.

Toch, nu haar eenendertigste verjaardag naderde, begon zich onwillekeurig een stille paniek van haar meester te maken.

Emmy begon te wriemelen en Mickey nam haar dicht tegen zich aan. De gevoelens die het bij haar opriep nu ze dit nieuwe wentje vasthield, moesten met haar hormonen te maken hebben. *O, God, alstublieft. Ik wil ooit mijn eigen baby vasthouden. Alstublieft…*

Opnieuw stroomden de tranen over haar wangen.

'Mick!'

Ricks stem deed haar schrikken. Ze veegde met een hand over haar natte wangen.

'Het eten is bijna – Hé… vanwaar die tranen?' Hij legde een hand op haar arm. 'Gaat het wel met je?'

Ze haalde diep adem en zei met trillende stem: 'Er is niks.' Ze kon nooit iets verbergen voor haar grote broer. 'Je dochter is alleen zo mooi.'

Hij hield zijn hoofd iets schuin, alsof hij probeerde te peilen of ze de waarheid sprak. Blijkbaar had ze hem voor de gek gehouden, want hij richtte zijn blik op zijn dochter. 'We hebben een mooi exemplaar afgeleverd, hè?'

'Dat hebben jullie zeker. Maar, eh… ik denk dat Angie alle eer toekomt voor het mooie gedeelte.'

De baby bewoog in haar armen. Mickey legde haar over haar schouder en Emmy liet een zeer ongemanierde boer.

Mickey schoot in de lach. '*Dat* heeft ze van haar vader geërfd.'

Lachend zette Rick een hoge borst op. Hij sloeg een arm om haar en de baby. 'Kom, dan gaan we eens kijken hoe het met die barbecue staat.'

Ze liep achter hem aan, dankbaar voor de afleiding.

Kayeleigh slurpte het laatste beetje van haar cola light op en zakte onderuit in de sjofele, fluwelen stoel in de donkere bioscoop. Ze waren eindelijk eens een keer op stap zonder die stomme juf Va dez, en papa had de hele dag lopen kniezen, alsof hij zijn bes vriend verloren had of zo.

Oké, ze moest toegeven dat ze er een beetje spijt van had dat z en Landon papa overgehaald hadden om naar een domme kinde film te gaan in plaats van te gaan bowlen, zoals anders. Ze begon aardig goed in te worden, al zei ze het zelf. En ze had gisteren nc in Rudi's blad *Seventeen* gelezen dat het ook een goede vorm va lichaamsbeweging was. Ze kon al merken dat ze een beetje afg vallen was. Eens kijken of Lisa Breck haar nu nog 'dikzak' noemc achter haar rug.

Het zou leuk zijn geweest om alleen met papa te gaan bowle Misschien zou hij dan twee woorden tegen haar gezegd hebbe in plaats van alleen maar met smachtende koekiemonsterogen na juf Valdez te kijken.

Ze had vorige week al haar moed verzameld om er met Ru over te praten, en haar beste vriendin had iets gezegd waar ze ni aan gedacht had. 'Je vader is waarschijnlijk heel erg eenzaam zo der… nou ja, zonder je moeder.'

'Wat? Rudi, denk nou eens na. Hij heeft ons vijven bijna voor durend om zich heen. Hoe kan hij dan eenzaam zijn?'

Rudi had haar aangekeken alsof ze gek was. 'Voel jij je welee eenzaam, Kayeleigh? Zelfs als iedereen thuis is?'

Eerst maakte Rudi's vraag haar boos, maar nadat ze er een poo je over nagedacht had, begreep ze een beetje wat ze bedoeld Maar wat haar dwarszat was: stel dat mama hen kon zien? Ze ha een heleboel verschillende dingen gehoord over de hemel, en ee daarvan was dat mensen in de hemel konden zien wat er hier c aarde gebeurde. Ze wist vrij zeker dat mama niet blij zou zijn m de manier waarop papa naar juf Valdez keek. Of met de mani waarop juf Valdez hem aanraakte als ze dacht dat niemand keek.

Rudi's vader was gestorven toen zij een baby was, en haar mo der was hertrouwd. Howie was niet echt een stiefvader voor ha want hij was de enige vader die ze zich herinnerde. Dus… mi

:hien vond je het, als je een tijdje in de hemel was, niet zo erg
ıeer als je vrouw of je man iemand anders leuk ging vinden.

Het was allemaal te verwarrend. Ze slaakte een zucht en proeerde haar gedachten stop te zetten en zich te concentreren op
e film. Er zaten leuke stukjes in, maar verder was er niet veel aan.
wee stoelen verderop in de rij wierp Landon haar een gemene
lik toe. Hij was de laatste tijd stomvervelend, behalve als juf Val-
ez in de buurt was. Dan veranderde hij plotseling in het braafste
ngetje van de klas.

De muziek zwol aan en ze richtte haar aandacht op het bio-
oopscherm. De tekenfilmfiguurtjes zongen. Het was een droevig
edje en te laat besefte ze de tekst dat ze probeerden hun moeder
vinden. Uit de voorfilmpjes wist ze dat de moeder dood was.
apa had geprobeerd hen over te halen naar een andere film te
ıan, maar zij en Landon en de tweeling hadden hem met een
eerderheid overstemd. Nu had ze daar spijt van. Ze keek even
ɔzij naar de tweeling. Ze zaten allebei met open mond te kijken.
ayeleigh keek naar papa, in de aanname dat hij wel op de twee-
ıg en Landon zou letten, omdat hij zich zorgen maakte dat de
ène te droevig voor hen was.

Maar zijn blik was op het scherm gericht. Alleen keek hij niet
:ht. Haar hart maakte een sprongetje. Hij huilde. De schemerlam-
en aan de wand van de bioscoop weerkaatsten in de tranen die
er zijn wangen stroomden. Hij wist niet dat ze naar hem keek.
e had geprobeerd die avond vlak na mama's dood te vergeten,
en ze naar beneden was gegaan en hem in de schommelstoel met
arley op schoot had aangetroffen, huilend als een kind. Ook al
d de aanblik daarvan haar verscheurd, ze had het begrepen. Hij
d mama verloren. Hij mocht huilen, ook al was hij een volwas-
n man. Maar waarom huilde hij nu? Mama en Rachel waren al
n hele poos dood... al maanden. Zelfs zij huilde er nauwelijks
eer om.

Eerlijk gezegd kon ze zich hen soms niet eens meer herinneren,
ze dat probeerde. Ze wist niet meer hoe Rachels stem precies

klonk, of die van mama. Dat maakte haar bang. Stel dat *zij* zo sterven? Zou iedereen haar dan ook vergeten?

Papa snufte en veegde met een hand over zijn wang. Het w duidelijk dat hij niet wist dat ze naar hem keek. Haar keel zat dich De tranen brandden achter haar oogleden. *Nee. Nee. Denk aan ie anders. Niet huilen.* Waarom moest papa er nou voor zorgen dat z zich zo voelde? Waarom konden ze niet gewoon vergeten wat was gebeurd?

Ze dwong zichzelf zich te concentreren op de film, maar h verhaal over een jongetje dat zijn moeder zocht, deed dat plan mi lukken. Ze wrikte het deksel van haar beker cola open en scho met behulp van haar rietje een ijsblokje in haar mond. De ko voelde goed tegen haar dichtgeknepen keel. Volgens Rudi's bl *Seventeen* bevatte ijs helemaal geen calorieën. Ze kon erop kauwe tot haar tanden er pijn van deden en daarmee misschien zelfs w calorieën verbranden.

Ze draaide zich een beetje om, zodat ze papa niet meer k zien vanuit haar ooghoeken. Terwijl ze haar best deed om nog ee ijsblokje in haar mond te schuiven, liet ze de filmmuziek naar achtergrond verdwijnen.

·orry dat ik zo laat ben.' Doug stond midden in Harriets eetkamer
ı probeerde een oprecht berouwvolle houding aan te nemen.

Maar toen hij opkeek, was de stugge blik op haar gezicht nog
.et veranderd. Ze nam een ademteug, alsof ze iets wilde gaan zeg-
:n. In plaats daarvan sloeg ze haar armen over elkaar en schudde
ıar hoofd, alsof ze nauwelijks kon geloven dat hij een half uur te
at had durven komen.

'Ik... ik denk dat ik je pas later in de week weer nodig heb om
› de kinderen te passen. Vrijdagavond misschien? Zou dat luk-
:n?'

'Vrijdag*avond*?' Haar ogen vernauwden zich iets. 'Wat is er
ın?'

'Niks speciaals.' Hij keek even naar de woonkamer, waar de kin-
:ren naar de een of andere natuurfilm zaten te kijken. 'Ik dacht
ıt ik er misschien wel... even tussenuit zou kunnen gaan.' Zijn
›ging om terug te krabbelen mislukte faliekant, en hij merkte dat
arriet zijn gedachten las.

'Je neemt dat meisje van Valdez weer mee uit.'

Hij ontkende het niet, maar knikte alleen maar, terwijl hij zijn
terste best deed om langs zijn neus weg te zeggen: 'We dachten
t het wel leuk zou zijn om naar een film te gaan of zo.' Dat 'wij'-
deelte was niet helemaal waar. Hij had nog niet de moed opge-
acht om Mickey te bellen en haar mee uit te vragen. 'Ik wilde
.ar mee uit eten nemen als dank voor alle extra tijd die ze met de
nderen heeft doorgebracht.'

Hij betreurde de woorden zodra ze over zijn lippen waren. Mic-
y had nog niet een tiende van de tijd aan de kinderen gegeven
: Kayes moeder aan hen had besteed, en hij zou Harriet eerder

vragen voor hen te *koken* dan haar mee uit te nodigen naar ee
restaurant. Hij bedacht dat hij dat in de nabije toekomst gauw eei
moest doen. Maar het waren tenslotte haar kleinkinderen. En z
beweerde dat ze graag tijd met hen wilde doorbrengen.

En trouwens, al zolang Harriet weduwe was – al bijna tien ja
nu – had hij haar geholpen met klussen in en om het huis. In c
zomer had hij het gras voor haar gemaaid, hij had op haar huis ge
past als ze in Florida was en als ze in de winter toevallig in Kans
was, had hij haar oprit sneeuwvrij gehouden. Om nog maar ni
te spreken van het feit dat hij in zijn eentje voor de kinderen ha
moeten zorgen toen Kaye een paar jaar geleden een week bij ha
moeder was geweest nadat Harriets galblaas verwijderd was. Z
leken toch zo'n beetje quitte te staan.

Tot nu toe, nu Harriet hem stond aan te staren.

Ze deed haar armen van elkaar en stond te friemelen met c
rand van het gehaakte tafelkleedje. 'Ik wilde tot nu toe nog nie
zeggen, Douglas, maar ik denk dat het tijd wordt dat je het weet

Hij wachtte af, benieuwd naar wat er zou komen.

'Ik verhuis naar Florida. Aan het eind van de maand.'

'Verhuizen? *Deze* maand? Toch niet voorgoed?'

Ze knikte. 'Ik zet mijn huis te koop en verhuis naar Floric
Voorgoed.'

Dit had hij niet zien aankomen. Het duurde even voor hij zi
stem weer terugvond. 'Maar de kinderen dan? Wat is er gebeu
met je plan om voorgoed *hier* te komen wonen? Ik dacht dat je c
zijn minst van plan was hier te zijn om tijdens de zomervakant
op ze te passen.'

'Ik zal de kinderen komen opzoeken. En misschien kunnen
om beurten naar Florida komen om een of twee weken bij mij
logeren.'

Vergeet het maar. 'Dit is niet echt een goede tijd om een huis
verkopen. Je weet hoe de markt er nu voorstaat. En de kinder
hebben hun oma nu meer dan ooit nodig, om nog maar niet
spreken over het feit dat het...'

'Ik heb hier grondig over nagedacht, Douglas. Het is gewoon te ıoeilijk. Er zijn hier te veel dingen waaraan ik liever niet herinerd word. Ik zie wat er met jou en dat meisje van Valdez gebeurt.' laar gezichtsuitdrukking werd wat milder en haar stem kreeg een roefgeestige klank. 'Ik weet dat je verder moet met je leven. Ik en niet zo bekrompen dat ik dat niet kan begrijpen. Maar ik acht dat je op zijn minst een fatsoenlijke tijd zou wachten voor je eer… uit zou gaan.'

'Ik ga niet uit, Har…'

Ze legde hem met een handgebaar het zwijgen op. 'Je kunt jezelf ijsmaken wat je wilt, Douglas. Iedereen in Clayburn denkt er nders over.'

Was dat waar? Waren de mensen hem en Mickey echt al als een el gaan beschouwen? Maar toen hij eraan terug dacht dat hij voor et oog van de halve stad met Mickey had staan flirten op de bruift van Jack en Vienne, besefte hij dat hij het alleen aan zichzelf te ijten had dat er allerlei geruchten rondgingen.

Een paar keer waren ze mensen uit Clayburn tegengekomen als met de kinderen in Salina waren, maar dit stadje zat toch zeker iet zo om nieuws verlegen dat mensen meteen naar huis renden m de gebeds- en roddelketen in werking te stellen als ze Doug en lickey samen hadden gezien?

'Het is duidelijk dat je me niet meer echt nodig hebt.' Harriets herpe stem onderbrak zijn gedachten. 'De kinderen redden het el.'

'Nee. Dat is niet zo. Wat moet ik deze zomer? Dan hebben de nderen je het hardst nodig, Harriet.' Dan had *hij* haar het hardst odig. Hij en Kaye hadden iedere zomer een zucht van verlichting slaakt als Harriet op de kinderen paste en ze een paar maanden een rekening van het kinderdagverblijf kregen.

'Het kinderdagverblijf is de hele zomer open. Laat dat meisje n Valdez maar voor ze zorgen als ze zo dol op je is.'

'Wil je ophouden om haar zo te noemen?' Hij dwong zichzelf n zachtjes te blijven praten. 'Ze heet Mickey.'

Harriet boog haar hoofd in een gebaar dat Doug voor ee verontschuldiging hield. Maar aan de onverzettelijke blik op ha gezicht kon hij zien dat haar besluit vaststond. 'Kayeleigh is bijn een puber. Ze zal in de zomer oud genoeg zijn om op te pas sen.'

'Ik wil haar niet opzadelen met die verantwoordelijkheid. Voor niet na wat er gebeurd is.'

'Ik ga je niet vertellen wat je moet doen, Douglas. Ik twijfel e niet aan dat je wel een oplossing bedenkt. Maar het spijt me. Het te moeilijk.' De spieren in haar gezicht ontspanden zich en ze kee hem met tranen in haar ogen aan. 'Het gaat niet alleen om Micke Het gaat om Kaye, Doug. Het is te moeilijk voor mij om hier t zijn met al die herinneringen aan haar. Ik zal zo vaak mogelij op bezoek komen, maar ik kan hier niet blijven.' Ze liep naar d woonkamer en wenkte de kinderen. 'Kayeleigh, je vader is er. Kon jongens. Doe de tv maar uit en pak maar gauw je jas.'

Paniek rees op in Dougs keel. Punt uit? Harriet ging weg... li hem in de steek. En zei dat dat – voor een deel in elk geval – wijten was aan zijn vriendschap met Mickey. Een puur platonisch vriendschap. De gedachte bleef in zijn hoofd steken en hij scho hem terzijde om later mee af te rekenen. Maar platonisch of nie Harriet had het recht niet om een oordeel te vellen over zijn leve Hij had deze zomer op haar hulp gerekend.

Hij ontweek haar blik en troonde de kinderen mee naar de aut Terwijl hij bij haar huis wegreed, bood hij weerstand tegen de ki derachtige verleiding om plankgas te geven.

'Wat is er, papa?' Sadies bezorgde gezichtje keek hem aan in c achteruitkijkspiegel.

'Niets, schatje. Ik... zit te bedenken wat we zullen eten.'

'Patat!' riep Landon vanaf de achterbank.

'Vanavond niet. Dat hebben we de laatste tijd al te vaak gedaa

'U gaat toch niet proberen zelf te koken?' vroeg Sarah.

Iedere andere avond zou hij in de lach geschoten zijn om de vi afkeurend gefronste gezichtjes in de spiegel. Maar met het voorui icht van duizend avonden waarop hij iets zou moeten bedenken oor het eten, werd het hem plotseling allemaal te veel.

'Het maakt niet uit,' zei Kayeleigh. 'Ik eet toch niet mee.'

Dat kon hij niet negeren. 'Je hebt gisteravond ook al niet gegeen. Voel je je wel goed?'

'Ik heb bij oma gegeten.'

Doug keek haar vragend aan, maar Kayeleigh ontweek zijn blik oor uit het raam te staren.

'Dat was alleen maar wat lekkers, Kayeleigh,' sprak Sadie haar gen. 'En trouwens, je hebt die van jou niet eens opgegeten.' Ze ing op een klikspaanachtig toontje verder: 'Oma had chocoladeoekjes gebakken en Kayeleigh gaf die van haar aan mij en Sarah.'

'Ga je me nou verklikken omdat ik met jullie gedeeld heb? euk, hoor, Sadie. Dat zal ik nog eens doen.'

Er ging een alarmbelletje af in Dougs hoofd. Hij had Kayeleighs etgewoontes geweten aan de ophanden zijnde puberteit. Maar ndanks dat ze schrikbarend snel een vrouwelijk figuur begon te rijgen, vond hij, nu hij eens goed naar haar keek, dat haar armen r een beetje dun uitzagen. Misschien kwam het gewoon omdat ij haar de hele winter alleen maar in dikke truien had gezien. Al in kleins af aan was Kayeleigh een beetje aan de mollige kant eweest. Hij had zich zorgen gemaakt dat ze er misschien mee epest zou worden, maar Kaye had hem er altijd van verzekerd dat e er vanzelf overheen zou groeien zodra ze in de puberteit kwam. pletten wat ze at maakte daar misschien deel van uit.

De puberteit. Dat was nog eens een beangstigende gedachte.

Hij negeerde de alarmbellen en concentreerde zich op de weg. n op de manier waarop hij beschimmelde kliekjes en halflege ikken en flessen in de koelkast moest omtoveren in iets wat op en maaltijd leek. De snackbar klonk zo gek nog niet. Misschien ou hij er vanavond iets halen en dan konden ze zaterdag in een uk restaurantje eten. Alleen zou Mickey waarschijnlijk naar haar oer gaan. Een reden te meer om haar te vragen of ze zin had om ijdagavond met hem naar de film te gaan.

Harriet had er uiteraard niet echt mee ingestemd om op te pa
sen. Maar misschien had ze gelijk – misschien was Kayeleigh ou
genoeg om twee of drie uur op de kinderen te letten, als hij niet
te ver weg ging.

Hij had Mickey al meer dan een week niet gesproken. Hij ha
bijna iedere avond op het land gewerkt, en ofwel Harriet had d
kinderen van het kinderdagverblijf opgehaald, of Mickey was
naar huis geweest tegen de tijd dat hij daar kwam. Ze was afgelo
pen zaterdag niet meegegaan naar Salina. Ze had gezegd dat ze ee
familie-etentje had. Maar nu zette hij daar vraagtekens bij. Gaf z
hem de bons en had hij dat niet eens door?

Nu hij eraan dacht, hij had haar woensdagavond geprobeerd
bellen en er werd niet opgenomen. Maar toen hij haar maanda
sprak, leek er niets aan de hand te zijn.

Ze hadden niet echt gepraat over wat er tussen hen gebeurd wa
maar naar hun korte gesprekjes te oordelen was er iets verander
in de manier waarop ze op hem reageerde. Iets goeds, had hij to
nu toe gedacht. Maar misschien beeldde hij het zich alleen maar i
dat ze vriendelijker leek. Een beetje flirterig zelfs.

Maar het was lang geleden sinds hij in de vrijgezellenwereld ha
verkeerd. Misschien had hij pas door dat hij de bons kreeg als h
hem met zo veel woorden gezegd werd.

Misschien was ze zich er niet eens van bewust dat hij haar d
avond op de veranda een kus op haar hoofd gegeven had. Maar a
hij terugdacht aan die avond, dacht hij toch van wel. En hij had h
zich *niet* verbeeld dat ze op hem gereageerd had. Lichamelijk. H
riep zijn gedachten een halt toe voordat ze de verkeerde kant o
gingen.

Terwijl hij door het centrum van Clayburn reed, zag hij dat h
licht nog aan was bij Café Latte. Vlug dook hij een lege parkee
plek in. 'In de auto blijven jullie. Ik ga wat broodjes halen voor h
eten.'

'Ik wil mosterd op mijn broodje!' riep Landon.

'Nee, geen mosterd!' protesteerde de tweeling.

'Ik koop gewone broodjes, zonder toeters en bellen,' zei Doug, erwijl hij zijn gordel losklikte. 'Je kunt er thuis mosterd op doen.)f niet.' Voor ze ertegenin konden gaan, sprong hij uit de auto en leed het portier dicht.

Vijftien minuten en even veel dollars later droeg hij een zak met roodjes kalkoen en kaas het huis binnen. Hij liep achter de kineren aan naar binnen en knipte lampen aan, die het aanrecht vol ntbijtspullen en de afwas van gisteravond beschenen.

De eetkamertafel was een nog grotere puinhoop. Het zou een ele klus worden om een plekje vrij te maken voor het avondeten. e hadden het huis nog geen paar weken geleden helemaal operuimd en schoongemaakt. Hoe kon het dat het nu al weer zo'n ommel was?

Hij zou zaterdag weer een schoonmaakochtend organiseren. De inderen zouden er niet blij mee zijn, maar dat was dan jammer. aye had zich er nooit zo druk om gemaakt of ze iets wel leuk onden of niet. Ze vond het nodig dat ze belangrijke levenslessen erden en op zouden groeien tot verantwoordelijke jonge mannen en vrouwen. Maar ja, Kaye had nooit voor de uitdaging geaan om moeder en vader tegelijk te moeten zijn.

Hij liet de kinderen vlug eten en hielp hen de ergste rommel in e keuken opruimen. Toen ze zich geïnstalleerd hadden met hun uiswerk, nam hij de telefoon mee naar zijn slaapkamer en belde lickey.

Voor het eerst zat hij met klamme handen en de zenuwen in zijn jf te wachten tot ze opnam.

k kom al, ik kom al.' Mickey zette de overvolle kruiwagen neer n rende het trapje van de veranda op. Daar ging haar voornemen m voor het donker de bloembedden opgeruimd te hebben. Ach, ou ja. Het was pas 3 april. Toch een beetje vroeg om iets buiten planten.

Terwijl ze tuinaarde van haar handen veegde, schoof ze met een leboog de hordeur open. Het was een zachte avond, en ze had de

openslaande deuren in de eetkamer open laten staan. Ze had de te
lefoon al twee keer eerder over horen gaan en had hem tot nu to
laten rinkelen. Maar deze keer begon haar fantasie slechtnieuws
scenario's te bedenken over haar broers en hun gezinnetjes, en ko
ze hem geen minuut langer negeren.

Ze schopte haar sandalen uit buiten de deur en veegde haa
blote, vochtige voeten af aan de mat voordat ze naar binnen stapt
Ze griste de hoorn van de haak en nam op, nog voordat het to
haar doordrong dat er *DeVore* op het schermpje stond.

'Mickey? Hoi, je spreekt met Doug.'

'O, hallo. Heb je al eerder geprobeerd te bellen?'

'Eh, ja. Een paar keer.'

'Het spijt me. Ik was buiten in de tuin bezig.'

'O, sorry. Ik kan wel een andere keer terugbellen als dat je bete
uitkomt.'

'Nee, het geeft niet.' Ze stak haar hand uit om deur dicht t
doen. De tuin zou er morgenavond ook nog wel zijn. Het was fij
om zijn stem te horen.

'En... hoe was je dag?'

Ze aarzelde. Verbeeldde ze zich de nervositeit in zijn stem? 'C
wel goed.' Op de een of andere manier had ze niet het idee dat h
alleen belde om wat te babbelen. Ze greep de hoorn wat stevige
beet. Ze had dit telefoontje half en half verwacht. Verwacht dat h
af zou zeggen voor zaterdag. En toen ze eerder deze week over di
mogelijkheid nadacht, had ze een lichte opluchting gevoeld. Ma
nu, met zijn stem zacht in haar oor, wist ze dat ze dat helemaal ni
wilde. Ze miste hem. *Laat me alstublieft niet gaan huilen, Vader. Ni
voordat ik ophang in elk geval.*

'Ik heb je al een poosje niet gesproken.' Hij bleef zachtjes prate
maar ze hoorde de kinderen kwebbelen op de achtergrond. C
misschien was het de tv.

'Ja, het is al even geleden. Hoe ging het bowlen laatst?'

'O. We zijn niet gaan bowlen.'

'Nee?'

'Nee, we zijn naar een film geweest.' Hij aarzelde. 'Die Disney-ilm waar we een paar weken geleden heen zouden gaan.'

'O. Vond je hem leuk?'

Hij schraapte zijn keel. 'Sinds wanneer zijn Disneyfilms zo ont-ettend droevig?'

Ze lachte zachtjes. Maar toen ze terugdacht aan de film, reali-eerde ze zich dat hij misschien geen grapje maakte. 'Ik had toch ezegd dat het een tranentrekker was.'

'Ja. Ik had naar je moeten luisteren.'

'Dat had je zeker.'

Hij slaakte een zucht. 'Ik heb me door de kinderen laten over-alen. De volgende keer geloof ik je op je woord. Misschien kan k het volgende keer goedmaken.' Ze hoorde de lach in zijn stem.

'Volgende keer?' Ze hield er niet van om zich van de domme houden, maar ze was ook niet van plan iets klakkeloos aan te emen.

'Als je niet iets anders te doen hebt, zouden we – zou *ik* het fijn inden als je weer met ons mee gaat bowlen. Volgens mij hebben ve het vorige week allemaal gemist.'

Ze glimlachte in de hoorn. Hij zei niet dat ze *haar* gemist had-en, maar ze wist vrijwel zeker dat hij dat bedoelde. 'Dus je hebt et bowlen gemist?'

Of hij snapte haar grapje niet, of hij besloot er niet op in te gaan. Maar hé, daar belde ik eigenlijk niet voor.' Hij schraapte zijn keel. Zou je het leuk vinden om vrijdagavond mee uit eten te gaan? Al-een met mij... zonder de kinderen. Misschien kunnen we daarna og naar een film gaan – geen droevige,' voegde hij er vlug aan e.

Ze was er helemaal klaar voor geweest om zijn afwijzing als een olwassene op te nemen. Nu vroeg hij haar mee uit. Officieel mee it. Daar hoefde ze niet lang over na te denken. 'Graag, Doug.'

'Geweldig!' Ze hoorde zijn grijns door de telefoon heen. 'Schikt et als ik je rond een uur of half zeven ophaal?'

Waarom had ze zo snel ja gezegd? Zoals het nu tussen hen was,

was het goed. Wilde ze dat echt bederven met een afspraakje? Nie
dat ze niet honderd keer gedagdroomd had over die paar minute
op haar veranda, toen hij zijn arm om haar heen geslagen had e
ze tegen zijn warme lichaam geleund had. Ze zuchtte.

'Alles goed?'

Ze lachte verlegen. Het was niet haar bedoeling geweest dat hi
haar had horen zuchten. 'Er is niks. Tot vrijdag dan?'

'Ik verheug me erop.'

Ze voelde dat ze bloosde en was blij dat hij haar niet kon zien
Ze legde de hoorn op de haak en ging gauw in haar kast op zoe
naar iets geschikts om te dragen tijdens een 'echt' afspraakje.

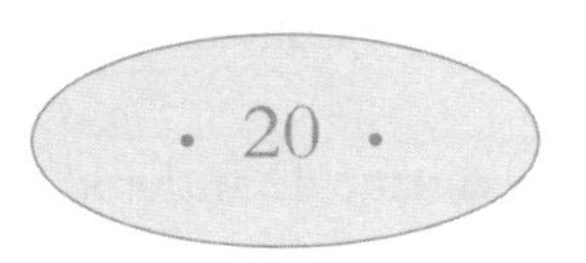

Roodborstjes tjirpten en kwetterden in de toppen van de sier-
eren, die aan weerszijden van Clayburns Main Street groeiden.
Het was 6 april, maar de bomen droegen al een mantel van nieuwe,
eelgroene blaadjes. Mickey trok aan de zoom van haar bloes en
venste dat ze wat gemakkelijkers aangetrokken had.

'Ik hoop dat je het niet erg vindt,' zei Doug nogmaals, terwijl hij
ijn pick-up in een kleine parkeerplek voor Café Latte manoeu-
reerde. 'Ik voelde me er gewoon niet prettig bij om Kayeleigh te
ang alleen te laten met de kinderen.'

'Helemaal niet. Dit is leuk. Ik heb de espressobar altijd leuk
evonden.' Nou, dat was in elk geval waar. Maar ze had er wel
en beetje bezwaar tegen dat ze in Clayburn bleven tijdens hun
erste afspraakje. Er viel niet aan te ontkomen dat zij en Doug na
anavond het gesprek van de dag zouden zijn. Als ze dat al niet
varen.

Ze liet alle hoop om haar vriendschap met Doug voor haar
roers verborgen te houden, varen. Ze woonden dan wel niet meer
n Clayburn, maar geruchten verspreidden zich hier als een lopend
uurtje.

En dit zou een gerucht van de hoogste orde zijn.

Doug zette de motor af en stapte uit. 'Wacht even,' zei hij door
et open raam. 'Ik zal het portier voor je opendoen.'

Ze voelde zich een beetje dwaas door daar te zitten wachten,
erwijl hij om de voorkant van de auto heen rende. Ze trok aan de
endel van het portier. Er gebeurde niets. Doug gaf aan de buiten-
ant een ruk aan de hendel. Niets. Het portier leek niet op slot te
itten. Ze keek door het raampje toe hoe hij zijn sleutels uit zijn
ak haalde en ze in het slot heen en weer draaide, tot het portier

eindelijk openging. ‘Helaas was ik niet alleen maar galant,’ zei hi
met een schaapachtige grijns. ‘Die deur heeft een gebruiksaanwij
zing.’

‘En ik was nog wel zo onder de indruk.’ Ze deed net of ze bele
digd was.

‘Maak je niet druk, als hij dicht was blijven zitten, had ik je ge
woon hier iets te eten gebracht.’

Ze schoot in de lach. ‘Dat is echt grootmoedig van je. Bedankt

Hij gaf haar een knipoog. ‘Ik zou je nooit laten verhongeren
Hij legde een hand op haar onderrug en liep achter haar aan naa
binnen.

Ze haalde diep adem en snoof het pittige aroma van sterk
espresso en kaneel en vanille op. Het bracht onmiddellijk herin
neringen terug aan de eerste avond dat ze Doug had leren ken
nen op de bruiloft van Jack en Vienne Linder. De espressoba
zag er vanavond heel anders uit. Aan een tafeltje bij het raam za
een gezin met een paar pubers samen te lachen, zonder aandach
aan hen te besteden. En op de bank voor de open haard zat ee
ouder echtpaar koffie te drinken en te lezen. Verder was de zaa
leeg.

Ze hoopte dat het zo zou blijven. Doug had duidelijk aangege
ven dat ze het niet laat zouden maken, dus misschien konden z
ontsnappen voordat hun afspraakje voer voor de *Courier* zou wor
den. Ze glimlachte bij zichzelf toen ze zich voorstelde dat Dou
hoogstpersoonlijk de persen zou stoppen om de roddelrubriek t
censureren.

Doug bleef bij een tafeltje aan de andere kant van de open haar
staan. ‘Zullen we hier gaan zitten?’

‘Prima.’ Ze nam plaats op de stoel die hij voor haar naar achtere
schoof.

‘Ik zal wel voor ons gaan bestellen. Weet je al wat je wilt of w
je eerst even naar het menu kijken?’

‘Nee, ik neem de soep en een broodje. De specialiteit van d
dag, graag.’

Vienne leek vanavond niet te werken, maar de studente achter de toonbank – Allison, dacht Mickey dat ze heette – glimlachte naar haar en nam Dougs bestelling op.

Hij kwam terug naar het tafeltje met hun drankjes en ze bewonderden de schilderijen aan de muur boven hun tafeltje – waarvan ommige van Jack Linder – tot het meisje hun eten kwam brengen.

'Dus Kayeleigh past vanavond op?'

'Ja. Voor het eerst. Ik hoop dat ik er geen spijt van krijg.' Hij haalde zijn mobieltje tevoorschijn en keek even op het schermpje.

'Het zal vast wel goed gaan. Ik zie hoe ze in het kinderdagverblijf met de kinderen is. Ze kan goed met ze overweg. We zouden haar eigenlijk moeten betalen voor alle hulp die ze ons biedt op de dagen dat ze er na schooltijd is.' Ze zei niet dat Kayeleigh de laatste ijd niet te genieten was. Daar was het nu niet de juiste plek of het uiste moment voor, en trouwens, ze had het er maar op gehouden dat het kwam omdat het meisje bijna in de puberteit was. Dat was geen gemakkelijke leeftijd.

'Ik had gehoopt dat we naar dat nieuwe Mexicaanse restaurantje n Salina hadden kunnen gaan.'

'Dit is prima, Doug. Echt waar.'

De belletjes aan de voordeur klingelden en hij keek even naar de wee echtparen die binnenkwamen. Een echtpaar van middelbare leeftijd dat ze niet kende, en Trevor en Meg Ashlock, met hun pasgeboren baby'tje. Trevor stak even groetend zijn hand op. Mickey en Doug zwaaiden allebei terug, maar ze kwamen niet naar hen toe. Even leek Doug in gedachten verzonken, en Mickey vroeg zich af of er iets aan de hand was tussen hen op het werk.

Doug wees naar het viertal. 'Dat zijn Amy's ouders,' fluisterde hij.

'O.' Dat moest een beetje ongemakkelijk zijn voor Meg, hoewel haar glimlach en haar hartelijke houding tegenover het stel oprecht leken. Ze kromp ineen toen ze zich voorstelde dat zij en Doug

samen met Harriet Thomas uit eten zouden gaan en vroeg zich a
of hij hetzelfde dacht.

'Is je soep lekker?'

'Heel lekker.' Ze nam een hapje, alsof ze het wilde bewijzen dankbaar voor de verandering van onderwerp.

'Hou nog een gaatje over voor het toetje. Er liggen heerlijke soesjes in de gebaksvitrine naar ons te roepen.'

'Ik zou niet durven. Ik probeer nog steeds de paar kilo kwijt te raken die ik tijdens de feestdagen aangekomen ben.'

'O, kom op. Geniet een beetje van het leven. Je kunt het er late wel weer af bowlen.'

'Oké, oké. Je hebt me het mes op de keel gezet.' Alsof ze met een paar potjes bowlen duizend calorieën zou verbranden.

Buiten het brede voorraam zakte de zon achter de gevels van de winkels. Helaas leek dat het signaal voor Café Latte om tot leven te komen. Er kwam een groepje middelbare scholieren binnenstuiven, dat twee tafels tegen elkaar schoof voor een rumoerig pizza feestje – Viennes nieuwste aanbod. Nog twee tafeltjes vulden zich met bejaarde echtparen. De rustige jazzmuziek die uit de speaker had geklonken, werd al gauw overstemd en zij en Doug moesten bijna schreeuwen om elkaar te verstaan.

Erger was dat het duidelijk werd dat ze met grote nieuwsgierigheid bekeken werden. Toen Clara Berger en haar vriendinnen aan het tafeltje naast haar en Doug gingen zitten – en enthousias begonnen te fluisteren – legde hij even zijn hand op de hare en zei met een blik op de roddeltafel: 'Zullen we die soesjes meenemen?'

Ze onderdrukte een grijns en knikte. 'Goed idee.'

'Ik haal ze wel.'

Ze wees met haar hoofd naar de toiletten achterin. 'Ik ben ze terug. Wacht je buiten op me?'

Doug stak zijn duim naar haar op. Het voelde goed om onde één hoedje te spelen met hem. Ook al was dit niet echt een geheime undercoveroperatie.

Toen ze uit het damestoilet kwam, vermeed ze de blikken die ze op zich gericht voelde. Door het raam zag ze Doug leunend op zijn wagen op haar staan wachten. Zodra hij haar zag, maakte hij aanstalten om het portier voor haar open te doen. Gelukkig ging het bij de eerste poging meteen open.

Hij liep vlug om de auto heen naar de bestuurderskant en stapte in. Hij stak het contactsleuteltje in het slot, maar toen hij door de voorruit keek, barstte hij in lachen uit. Hij tikte haar even op de arm en zei met een hoofdknik naar de espressobar: 'Niet meteen kijken, maar we zijn zo te zien een bezienswaardigheid.'

Quasi-nonchalant volgde ze zijn blik naar het voorraam van Café Latte. Boven de halve gordijntjes gluurden wel zes paar ogen naar hen.

'Allemensen!' Mickey begon te giechelen.

Hij klakte met zijn tong en dempte zijn stem. 'Ik denk dat we volgens hen al getrouwd zijn, op huwelijksreis en vroegtijdig zwanger van ons eerste kind.'

'Doug!' Ze was blij dat haar gezicht al rood was van het lachen. Ze kon nauwelijks geloven dat hij dat hardop had gezegd.

'Nou? Heb ik het mis?'

Ze rolde met haar ogen. 'Helaas niet, nee. Het is tenslotte Clayburn. Dus hoe denk je die akelige roddels in de kiem te kunnen smo...'

Voor ze de laatste lettergreep kon uitspreken, schoof hij over de bank naar haar toe, sloeg zijn armen om haar heen en drukte een kus – een lange, langzame, gemeende kus – op haar mond.

Mickey was zo geschokt dat ze niet wist of ze hem moest slaan o
hem terug moest kussen. Gezien hun publiek verkoos ze de laatst
optie – met plezier, besefte ze. Terwijl ze haar hand in zijn nek leg
de, speelde ze mee met het toneelstukje dat hij gearrangeerd had.

Uiteindelijk trok hij zich terug, gaf haar nog een laatste kusj
en installeerde zich weer aan zijn kant van de wagen. 'Zo,' zei hi
terwijl hij het sleuteltje omdraaide en de motor startte. 'Nu hebbe
ze iets om over na te denken.'

'Zeg dat wel,' mompelde ze. 'Daar kunnen ze een paar weke
mee vooruit.' Een beetje ademloos legde ze haar handen in haa
schoot en trok haar kin in.

Doug zette de wagen in zijn achteruit, legde zijn arm over d
rugleuning van de voorbank en reed langzaam achteruit Mai
Street op.

Mickey slaakte een zucht. Het nieuws over zijn geintje zou he
gesprek van de dag zijn tegen de tijd dat ze maandag weer o
haar werk verscheen. Al eerder, ongetwijfeld. Alleen zou nieman
weten dat het een geintje was. Hoe moest ze die geruchten oo
onder ogen zien?

Ze hapte onwillekeurig naar adem toen ze zich de blik op he
gezicht van haar broers voorstelde als ze over Dougs kwajongens
streek zouden horen. Ze kon nog net voorkomen dat er een kree
van schrik aan haar mond ontsnapte. Ze had tegenover haar broer
en hun vrouwen met geen woord gerept over waar ze haar week
enden doorbracht. Zelfs als Rick of Tony of Alex haar plaagde me
haar staat van 'oude vrijster', had ze niets over Doug gezegd. Nie
dat er iets te vertellen viel.

Doug was stil aan zijn kant van de auto. Hij had waarschijnlij l spijt van zijn doldrieste daad. Maar ze kon die kus niet uit haar hoofd krijgen. Het was maar goed dat hij haar gedachten niet kon lezen. Ze had haar best gedaan om niet te veel te fantaseren over de mogelijkheid dat Doug dergelijke gevoelens voor haar zou kunnen hebben, maar ze had geen controle over wat ze 's nachts over hem droomde.

Nu had hij die dromen laten uitkomen – en alleen maar om anderen een hak te zetten.

Hij reed Pickering Street in. 'Vind je het goed als we die roomsoezen bij jou thuis opeten? Ik zou je graag bij mij thuis uitnodigen, maar ik wil ze liever niet in achten moeten delen.'

'In achten?'

'Misschien is Harriet er. Ze zou even bij de kinderen gaan kijken. En ze is dol op roomsoezen.'

Mickey schoot in de lach. 'Ja, hoor. Ik vind het best. We kunnen op de veranda gaan zitten.' Als hij door haar heen zou kunnen kijken – zou weten dat ze terugdacht aan de vorige keer dat ze op haar veranda hadden gezeten – dan liet hij dat niet merken.

Hij keek recht voor zich uit, tot hij voor haar huis afremde en langs de stoeprand parkeerde. Maar in plaats van uit te stappen, legde hij de zak met roomsoezen op het dashboard, draaide zich om en stak zijn armen naar haar uit.

Er was nu niemand om een show voor op te voeren. Niemand die hij voor de gek probeerde te houden. Behalve haar? Trillend liet ze zich weer in zijn armen trekken, liet ze zijn lippen de hare weer vinden. Ze dronk zijn zoete smaak in. Roomsoezen waren niets vergeleken bij deze man. Ze genoot van een kus die beter was dan alles wat ze zich in haar dromen had voorgesteld.

Maar wat waren zijn bedoelingen? Ze kwam langzaam tot haar positieven en duwde hem van zich af. 'Doug, wat heeft dit te betekenen? Ik...'

Hij stak aarzelend een hand naar haar uit. Toen ze niet reageerde, legde hij een hand op de hare. 'Mickey, ik denk – ik denk dat ik verliefd op je begin te worden.'

‘Nee, Doug.’ Ze schudde haar hoofd. ‘Nee. Ik denk dat je da niet kunt weten.’ *O, God. Hier ben ik nog niet klaar voor. Alstublief laat me weten wat ik moet zeggen.*

Zijn ogen peilden de hare. ‘Waarom kan ik dat niet weten?’

Ze schudde haar hoofd, overweldigd. ‘Het is te snel, Doug. J hebt *Kaye* nog maar pas verloren.’ Ze fluisterde de naam. De naan van de enige vrouw voor wie Doug nog maar een paar maande geleden oog had gehad. Hoe graag ze ook zou willen dat het waa was, hij kon onmogelijk nu al van haar houden. Liefde hield nie zo snel op te bestaan – en groeide trouwens ook niet zo snel. *C wel?* O, maar wat zou ze ontzettend graag willen dat het waar wa Ze had er tot nu toe niet op durven hopen. Of misschien had z dat wel gedaan, maar had ze dat nog niet echt aan zich zichzel toegegeven. En nu had hij alles bedorven.

Ze trok haar hand onder de zijne vandaan. ‘Wat had dat te bete kenen… voor de espressobar? Noem jij dat een grap?’

Hij kauwde op de zijkant van zijn lip. ‘Ik eh, ik zag mijn kan schoon om… om een eerste stap te doen.’ Zijn mond vertrok to een scheve grijns. ‘Ik ben het een beetje verleerd, Mick. Het wa tactloos. Het spijt me. Maar wilde je me vertellen dat je er niets bi voelde?’

Ze reageerde gepikeerd. ‘Natuurlijk voelde ik iets, dwaas die j bent. Daar gaat het niet om.’

‘Waar gaat het dan wel om?’

Ze schudde haar hoofd. Hij had gezegd dat hij van haar *hiel* ‘Doug, ik had nooit gedacht dat je op die manier in me geïnteres seerd zou zijn. Het is te snel… na Kaye. Ik heb altijd gedacht dat j daar helemaal niet meer mee bezig was.’

Hij nam haar even op, en wat ze in zijn ogen zag, beangstigd haar.

Hij stak zijn hand uit alsof hij haar arm wilde aanraken, maa trok hem weer terug en legde zijn hand op zijn knie. Zijn hande fascineerden haar. De sterke handen van een arbeider. Maar toc zo zacht als hij zijn kinderen liefkoosde, of als ze haar aanraakten

'Ik meende wat ik zei, Mickey.' Zijn stem klonk schor, en hij akte haar hand, zelfverzekerd deze keer. 'Misschien praat ik voor nijn beurt, maar ik ga niet net doen of het niet zo is.'

'O, Doug.' Was het mogelijk dat zij hetzelfde voor hem zou kunen voelen? Zo snel al?

Ze kende Doug DeVore al jaren. Ze herinnerde zich de tweeing als baby's. Herinnerde zich dat Harley geboren was, en dat)oug kwam trakteren en opschepte dat hij eindelijk die Harley ad gekregen, die hij altijd had gewild. Ze glimlachte bij de herinering. Hij had nog steeds geen motor, maar o, wat was hij gek op at kleine meisje.

Ze wist wat voor soort man Doug was, bewonderde hem als ader, en als echtgenoot, maar ze had zichzelf nooit toegestaan naar em te kijken zoals ze nu naar hem keek. Hij was vrijwel zolang ze em kende getrouwd geweest.

Zijn hand drukte zwaar op de hare. 'Mickey? Waar denk je an?'

'Ik weet het niet, Doug. Ik ben in de war.' Misschien had ze het echt om van hem te houden nu Kaye er niet meer was. Maar als ij Kaye zo snel kon vergeten en verliefd kon worden op een ander op haar – wat zei dat dan over hem? Over *haar*?

Voor de tweede keer trok ze haar hand weg. 'Ik kan niet nadenen als je me zo aanraakt.'

'Het spijt me.' Hij keek niet of hij het meende. Maar hij schoof let zijn slungelachtige lijf weer achter het stuur.

'Het is gewoon te snel, Doug.'

Hij stak zijn hand naar haar uit, maar leek zich toen haar afwijing te herinneren en trok zijn hand terug. 'Kaye komt niet meer erug, Mickey. Ik hield van haar met alles wat in me was, maar ze omt niet meer terug. Ik geloof dat God jou niet voor niets in nijn leven heeft gebracht.'

'Ik... ik weet niet wat ik moet zeggen.'

'Ik wil je niet opjagen, Mickey. Maar ik weet wat ik wil. En ik en van plan dat na te streven.' Aarzelend, alsof ze een wild dier was

dat hij wilde temmen, stak hij zijn arm uit en streelde haar wang
met de rug van zijn hand. 'Ik hou van je.'

'Doug...' Er knapte iets in haar, en ze liet haar adem langzaam
ontsnappen. Geen enkele man had haar ooit behandeld met d
tederheid die ze nu onder zijn zachte aanraking voelde. Ondank
het feit dat haar schoonzussen haar altijd aan iemand probeerde
te koppelen, kon ze de afspraakjes die ze sinds haar studietijd ha
gehad, op twee handen tellen. Clayburn was nu niet bepaald ee
mekka van begerenswaardige vrijgezellen.

Als Doug aan een relatie toe was, waarom zou er dan een rede
zijn om te aarzelen? Hij was een goede man. Een gelovige ma
Met hem zou ze zich geen minuut zorgen hoeven maken dat e
geheimen in zijn verleden zouden zijn of dingen die ze niet va
hem wist.

Ze had gezien wat voor soort man hij was, en zelfs al zou ze da
niet hebben gezien, dan zou heel Clayburn voor hem ingestaa
hebben. Iedereen hield van Douglas DeVore.

Alsof hij haar gedachten gelezen had, nam Doug haar gezicht i
zijn handen. 'Wat houdt je tegen, Mickey?'

Ja, wat hield haar tegen? Doug zei dat hij van haar hield. Hij wis
hoe liefde voelde. Zij was nooit eerder echt verliefd geweest, du
misschien duurde het gewoon wat langer voor zij het herkende. Z
kon hem vertrouwen. Kon zijn liefde vertrouwen.

Ze legde haar handen op de zijne, trillend bij de openbaring. 'I
weet niet wat me tegenhoudt, Doug. Ik... ik denk dat ik ook va
jou hou.'

Hij trok haar dicht tegen zich aan en kuste haar met overtuiging
En zij bleef in zijn omhelzing, gewillig, met het gevoel alsof z
precies daar was waar ze altijd had gehoord.

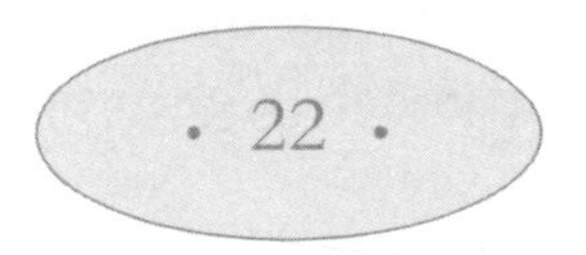

Hé, ik hoop dat ik niet te laat bel, maar heb je zin om met ons mee
e gaan naar de kerk, en daarna met ons te picknicken? Het wordt
en mooie dag.' Doug klemde de hoorn tussen zijn oor en zijn
chouder en hield zijn adem in, wachtend op Mickeys antwoord.

'Vanmorgen?'

'Ja. Dan komen we je om kwart voor negen ophalen. Je hoeft je
iet op te doffen of zo.'

'Nou, ik eh...'

Hij kon haar inwendige rekenmachientje bijna de minuten ho-
en tellen: hoeveel tijd ze nodig had om te douchen, haar haar te
rogen, de kinderen aan te kleden...

De gedachte bracht hem abrupt tot stilstand. Het was niet Mic-
eys 'rekenmachientje' dat hij hoorde. Het was dat van Kaye. Als
ij daar niet mee ophield – ze door elkaar halen in zijn gedach-
en, hun twee unieke persoonlijkheden onmerkbaar in elkaar laten
vergaan – dan zou hij een dezer dagen nog eens een vreselijke
lunder maken en diep in de nesten raken. Hij schudde zijn hoofd,
sof hij daardoor zijn geheugen opnieuw kon laten opstarten.

Mickeys lachje verbrak zijn fantasie. 'Ik denk dat dat wel lukt.
Maar hoe bedoel je, dat ik me niet hoef op te doffen? Kan ik ge-
oon aandoen wat ik anders ook draag?'

'Ja, hoor.' Ze zag er altijd beeldschoon uit. Daar maakte hij zich
een zorgen om.

'Weet je het zeker? Ik krijg straks toch niet de neiging om je je
ek om te draaien omdat alle andere vrouwen een jurk dragen en
niet?'

'Echt niet. En trouwens, al zou je een jutezak dragen, dan zou je
og de mooiste vrouw in de kerk zijn.'

'O, ben je bonuspunten aan het verzamelen?'

Hij zei met een glimlach: 'Daar lijkt het wel op, hè?'

'Nou, als ik mee wil, dan heb ik geen tijd voor kletspraatjes.'

'Oké, schatje. Tot zo.'

Schatje. Het koosnaampje was zo gemakkelijk over zijn lippe gerold, maar hij had het nog nooit eerder voor Mickey gebruik De kiestoon snerpte in zijn oor. *Schatje.* Hij vroeg zich af of Mic key het gemerkt had, en belangrijker, of ze geweten had dat he zijn koosnaampje voor Kaye was geweest.

Vandaag zou een soort test worden. Het was meer dan een wee geleden sinds ze de espressobar verlaten hadden en de roomsoeze hadden meegenomen naar Mickeys huis – roomsoezen waar z geen moment aan toegekomen waren. Hij glimlachte bij de herin nering aan die tedere zoenen in de wagen. Tederheid die al gau was overgegaan in hartstocht. Hij was met haar meegelopen na de deur en was weggegaan – voor ze zichzelf niet meer in de han zouden hebben.

Sinds die tijd hadden ze elkaar alleen maar in het bijzijn van d kinderen gezien. Maar hij had haar bijna iedere avond gebeld nad hij de kinderen in bed had gelegd, en ze hadden uren met elka zitten praten. Hun relatie was beslist in een volgende fase beland

Hij kon zo goed met haar praten... over van alles en nog wat. H was beslist verliefd op haar. Maar één ding zat hem dwars: sinds h Mickey zijn liefde had verklaard, leek het wel alsof hij alleen nc maar aan Kaye kon denken. Vannacht was hij badend in het zwe wakker geworden uit een droom over Kaye – en over Rache Hij had een aantal minuten doorgebracht in een wereld waari die vreselijke Thanksgiving Day nooit had plaatsgevonden. Hij ha zich zo gelukkig gevoeld. En toen, voor hij wakker genoeg was o te beseffen dat het slechts een droom was en dat zijn lieve vrou en dochter dood waren, had hij Mickeys kus opnieuw beleefd. E werd hij overspoeld door schuldgevoel – alsof hij Kaye bedroge had. Onlogisch genoeg kleefde er nu nog steeds een restje van d schuldgevoel aan hem.

Dat was iets waar hij moeilijk met Mickey over kon praten. Hij oopte alleen dat hij haar niet per ongeluk met Kayes naam zou ınspreken. 'Schatje' zou ze misschien nog accepteren, maar als hij aar ooit 'Kaye' zou noemen... Hij schudde de gedachte van zich . Hoe meer hij zich zorgen maakte dat hij zich zou verspreken, oe eerder het zou gebeuren.

Mickey stond op de veranda te wachten toen hij even later voor aar deur stopte. Hij sprong uit de auto en liep naar haar toe, terijl hij zich afvroeg hoe ze vandaag tegen hem zou doen.

Ze had zich beslist een beetje chiquer gekleed dan normaal en droeg haar haar los. Ze zag er fantastisch uit. Een beetje zenuwhtig, misschien.

Mickey en hij hadden tijdens hun lange telefoongesprekken veel ver God gepraat. Hij had tot zijn opluchting ontdekt dat ze vrijel hetzelfde geloofde als hij over de zaken die ertoe deden: Jezus kennen als verlosser, de Bijbel beschouwen als Gods geïnspireer- woord, een rein leven leiden. Ze had hem verteld dat ze op de ındagen met haar broers en hun gezinnen naar de mis ging, maar ıt was maar een keer in de maand.

Ze had hem toevertrouwd hoe moeilijk het was geweest om s katholiek kind op te groeien in Clayburn, waar de helft van de ensen aangesloten was bij de Community Christian Church en andere helft verdeeld was tussen de baptistengemeente, de oude ıtherse kerk en de New Covenant Church langs de snelweg.

Het zat hem een beetje dwars dat de kerk niet zo'n belangike plaats leek in te nemen in Mickeys leven. Maar ja, hij had et veel recht van spreken. Als Kaye hem niet had aangespoord, ıu hij waarschijnlijk ook geen regelmatige kerkganger zijn georden. Hij was blij dat ze er in het begin van hun huwelijk op ngedrongen had dat hij meeging. Vooral na wat er gebeurd was. adat hij Kaye en Rachel verloren had, hadden dominee Grady hun vrienden in de kerk hun uiterste best gedaan om troost en twoorden te bieden als hij worstelde met de zin van alles. Het d voorkomen dat hij gek werd en ervoor gezorgd dat hij door

kon gaan. Het was nog altijd moeilijk om met zijn kinderen naa
zich in de bank te zitten, zonder dat Kaye de 'boekensteun' aan d
andere kant van het rijtje was – en zonder Rachel tussen hen i
Maar de Community Christian Church was de enige plek waar h
en de kinderen kapot konden zijn van verdriet en toch het gevo
hadden dat ze erbij hoorden.

'Goedemorgen.' Mickey stak een beetje verlegen haar hand na
hem op toen ze elkaar op de stoep tegemoet liepen, en hij besef
dat zij net zo nerveus was als hij over de manier waarop ze m
elkaar zouden omgaan. De koe bij de horens vattend liep hij m
uitgestrekte armen op haar af.

Ze accepteerde zijn omhelzing, maar wendde haar gezicht
toen hij haar probeerde te kussen. Hij voelde dat ze over zij
schouder keek.

'De kinderen, Doug...'

Hij trok zich grinnikend terug. 'Ik denk niet dat ze voor het le
ven getekend raken als ze ons zien zoenen. Sterker nog, ze kunne
er maar beter aan wennen, want ik ben van plan je de hele dag ni
meer los te laten.'

'Douglas!' Maar aan haar kokette glimlachje kon hij merken d
ze bepaald niet opzag tegen dat vooruitzicht.

Hij werd er helemaal vrolijk van. Sjonge, wat had hij haar ge
mist.

In de auto begroette ze elk van de kinderen afzonderlijk, en ze
Kayeleigh leek een beetje te ontdooien.

Maar later, na de kerkdienst, toen ze een plekje in het park ha
den gevonden voor de picknick, probeerde Kayeleigh het zo
arrangeren dat ze tussen hem en Mickey in kwam te zitten.

'Hm, nee, schat, daar zit ik,' zei hij, terwijl hij haar bij haar scho
ders pakte en naar de andere kant van het kleed stuurde. 'Ik zo
graag willen dat jij naast Harley gaat zitten om haar te helpen m
haar eten.'

'Niet eerlijk, pap. Ik moet altijd op Harley passen.' Ze plof
midden op het kleed neer en sloeg haar armen over elkaar.

Terwijl hij zijn kalmte probeerde te bewaren, keek Doug even aar Mickey om haar reactie te peilen. 'Dat is niet waar, Kayeleigh. om, Landon,' hij wenkte zijn zoon dichterbij, 'help jij Kayeleigh aar een handje. En leg dat computerspelletje weg. Ik had je gegd dat je dat niet mee mocht nemen. We zijn aan het eten.'

Landon liet zijn blik met veel vertoon over het kleed gaan. 'Waar an? Ik zie geen eten.'

'Niet zo bijdehand, makker.' Hij keek Landon streng aan, tot hij et spelletje in zijn zak stopte en net zo'n houding aannam als zijn rote zus.

Geweldig. Hier zou Mickey echt van onder de indruk raken. Ze ad er zwijgend bij gezeten naast de mand vol broodjes die hij had aargemaakt, maar hij voelde haar kijken – afwachtend hoe hij de tuatie zou aanpakken.

'Sorry,' zei hij onhoorbaar over hun hoofden heen tegen Mickey.

Ze haalde haar schouders op, maar aan het lichte schudden van aar hoofd en de blik in die prachtige, donkere ogen te zien, liep niet over van bewondering.

Hij trok haar even tegen zich aan om de stemming te peilen. uasi-nonchalant keek hij het kleed rond. Landons ogen puilden t, Kayeleigh keek nog bozer, terwijl ze nog dieper met haar neus het boek dook dat ze had meegenomen. De tweeling keek elar aan, alsof ze wilden zeggen: 'Wat *doet* papa in vredesnaam?' arley was de enige aan wie Dougs amoureuze belangstelling voor ickey totaal voorbijging, en dat alleen maar omdat ze in de pickckmand was gedoken om te zien wat er voor haar bij zat.

Mickey moest de blikken van de kinderen ook gevoeld hebben, ant ze leunde wat voorover, terugdeinzend voor zijn aanraking, begon de broodjes uit de mand te halen.

Tijdens het eten letten de kinderen niet langer op hen, en Micy verraste hem door zijn hand te pakken. Hij trok haar hand naar ch toe en vlocht zijn vingers door de hare. Boven haar broodje ierp ze hem weer zo'n ingetogen, alleen voor hem bedoelde imlach toe, waarvan hij begon te houden.

Mickeys diepbruine ogen zeiden meer dan alle woorden bij e
kaar die ze ooit tegen hem gezegd had. Het was duidelijk dat ha
gevoelens net zo diep gingen als die van hem en hij besefte dat h
zich vandaag, voor het eerst sinds Thanksgiving, weer echt geluk
kig voelde.

oug parkeerde de Suburban voor haar huis, en Mickey stak haar
ınd uit naar de portierhendel, onwillig om de dag te laten eindi-
en. 'Hebben jullie zin om nog even mee naar binnen te gaan?'
De tweeling liet hun instemming blijken met gejuich en het
ɔenklikken van hun gordel.
'Heel eventjes maar, jongens,' waarschuwde Doug. 'Jullie mogen
de tuin spelen, terwijl Mickey en ik nog wat praten, goed?' Hij
ıpte uit en haalde Harley uit haar autostoeltje.
Mickey stuurde Sarah en Sadie alvast haar voortuin in. 'Wacht
en op Landon, meisjes. Hij kan de poort van de achtertuin voor
llie opendoen.'
Landon rende de tuin door, met de tweeling op zijn hielen.
Vanaf de achterbank keek Kayeleigh Mickey even uitdagend aan
zei toen tegen haar vader: 'Ik blijf wel in de auto wachten.'
Doug zette Harley op de stoep en hield haar met een hand op
ar mollige armpje vast. 'Nee, ik wil dat je een oogje op Harley
ɔudt in de tuin.'
'Kunt u haar niet bij u houden? Ik heb in het park ook al de hele
d op haar gepast.'
'Kayeleigh, kom op.' Doug bleef zachtjes praten, alsof hij haar
et in verlegenheid wilde brengen, maar Mickey kon merken dat
haar houding meer dan zat werd.
Kayeleigh trok haar lange benen onder de bank vandaan en stap-
uit, maar toen ze langsliep, wierp ze Mickey een blik toe die leek
zeggen: *dit is allemaal jouw schuld.*
Over het dak van de auto heen rolde Doug even met zijn ogen
ar Mickey. Ze forceerde een meelevend lachje, maar als Kayeleigh
et twaalf jaar was geweest, zou ze tegen Doug gezegd hebben dat

zijn dochter een flink pak slaag verdiende. Ja, Doug vroeg veel va
Kayeleigh, maar ze was de hele dag niet te genieten geweest. En n
dreigde ze de avond te verpesten.

Mickey hield haar mond en wachtte tot Kayeleigh Harley op
tilde en meenam naar de achtertuin. Ze liep voor Doug uit na
het huis. 'Wil je iets drinken?'

'Graag. Ik heb wel trek in ijsthee, als je dat hebt.'

'Ik kan het maken.'

'O… nee, dat hoeft niet.'

Ze keek even over haar schouder. 'Ik vind het niet erg. Ik heb
ook wel trek in.'

Ze liep de keuken in, vulde de ketel en zette hem op het fornu
Ze rommelde in de kastjes op zoek naar theezakjes. 'Heb je je be
lastingaangifte al gedaan? Morgen is de laatste dag dat je hem ku
inleveren.'

Ze voelde hem achter zich, maar hij gaf geen antwoord. In plaa
daarvan voelde ze zijn armen van achteren om haar heen kome
Hij boog zijn hoofd en wreef met zijn neus in haar nek.

Ze liet het doosje thee op het aanrecht vallen en draaide zi
naar hem om. 'Hé, hallo… je hebt mijn vraag niet beantw…'

Hij onderbrak haar met een kus en trok haar tegen zich aan
de omhelzing die er deze hele dag al had zitten aankomen. Toen h
haar even losliet, keek ze heimelijk even over zijn schouder do
de schuifdeur, die vanuit de eetkamer op de veranda uitkwam. I
tweeling en Harley vlogen heen en weer door de tuin, terwijl La
don grommend als een beer achter hen aanrende. Hun vrolijke g
letjes dreven door de hordeur de keuken in. Mooi zo. Die zoud
zich nog wel een poosje vermaken daar buiten.

Ze richtte haar volle aandacht op Doug en trok zijn hoofd or
laag, zodat hun lippen elkaar weer vonden. Waar was deze m
haar hele leven geweest? Onmiddellijk berispte ze zichzelf. *Stel*
vraag niet, Valdez. Ze wilde op dit moment niet aan Kaye en R
chel denken – en zelfs niet aan Dougs kinderen. Op dit mome
ging het alleen om hen tweeën, met deze ongelooflijke vonken

,ersprongen. Hartstocht, misschien zelfs... Was het mogelijk dat : liefde op haar toegeslopen was op het moment dat ze het bijna ›gegeven had ooit de juiste man te vinden?

Doug kreunde even en trok haar nog dichter tegen zich aan, rwijl hij haar steeds opnieuw kuste.

Het ging snel. Te snel. Maar ze vond het niet erg. Ze hield van :ze man. Echt. Ze had dertig jaar gewacht tot God haar gebeden ›u beantwoorden, en Hij had ze heel, heel goed beantwoord in oug DeVore. 'Dank U, Vader...'

'Wat zeg je?' fluisterde Doug dicht bij haar oor.

Ze had zich niet gerealiseerd dat ze die woorden hardop had :zegd, maar het maakte niet uit. Hij moest het weten. 'Je bent het ıtwoord op mijn gebeden.'

Hij trok zich terug en hield zijn hoofd iets schuin. 'O, ja?'

'Ja. En nou geen woorden meer, maar daden.' Ze genoot in stilte n het feit dat ze zoiets tegen zo'n geweldige man kon zeggen en vrij zeker van kon zijn dat hij ermee zou instemmen.

Alsof hij haar gedachten wilde bewijzen, schoot hij in de lach en ıste haar weer. Maar toen hij zich een stukje terugtrok om haar n te kijken, verstrakte zijn kaak. Er verscheen een schittering in n ogen, en ze wist dat het plaagmoment voorbij was.

Hij liet zijn vinger over haar neusbrug glijden. 'Waarom trouw niet gewoon meteen met me?'

O. Misschien plaagde hij *toch*. 'Nu meteen?' Ze veinsde een be-esd lachje en speelde mee. 'Welja, waarom niet?'

Hij streelde haar wang met de rug van zijn hand. Een verrukkelijke warmte stroomde door haar aderen.

'Ik meen het, Mick. Ik hou van je. En als ik me niet vergis, hou ook van mij.' Hij wierp haar een blik toe die haar uitdaagde het gendeel te beweren.

'Ik... Doug, ik...'

Hij legde een vinger op haar lippen en bukte zich toen om haar :t nog een kus het zwijgen op te leggen. 'Het geeft niet. Het was :t mijn bedoeling om je voor het blok te zetten.' Zijn gemom-

pelde woorden kriebelden in haar oor en maakten haar ontzetten
gelukkig. 'Je bent gewoon het beste wat me in lange, lange tij
overkomen is.'

Ze trok zich ontnuchterd terug. Hij zei niet: 'het beste wat m
ooit is overkomen.' Maar misschien was dat spijkers op laag wat
zoeken. Die arme man had zo veel meegemaakt. Het was ee
wonder dat hij niet bezweken was onder de druk van zijn verdri
en het proberen een alleenstaande vader voor vijf kinderen
zijn.

Ze fluisterde trillend zijn naam. 'Ik... ik denk dat ik inderdaa
van je hou.'

Hij tilde haar kin op en daagde haar uit met zijn blik. 'Trou
dan met me.'

'Doug...' Hij zou haar hart breken als hij zijn mond niet hiel
'Daar moet je geen grapjes over maken.'

Hij deed een stap achteruit en keek haar weer aan. 'Mickey,
ben nog nooit in mijn leven ergens zo serieus over geweest.' In zi
ogen zag ze dat hij het meende.

'Misschien is het te snel. Misschien vraag je het me in het vu
van,' ze wuifde zichzelf koelte toe met haar hand, 'wat er lijkt
gebeuren als we elkaar aanraken.'

De glimlach die hij haar toewierp deed iedere twijfel die ze ha
wegsmelten.

Achter hen begon de ketel te fluiten. Ze reikte om hem he
om het vuur laag te zetten. Wist ze maar hoe ze het vuur dat tuss
haar en Doug oplaaide een beetje moest temperen.

Hij trok haar tegen zich aan, legde zijn kin op haar hoofd. Zi
stem brak. 'Ik weet niet hoe ik het de afgelopen maanden h
moeten redden zonder jou. Je hebt iets in mij genezen waarvan
dacht dat het nooit meer heel zou worden.'

'Nee.' Ze schudde haar hoofd. 'Dat heeft God gedaan, Do
Het enige wat ik gedaan heb, was van je houden. En dat was n
moeilijk.' Haar hart zwol op van blijdschap. Het was niet in woo
den uit te drukken hoezeer ze zich gezegend voelde dat deze m

aar in zijn leven wilde. Hij had één ware liefde gekend en had die
erloren. De gedachte dat hij haar uitgekozen had – dat hij genoeg
an haar hield om zijn leven met haar te willen delen – benam haar
e adem.

Doug trok zich terug, stralend van oor tot oor. 'Laten we het dan
ewoon doen. Laten we trouwen.'

Ze moest een beetje verbijsterd gekeken hebben, want hij schoot
de lach en drukte een kus op het puntje van haar neus.

'Wanneer? Wat heb je precies in gedachten?'

Hij zei op branieachtige John Wayne-manier: 'Dat zou niet net-
s zijn om te zeggen, ma'am.'

Ze schoot in de lach om zijn armzalige vertoning, maar werd
el weer serieus. 'Dit is niet iets om grapjes over te maken, Doug.
raag je me echt... ten huwelijk?'

Zijn gezicht betrok even. Een ontstellend ogenblik lang dacht ze
t hij haar zou gaan uitlachen omdat ze gedacht had dat hij het
ht meende.

Maar hij nam allebei haar handen in de zijne en hield haar blik
st. 'Ik ben bloedserieus, Mickey. Ik heb ware liefde gekend, en ik
eet dat wat ik met jou heb puur en echt is.'

Gebeurde dit echt? Ze had zichzelf toegestaan te fantaseren over
'n liefdesverklaring van Doug, maar ze had nooit gedacht dat die
zou komen – vandaag. Haar hart zwol van vreugde tot ze dacht
t ze weg zou zweven, buiten Dougs bereik. Maar zijn armen
elden haar aan de aarde gekluisterd, aan het sterke anker dat hij
s.

Eén gedachte prikte een gaatje in de ballon van haar vreugde.
'eet je het zeker, Doug? Het is nog maar zo kort geleden. Mis-
nien moet je een poosje wachten voordat je zulke uitspraken
et.'

Hij kneep zo hard in haar handen dat haar gezicht bijna vertrok
n pijn. 'Kaye komt niet meer terug, Mickey. God heeft jou in
jn leven gebracht. Daar twijfel ik geen moment aan. Waarom
u ik Zijn geschenk weigeren?'

Zijn woorden deden haar iedere rationele reden die zojuist nc in haar hoofd omging, vergeten. 'Ik... ik kan geen goede rede bedenken.' Ze probeerde te glimlachen, maar plotseling zaten c tranen te hoog. Ze perste haar lippen op elkaar om te voorkome dat ze zou instorten. *God, wat bent U aan het doen?* Doug bood ha datgene aan waarvoor ze haar hele leven gebeden had, en nu w ze niet of ze er wel aan toe was?

'Trouw dan met me. Morgen.'

'Morgen!' Ze trok haar handen met een ruk uit de zijne en de een stap naar achteren. 'Dat is helemaal niet grappig, Doug.'

Hij schoot in de lach. En toen ze haar eigen spiegelbeeld z in het deurtje van de magnetron achter hem, nog altijd met e blik van afgrijzen op haar gezicht, lachte ze met hem mee. Ma het bracht haar tot haar positieven. Hij maakte dan misschien e grapje over dat 'morgen', maar hij maakte geen grapje over h 'trouw met me', en als ze ja zei, dan zou haar leven veranderen c een manier waarvan ze zich waarschijnlijk geen voorstelling k maken. Op een geweldige manier, maar veranderen zou het. En c was nooit haar sterkste punt geweest.

Ze liep achteruit tot ze met haar rug tegen het aanrecht tege over hem stond. 'Zou je alsjeblieft even serieus kunnen zijn?'

Hij deed een stap in haar richting. 'Ik ben serieus, Mickey. W moet ik doen om je daarvan te overtuigen?'

'Blijf staan waar je staat.' Ze stak een hand op om hem tegen houden. 'Ik kan niet goed nadenken als je zo dicht bij me bent.'

'Ik heb alles gezegd wat er te zeggen valt,' zei hij.

Ze keek hem aan. 'Wat versta jij onder morgen?' Ze begon g frustreerd te raken van de pretlichtjes die niet uit zijn ogen wild wijken.

'Hoe bedoel je?'

'Je zei: "Trouw morgen met me." Wat versta jij onder morger

Alsof hij wilde bewijzen dat hij nu zijn best deed om seri te zijn, trok hij zich terug in zijn hoek van de boksring waa haar keuken veranderd was. 'Oké, zeg jij het maar. Wat is vc

u de eerste mogelijkheid om dit te doen?'
'Om te trouwen, bedoel je.' Hij was *inderdaad* serieus!
'Ja, om te trouwen. Het hoeft niks bijzonders te zijn.'
Ze haalde schokkerig adem. Ze had altijd gedroomd van een ote bruiloft met alles erop en eraan. Maar dat leek niet echt :past, gezien Dougs omstandigheden. En trouwens, wie moest uitnodigen behalve haar broers en hun gezin, en Brenda en de eisjes die parttime op het kinderdagverblijf werkten? Doug zou aarschijnlijk meer gasten hebben dan zij.
Een kleine bruiloft zou ook niet zo veel kosten. Ze had het ootste deel van haar besteedbare inkomen in haar huis en de tuin stopt. En hoewel ze nooit aan haar pensioenspaargeld kwam, had haar andere spaarrekening vorige maand bijna leeggehaald om if bomen in de achtertuin te laten planten. Dat geld zou trou-:ns toch maar een druppel op de gloeiende plaat zijn geweest rgeleken bij de kosten van een grote bruiloft.
Alsof hij haar gedachten kon lezen, fronste Doug zijn wenk-auwen. 'Wat zou je vinden van een kleine bruiloft?'
Ze knikte langzaam. 'Dat zou waarschijnlijk het beste zijn. aar... wat versta jij onder klein?'
Hij wierp haar nog een grijns toe en aapte haar na. 'Wat ver- ik onder morgen? Wat versta ik onder klein? Zie ik eruit als n woordenboek?' Maar hij stak vlug weer een hand op. 'Goed, ed... ik zal serieus zijn.'
Ze probeerde niet te lachen. 'Dank je.'
'Ik dacht zo: misschien alleen naaste familie en een paar goede enden.'
'Je weet toch dat ik drie broers heb en een heleboel neefjes en :htjes? Reken je die tot de naaste familie?'
'Natuurlijk.' Hij dacht even na. 'Dus als we het zo klein houden, e snel denk je dan dat we kunnen trouwen?'
Ze had geen flauw idee hoe ze het antwoord op zijn vraag moest ekenen. Even dacht ze aan alle lijstjes in bruidstijdschriften, die :maal begonnen met de tekst *Twaalf maanden voor de bruiloft*. Vol-

gens haar was dat niet wat hij in gedachten had. Ze draaide : haar hoofd blaadjes van de kalender om. Het was nu april. Ee herfstbruiloft zou hun zes maanden de tijd geven. Ergens in ha kast had ze wat mappen liggen met bruiloftsplannen die ze ha gemaakt... voor ze de hoop had opgegeven.

'Wat dacht je van oktober?' Zodra ze het gezegd had, wilde : de woorden weer inslikken.

Hij wierp haar een ongelovige blik toe. 'Oktober? Ben mal?'

'Hoezo?' Misschien kwam twaalf maanden meer in de buurt va zijn definitie van 'morgen'.

'Zo lang ga ik niet wachten, Mickey. Ik hou van je, de kinder zijn dol op je. Het slaat nergens op om te wachten.'

Dit leek niet het juiste moment om naar voren te brengen d Kayeleigh nou niet bepaald met haar wegliep. Mickey haalde e hand door haar haar. 'Kom jij dan maar met een datum,' reageer ze wat verongelijkt. 'Ik weet niet wat jij wilt.'

Hij was met twee passen de keuken door en nam haar weer zijn armen. 'Wat ik wil, is jou bij de eerste de beste gelegenheid t mijn vrouw maken. Waar zou je in vredesnaam zes maanden vo nodig hebben?'

Ze nam hem met iets scheefgehouden hoofd op. 'Jij hebt je z ker niet te veel bemoeid met je eigen bruiloft, hè?' Ze keek e andere kant op en vervolgde op zachtere toon: 'Toen je met Ka trouwde...'

Hij haalde zijn schouders op. 'Ik beroep me op mijn zwijgrec Zij en haar moeder hadden alles onder controle. Het was mijn ta om uit de buurt te blijven.'

'Wanneer zijn jullie verloofd?'

Hij nam haar op. 'Wil je hier echt over praten?'

Ze hadden het onderwerp Kaye nooit echt vermeden. Maar e bepaald aspect ervan – het romantische gedeelte van hun rela – had toch wel levensgroot tussen hen in gestaan. Het werd tijd erover te praten. 'Ja, dat wil ik echt weten.'

Hij trok een kruk onder de eetbar vandaan, maar in plaats dat j erop ging zitten, zette hij hem tussen hen in, leunde tegen het nrecht en zette zijn voeten op een van de sporten. 'We hebben et Kerst Kayes ring uitgezocht en...' Er verscheen een schaap-htige blik op zijn gezicht. 'O, jij zult ook wel een ring willen! en verlovingsring, bedoel ik.'

Ze trok een wenkbrauw op. 'Dat zou leuk zijn, ja.'

Doug rechtte zijn rug en trok een smalle la open, waarin rollen uminiumfolie en plasticfolie lagen. Terwijl hij haar blik vasthield, mmelde hij wat in het laatje en even later verscheen er een tri-nfantelijke blik in zijn ogen. 'Aha!' Hij haalde er een plastic, zil-rkleurig sluitclipje uit en stak het omhoog.

'Kom hier.' Hij pakte haar hand en gebaarde dat ze op de kruk oest gaan zitten. 'Geef me je hand.'

Ze stak haar linkerhand uit en bleef roerloos zitten, terwijl hij het uitclipje om haar ringvinger wikkelde. Met het puntje van zijn ng uit zijn mond fabriceerde hij een diamantachtige knoop van uiteinden van het sluitclipje. Terwijl ze haar lachen probeerde in houden, keek ze op, maar zijn blauwe ogen stonden bloedseri-s. Hij pakte haar hand nog steviger vast en het ijzerdraad van het uitclipje sneed in haar vinger.

'Mickey Valdez, zou je mij de eer willen bewijzen om met me te ouwen?'

'O, Doug.'

Hij knipoogde. 'Zaterdag gaan we de stad in... om een echte ng te kopen.'

'O... ké...'

'Ik heb nog geen antwoord gekregen.'

Ze grijnsde. 'Ik zit nog na te denken.'

'En oktober is veel te ver weg.'

'Wanneer dan?'

Hij verspilde geen tijd. 'We kunnen zaterdag over een datum aten. Maar eerst moet ik een antwoord hebben.'

'Ja,' fluisterde ze.

Toen nam hij haar in zijn armen. Zijn aanraking benam ha
de adem en maakte haar licht in haar hoofd. Doug mocht dan
een tijdje niet meer als ambulancebroeder gewerkt hebben, hij w
het niet verleerd en reanimeerde haar vlug met mond-op-mon
beademing.

24

'erlies haar geen moment uit het oog.' Kayeleigh liet Harley op de
:randa van juf Valdez van haar heup zakken. Ze rechtte haar rug
ı wreef over haar pijnlijke heup. 'Ik meen het, Landon.'

'Ik zal heus wel op haar letten.' Hij keek haar kwaad aan. 'Als je
aar niet te lang wegblijft.'

'Dat zal ik niet doen. Ik ben zo terug.' Ze liep naar de schuifdeur
ı voelde aan de klink. De deur schoof gemakkelijk opzij en ze
:p de keuken in. Het duurde even voor haar ogen zich aangepast
ıdden van de felle zon buiten, maar toen ze gewend was aan het
hemerige licht bleef ze als aan de grond genageld staan.

Papa en juf Valdez stonden met hun armen om elkaar heen bij
:t fornuis. Ze ademden zwaar en stonden te vrijen als een stelletje
ɔmme acteurs uit zo'n soapserie op tv.

Ze probeerde haar keel te schrapen, maar er kwam geen geluid.
e kreeg geen lucht en ondanks het stemmetje in haar hoofd dat
ar zei dat ze weg moest rennen, kon ze haar voeten niet bewe-
n. Maar juf Valdez moest iets gehoord hebben, want terwijl ze
uk bezig was papa's haar in de war te brengen, keek ze naar Kaye-
gh en slaakte een gesmoorde kreet. Ze duwde papa van zich af
ı probeerde los te komen.

Een paar seconden bleef papa haar tegen zich aantrekken, pro-
erde hij haar te blijven kussen, maar uiteindelijk schreeuwde juf
ldez bijna zijn naam. 'Doug… Doug!'

Papa's hoofd ging omhoog en toen hij Kayeleigh zag, slaakte hij
n diepe zucht. Zijn gezicht werd knalrood. De enige keer dat ze
m zo rood had zien worden, was toen hij kwaad was.

Juf Valdez trok haar kleren recht en deed net of ze druk bezig
ıs met het schenken van kokend water in bekers.

Papa liep naar de andere kant van de keuken. 'Wat is er, Kayleigh?' Hij klonk alsof hij boos op haar was.

Nou, zij was op dit moment ook niet al te blij met hem. 'Ik mo
naar de wc.'

'O!' Juf Valdez praatte weer met vrolijke schooljuffenstem
wees de gang in. 'Ga je gang. Je weet nog wel waar het is, hè…
laatste deur rechts.'

Kayeleigh kreeg haar voeten eindelijk weer in beweging en re
de bijna de gang in.

'Het lichtknopje zit boven het fonteintje, schat,' riep juf Vald
haar achterna.

Kayeleigh deed de deur dicht om die gemaakt vrolijke stem ni
meer te horen. 'Noem me geen schat,' zei ze met opeengeklem
kaken, wensend dat ze haar zouden horen, maar in het besef dat
dat niet konden. Ze bleef in het donker staan en probeerde te bede
ken wat ze moest doen. Haar wangen werden warm, en toen heet

Ze tastte naar het fonteintje, draaide de koude kraan open
spatte water in haar gezicht. Waar zou *zij* zich voor moeten sch
men? Zij had niets verkeerds gedaan. Zij waren degenen die zi
schuldig zouden moeten voelen.

Door de deur heen hoorde ze hen op zachte en gehaaste to
met elkaar praten. Alsof ze probeerden te bedenken hoe ze al
zouden moeten uitleggen zodra ze terugkwam van de wc.

Ze was niet gek. Ze wist wat ze aan het doen waren, en daar gi
ze zowat van over haar nek. Misschien zou ze wel altijd hierbinn
blijven. Het was pikdonker in de wc, maar ze hield haar hand
voor haar gezicht. Ze kon haar vingers niet zien, maar voelde
trillen.

Ze tastte langs de wand, op zoek naar het lichtknopje. Waar w
papa mee *bezig*? Waarom deed hij dat met dat stomme mens?
was zo kwaad op hem dat ze dacht dat ze zou ontploffen. Was
mama nu al vergeten?

Ze wilde ergens tegen slaan. In plaats daarvan vond ze eindel
het lichtknopje en gebruikte ze het toilet. Ze waste haar hand

wee keer en droogde ze af met het luxe handdoekje, dat niet veel roter was dan een washandje. Ze deed het licht weer uit en luis-erde bij de deur of ze papa en juf Valdez hoorde. Het was stil. Mis-chien waren ze naar buiten gegaan.

Ze deed de deur op een kiertje open en keek de gang in. Ze oorde nog steeds niets. Ze sloop de gang door en keek even de euken in. Leeg. De gordijnen voor de schuifdeuren waren nu he-maal open en ze zag papa en juf Valdez op de veranda zitten met un thee, alsof er niets gebeurd was.

Ze was niet van plan daarheen te gaan. Harley zat op het ve-ndatrapje te spelen, terwijl ze in zichzelf zong en babbelde. Juf aldez hield haar in de gaten en papa was er ook. Kayeleigh liep op aar tenen weg bij de schuifdeur en door het huis van juf Valdez aar de voordeur. Ze ging naar buiten en liep naar de Suburban die oor de deur stond. Ze stapte in en ging op de achterbank zitten, et haar rug stijf tegen de rugleuning en haar gedachten helemaal de war.

Ze hoorde een geluid aan de overkant van de straat en zag een aar kinderen uit het huis tegenover dat van juf Valdez komen. Ze et zich wat onderuitzakken en hoopte maar dat ze haar niet had-en gezien.

Toen haar spieren pijn gingen doen van de onpraktische, onder-tgezakte houding trok ze haar benen op de bank en rolde ze zich een foetushouding op. Ze sloot haar ogen en dwong zichzelf om n andere dingen te denken – stond zichzelf toe te fantaseren over eth Berger, dat hij haar op dezelfde manier zou kussen als papa juf aldez gekust had.

Ze vroeg zich af of Seth ooit nog weleens terugdacht aan die ond op de bruiloft van Vienne Kenney. Dacht hij er net zo vaak n als zij... wat vrijwel voortdurend was? Hij had met haar geflirt school. Rudi noemde het tenminste flirten als Seth de hele tijd k begon te doen als zij in de buurt was, grapjes maakte en zelfs oblemen kreeg met de leraren omdat hij haar aan het lachen obeerde te maken tijdens de les.

Ze had *zelf* een keer strafwerk gekregen van een lerares toen h
leip liep te doen en haar aan het lachen maakte. Ze kon er niks aa
doen. Die knul was gewoon grappig. Seth was die dag heel aardi
tegen haar geweest na de les, alsof hij haar probeerde te laten wete
dat het hem speet dat ze strafwerk had gekregen. Dat kon haar nie
schelen. Mevrouw Lawson was toch stom.

Ze wilde dat ze nu met mama kon praten. Die gedachte brach
het beeld van papa die juf Valdez kuste weer terug en haar maa
begon op te spelen.

Een boomtak streek over het dak van de Suburban. Heen e
weer, heen en weer. Ze liet zich in slaap wiegen in de stille warmt
van de auto. Ergens wilde ze dat ze gewoon kon gaan slapen e
nooit meer wakker zou worden.

Doug zette de auto in de garage en deed de motor uit. Terwijl hij d
kinderen luidkeels bevelen toeriep, deed hij zijn portier open, stapt
uit en sloeg het met een klap dicht in de hoop dat Kayeleigh e
wakker van zou worden. Ze had hem vreselijk laten schrikken doo
zomaar te verdwijnen. Mickey en hij hadden tien minuten naar ha
gezocht, voor hij eraan dacht om in de Suburban te kijken. Hij ha
haar niet uitgekafferd, omdat hij wist waarom ze zich verstopt had

Nu kroop ze van de achterbank en wierp hem in het voo
bijgaan een minachtende blik toe. Hij zuchtte. Hij zou met ha
moeten praten over wat er gebeurd was... wat ze gezien had. No
ja, natuurlijk. Hij zou met alle kinderen moeten praten. Hij w
verloofd. Dat moesten ze weten. En hoe eerder, hoe beter, aange
zien hij Mickey min of meer toestemming had gegeven het tege
iedereen te vertellen. O, nee... dat betekende dat hij het ook tege
Harriet moest vertellen. Nou ja, dat moest dan maar. Nu had z
een geldige reden om naar Florida te vluchten.

Verloofd. Het had zo'n goed idee geleken toen Mickey in zijn a
men was en ze plannen maakten. Maar nu, in het schemerige lic
van de rommelige garage, nu Kayeleigh hem boos aankeek, zat h
hem niet meer zo lekker.

Hij kreeg een zwaar gevoel in zijn maag en hij gaf een hardere uk aan Harleys autogordel dan nodig was. Ze stak haar duim in aar mond en keek hem van onder gefronste wenkbrauwtjes aan.

'Kom, schatje, we zullen zorgen dat jij in bed komt.' Hij proeerde het weer goed te maken met zijn stem. Het was niet Hareys schuld dat hij uit zijn doen was.

Drie kwartier later, toen alle kinderen op bed lagen, liet hij zich p de bank vallen. Hij schopte zijn schoenen uit en duwde met en grote teen een stapel vuile borden naar een hoek van de saontafel, waarna hij zijn voeten op het kleverige tafelblad legde. Hij noest bedenken hoe hij dit zou gaan aanpakken. Hij had vanavond ij Mickey iets op gang gebracht wat zijn leven voor altijd zou vernderen. En niet alleen het zijne, maar ook dat van zijn kinderen. n dat van Mickey.

Er waren talloze vragen die beantwoord moesten worden. Zou e hier komen wonen? Haar huis was niet groot genoeg voor hen lemaal, maar hij kon zich niet voorstellen dat ze de tuin zou opeven waarin ze zo veel werk gestoken had. Als hij om zich heen eek in hun huis... *zijn* huis. Hij moest ophouden met te denken termen van *ons* en *wij*, waarmee hij Kaye en zichzelf bedoelde.

Nu hij probeerde dit huis te bekijken door Mickeys ogen, kromp ij inwendig ineen. Het was hier een bende. Kaye zou nooit een ijs hebben gekregen voor 'de beste huisvrouw van de wereld'. Iet zes kinderen en een parttime baan had hij dat ook nooit van aar verwacht. Maar nu zij er niet meer was om het huis een klein eetje aan kant te houden, was het hier nu niet alleen rommelig, aar ronduit vies. Met al het werk op de boerderij en zijn baan in drukkerij had hij de boel laten versloffen.

Hij zou drastische maatregelen moeten nemen – en vlug ook als hij niet wilde dat Mickey de volgende keer dat ze hier was llend weg zou rennen. Ze was pas één keer bij hem thuis geeest, toen ze de kinderen thuisgebracht had. Achteraf dacht hij t hij haar die avond voor het eerst met andere ogen was gaan kijken. Ze had hem laten beseffen hoezeer hij een vrouwenstem

gemist had in het huis, in zijn wereld, aan het eind van een lang
werkdag.

Was het ontrouw van hem om zo snel na Kayes dood al derge
lijke gevoelens te hebben? Maar het was juist zijn geloof in Go
in een eeuwig leven in de hemel, dat hem ervan weerhouden ha
ooit gedachten te koesteren dat Kaye zou kunnen terugkome
– of dat zelfs maar zou willen. Was dat geen gezonde houding? W
hij niet gewoon realistisch?

En hij moest aan zijn kinderen denken. Op Kayeleigh na hac
den ze al hun halve leven een speciaal plekje in hun hart geha
voor Mickey – juf Mickey. En hij twijfelde er niet aan dat Mic
key Kayeleigh uiteindelijk voor zich zou winnen. Ze hadden ee
moeder nodig – vooral Kayeleigh – en Mickey leek na Kaye al h
meest op een 'mama'. De andere details – de trouwplannen, hu
huisvestingssituatie, Kayeleighs houding – zouden vanzelf opgelo
worden.

Als een dwaas had hij Mickey beloofd dat ze zaterdag een rir
zouden gaan kopen. Ze leek hem geen vrouw met een dure smaa
maar zelfs al koos ze een ring met het goedkoopste diamantje u
hoe zou hij die moeten betalen? Hij zou morgen moeten belle
hoeveel krediet hij nog op zijn MasterCard had. Hij had hem a
betaald toen Kayes levensverzekering werd uitbetaald. Maar sin
die tijd had hij iedere maand de grootste moeite gehad om ror
te komen. Als hij alles wat hij bezat uitgaf aan een ring, dan ha
hij niets meer over voor noodgevallen. Of voor de bruiloft. W
weet hoeveel die hem zou gaan kosten? Mickeys ouders ware
overleden, en hij had niet de indruk dat ze veel geld had. En st
dat...?

Nee. Hij griste de afstandsbediening van de tv van de romm
lige salontafel en drukte hard op het aan-uitknopje. Het eentoni
achtergrondgelach van een comedyserie brak de stroom van g
dachten af, en hij liet zich onderuitzakken in de bultige kussens.

Ɔ, wat vind je van deze?' Mickey boog zich over de sieradenvitrine
n tikte met een roze vingernagel tegen het glas. Ze had hem op-
ebiecht dat ze speciaal voor deze gelegenheid dertig dollar had
esteed aan een manicure.

Doug haalde zijn schouders op. 'Hij is mooi.'

Ze keek over haar schouder naar hem op. 'Maar jij vindt hem
iet leuk?'

'Het gaat erom wat jij wilt, Mick. Jij bent degene die hem gaat
ragen.'

'De rest van mijn leven.'

Waarom raakte hij door die woorden van streek?

Omdat de rest van Kayes leven zo kort was geweest.

Hij legde met een bezitterig gebaar zijn hand op Mickeys on-
errug, terwijl hij zichzelf eraan herinnerde met wie hij hier was.
lickey zag er vandaag mooi uit, met haar lange, glanzende haar
at om haar schouders viel. Hij was trots dat hij haar aan zijn arm
ad. Als ze zou weten hoe mooi ze was, zou ze zichzelf vast te goed
oor hem vinden. Maar ze was net zo praktisch en ongekunsteld
s hij. Dat waardeerde hij in haar. Ze combineerde het beste van
le dingen. En hij bofte dat hij hier was om een ring voor haar uit
zoeken.

'Hebt u al iets gezien dat u zou willen passen?' De verkoopster,
ie eerst een andere klant geholpen had, kwam weer naar hen
e.

Mickey wimpelde haar vriendelijk af. 'Nog niet, dank u.'

De jonge vrouw zei over Mickeys hoofd heen tegen Doug: 'Als
iets wilt vragen, dan hoor ik het wel.'

'Dank u wel, dat zullen we doen.'

Toen ze een andere klant ging begroeten, stootte Mickey Dou
aan met haar elleboog. 'Ze zijn allemaal zo duur,' fluisterde ze.

Hij had hetzelfde gedacht, maar zei tegen haar wat ze volgen
hem wilde horen. 'Je bent het waard. Kies maar uit wat je wilt. Bin
nen redelijke grenzen...'

'Volgens mij is niets in deze vitrine binnen redelijke grenzen
Doug.'

'Nou, ja, je moet een ring hebben. We hebben ringen nodig.' H
had zijn trouwring – de ring die Kaye dertien jaar geleden om zij
vinger had gedaan – nooit meer omgedaan na die keer dat hij hem
tijdens het bowlen had afgedaan. Hij had hem veilig opgeborge
in de la van zijn dressoir, samen met een paar andere aandenken
Maar de afdruk van de ring stond nog in zijn vinger. Hij wree
over het stukje witte huid op zijn door de zon gebruinde, leerach
tige hand. Hij wist niet of hij tegen Mickey moest zeggen dat he
geld voor hun ringen waarschijnlijk afkomstig zou zijn van wat e
overbleef van de levensverzekering van Kaye en Rachel, nadat d
begrafeniskosten waren voldaan, natuurlijk.

Hij schudde de morbide gedachten van zich af. 'Je hebt ee
trouwring nodig,' zei hij weer.

Mickey stak haar linkerhand uit. 'Maar het hoeft geen ring me
een diamant te zijn, Doug. Stel dat ik hem verlies in de tuin?'

'Zou je hem dragen als je in de tuin aan het werk bent?' H
vroeg zich af waar ze dacht te gaan tuinieren. Maar ze hadden he
waar-gaan-we-wonengesprek nog niet gevoerd.

'Waarschijnlijk niet, maar stel nou dat ik het vergeet? Stel no
dat hij van mijn vinger glijdt in een zak mest en onder een berber
terechtkomt of zo?'

Hij schoot in de lach. 'Jij hebt een levendige fantasie.'

'Nee, maar als we tweeduizend dollar uitgeven aan een ring,' z
wees met haar hoofd naar de vitrine, waar dat een van de laagst
bedragen op de prijskaartjes was, 'dan zou ik hem nooit durve
dragen.'

'Nou, wat dan?'

‘We zouden alleen trouwringen kunnen kopen. Smalle, zilveren trouwringen.’

De knoop in zijn maag werd een beetje losser. Hij wist niet goed vaar hij tweeduizend dollar vandaan zou moeten halen. ‘Is dat wat e wilt?’

Ze bukte zich en bestudeerde de vitrine nog eens goed. ‘Ik dacht lat ik een ring met een diamant wilde, maar,’ ze gebaarde met haar oofd naar de vitrine, ‘die is duur. Ik kan wel andere dingen belenken waar ik dat liever aan uit zou willen geven.’

‘Zoals?’

Ze haalde met een schaapachtige blik haar schouders op. ‘Nou a, het is nou niet bepaald mijn geld waar we het over hebben.’

Hij sloeg een arm om haar middel en leidde haar naar de deur. Laten we een kop koffie gaan drinken en wat dingen doorpraen.’

Ze trok vragend een wenkbrauw op en liep achter hem aan de toep op. Het leek wel Santa Fe op zaterdag, zo veel auto’s stonden r voor de juwelierszaak. Met een hand boven zijn ogen tegen de on keek hij naar de overkant van de straat. ‘Is er een eindje vererop geen restaurantje?’

Ze knikte en liep voor hem uit. Even later hadden ze zoute rakelingen besteld en nipte zij van een hip koffiedrankje, terwijl ij een beker sterke, zwarte koffie omklemde die lang niet zo goed maakte als de koffie die hij zelf altijd zette. Om er nog maar niet ver te spreken dat hij drie pondspakken koffie had kunnen kopen oor wat hij voor hun drankjes betaald had.

Mickey verschoof haar servet onder haar koffie en boog zich aar hem toe.

Terwijl hij zijn aantekenboekje uit zijn achterzak haalde, draaide ij zijn stoel een kwartslag om en leunde tegen de muur. ‘Zullen ve wat puntjes op de i zetten?’

Haar ogen lichtten op en ze knikte als een enthousiast jong ondje.

Hij pakte een balpen uit het zakje van zijn overhemd en schreef 'trouwdatum' boven aan het smalle blaadje.

Ze boog zich over de tafel heen om het te kunnen lezen.

'En hoe eerder hoe beter.' Hij raakte even haar neus aan.

'Nou, eerst moeten we praten over waar en met hoeveel mensen en over wat we allemaal moeten doen voor we zelfs maar een bruiloft kunnen hebben.'

'Oké, waar?' Hij maakte een rijtje *W*'s aan de linkerkant van het blaadje en veranderde de eerste in *Waar*?

'De St. Marykerk?' Ze trok haar schouders op, alsof ze verwachtte dat hij daar tegenin zou gaan.

Hij wreef over zijn kin. 'Dan zou ik me toch niet hoeven te bekeren, hè? Als we in jouw kerk trouwen?'

Ze schudde haar hoofd. 'Dat weet ik niet. Dat kunnen we denk ik wel aan Rick vragen.'

'Ja, over je broers gesproken...' Ze waren van plan om bij haar broers langs te gaan nadat ze een ring hadden gekocht, om hun verloving aan te kondigen en Doug weer aan haar broers voor te stellen – aan Rick en Tony in elk geval. Alex had haar onderweg naar Salina op haar mobiel gebeld om te zeggen dat hij niet kon komen. Uit haar kant van het gesprek maakte Doug op dat Alex Valdez wist dat er iets gaande was en zat te vissen wat het was. Ze bleef alleen herhalen: 'Rick en Tony kunnen je er alles over vertellen.'

Doug kende de broers Valdez uit zijn jeugd. Wie kende de sterren van het basketbal- en honkbalteam niet? Volgens Doug stonden er nog steeds een paar records van Clayburn High op Ricks naam. Maar hij betwijfelde of de broers zich hem herinnerden. Rick en Tony waren al van de middelbare school af tegen de tijd dat hij er kwam, en Alex had in de bovenbouw gezeten toen Doug in de brugklas zat.

Toch was hij behoorlijk nerveus om Mickeys oudere broers weer te ontmoeten onder deze omstandigheden. Mickey had hem verteld dat ze dacht dat haar broers wel vermoedden waarom ze zouden komen, maar dat ze hen in het ongewisse had gelaten.

'Je denkt toch niet dat ze van plan zijn om me te vermoorden of o?'

Ze gaf hem een speelse klap. 'Maak je nou maar geen zorgen. Ze ullen net zo veel van je gaan houden als ik.'

Maar volgens hem maakte Mickey zich ook een beetje zorgen.

'Nou ja, daar zullen we gauw genoeg achter komen,' zei hij.

Ze negeerde hem en keerde terug naar het punt van zijn be-ering. 'Misschien kunnen we Angie vragen hoe het zit bij de St. Marykerk. Zij is in die kerk opgegroeid. Zij zou het moeten we-en. En ze is een goed katholiek.'

Hij sneed een onderwerp aan waarover ze al veel eerder hadden noeten praten. 'Ik denk niet dat ik me tot het katholicisme zou unnen bekeren, Mick. En de kinderen zeker niet. Moeten jullie iet beloven dat je je kinderen in de kerk zult opvoeden?'

'Het is niet echt mijn kerk… niet meer. En ik zou het niet van vragen, Doug. Om je te bekeren, bedoel ik. Dat zou ik *geen* van ullie vragen. Ik… ik denk dat ik geen erg goede katholiek ben.'

Hij hield zijn hoofd iets schuin. 'Waarom maak je je plotseling o druk of je wel een "goede katholiek" bent?' Mickey had vol-ens hem genoten van de dienst, toen ze met hem en de kinderen aar de kerk was geweest. Ze praatte altijd over God alsof ze Hem ende, alsof ze een relatie met Hem had. Dat was het enige wat er oor Doug toe deed. Hij gaf niet veel om denominaties. Daarom adden Kaye en hij zich aangesloten bij de Community Christian Church. Harriet was daar niet zo blij mee geweest, maar Kaye had oet bij stuk gehouden en uiteindelijk had Harriet haar pogingen estaakt om hen terug te krijgen bij de First Baptist Church, waar-ij Kaye opgegroeid was.

Mickey nam een slokje van haar koffie, duidelijk een aflei-ingstactiek. 'Ik bedoelde er niets mee. Ik denk alleen dat mijn roers er niet al te blij mee zullen zijn als ik niet in de katholieke erk trouw.'

'Ze zullen er misschien ook niet al te blij mee zijn dat je met een eduwnaar met vijf kinderen trouwt.'

Haar langzame knikje vertelde hem dat ze het daarmee eer was.

De serveerster bracht hun zoute krakelingen en Doug spoot wa mosterd in het papieren mandje en nam een hap, waarna hij wee naar het lijstje keek. 'Goed, laten we eerst maar eens verdergaa met iets anders.' Hij schoof het mandje opzij en vulde de ander *W*'s op het blaadje in. *Wie, Wat, Wanneer.* 'Hé, dit is iets wat w kunnen invullen.' Naast *Wie* schreef hij Doug DeVore en Micke Valdez. 'En dit...' Hij schreef het woord *bruiloft* naast *Wat.*

'Ja! We maken vorderingen!' Ze klapte zo hard in haar hande dat de oudere vrouw aan het tafeltje aan de andere kant van he restaurantje zich omdraaide om hen aan te kijken.

Lachend vouwde hij zijn handen over de hare en legde ze zacht jes terug op het tafeltje. 'Sst!'

Ze keek beschaamd, maar de pretlichtjes verdwenen niet uit ha ogen.

Hij doopte een stuk krakeling in de mosterd en stak het in zij mond. 'Oké, hier is er nog een.' Hij vond het vreselijk om de stem ming te bederven, maar als hij met deze vrouw wilde trouwen, da moesten er wat dingen uit de wereld geholpen worden. 'Waar gaa we wonen?'

'In jouw huis.' Ze wees naar zijn lijstje. 'Schrijf maar op.'

Hij liet de balpen boven het papier zweven. 'Weet je dat zeke Je bent er geweest, Mickey. Je weet waar je in terecht zult komer

'Nou, het spijt me, maar jullie passen niet met zijn allen in mij huis. Tenzij je in de garage wilt slapen.'

'Even serieus.'

Haar wenkbrauwen schoten omhoog. 'Misschien ben ik da wel.'

Hij schoof zijn stoel met een ruk naar achteren en wierp haar ee strenge blik toe. 'Mickey, ik wil niet dat je hier spijt van krijgt.'

Haar uitdrukking werd serieus. 'Goed. Ik geef toe dat ik... da ik graag zou willen dat we samen een huis in de stad zouden kun nen vinden. Maar dat hoeft toch niet meteen? We kunnen ee oosje in jouw huis wonen en dan rustig rondkijken.'

'Dat klinkt redelijk.' In de stad, had ze gezegd. Durfde hij haar : vertellen dat Kaye en hij heel zuinig aan hadden gedaan om de oerderij te kopen waar hij opgegroeid was? Hij kon zich niet oorstellen dat hij daar ooit weg zou gaan. Maar het was nu niet et juiste moment om daarover te beginnen.

Ze prikte met haar vinger naar het lijstje. 'Schrijf op.'

Hij schreef *mijn huis* onder aan het lijstje en klikte de pen uit.

Maar zij trok hem uit zijn hand, klikte hem weer aan en streepte *ijn* door. Daarvoor in de plaats schreef ze met grote hoofdletters *)NS*.

Hij werd er helemaal warm van. Hij stak zijn hand uit over de ıfel en liet een vinger over haar zachte wang glijden. 'Ik hou van :.'

Met een glimlach depte ze met haar servet zijn mondhoekje. Mosterd,' legde ze uit, terwijl ze haar vingers kuste en ze op de lek drukte die ze zojuist schoongeveegd had.

'Wat zou ik zonder jou moeten beginnen?' zei hij luchthartig, ıaar haar eenvoudige daad raakte hem meer dan hij liet merken.)p dezelfde manier waarop Kaye hem had aangevuld, was Mickey et ontbrekende onderdeel van zijn leven. Hij was altijd een leier geweest, een echte man. Maar in heel veel opzichten had hij :mand nodig die voor hem zorgde. Iemand die hem een beetje ertroetelde. Mickey deed dat. En dat waardeerde hij enorm in aar. Hij verlangde naar de dag dat ze getrouwd zouden zijn.

'Oké, wat is het volgende punt?' Mickey liet de pen weer boven et lijstje zweven. 'Ik weet het al.' Ze voegde nog een *W* toe aan et lijstje en veranderde die in *Waarom*.

'Waarom?'

Ze knikte, en krabbelde toen iets op het lijstje. Toen ze klaar was, raaide ze het aantekenboekje om en schoof het naar zijn kant van e tafel.

Omdat ik van je hou, stond er.

Dat gaf de doorslag. 'Laten we trouwen.'

Ze keek hem wantrouwig aan. 'Ik dacht dat dat de bedoelin
was.'

'Nee, ik bedoel nu. Nu meteen. Laten we een kantonrecht
zoeken... of wat er ook voor nodig is.' Hij prikte met zijn ving
naar het lijstje. 'Dit doet er allemaal niet toe, Mickey. Als we al de
problemen proberen op te lossen, dan zijn we over een jaar no
bezig. Laten we het gewoon doen.'

'Doug...' Ze kreeg een blik in haar ogen als van een in de kop
lampen van een auto gevangen hert. 'Je kunt niet in een opwellin
trouwen.'

'Het is geen opwelling. We hebben het er uitgebreid over ge
had. Op deze manier slaan we alleen al die stomme dingen ove
De dure dingen...' Hij stak een hand op. 'En maak je geen zo
gen, daar bedoel ik niet de ring mee. Ik wil je een ring geve
We gaan terug en kopen hem vandaag nog.' Hij pakte haar han
en streelde haar vingers. 'Maar hebben we echt behoefte aan ee
grote, luxe bruiloft? Vooral als het problemen geeft met je broe
en de kerk?'

Hij wachtte tot ze zou reageren, terwijl hij haar gedachten pro
beerde af te lezen aan haar gezichtsuitdrukking.

'Ik weet het niet, Doug.' Ze zag er nog steeds een beetje ge
schokt uit. 'Je bedoelt toch niet letterlijk "vandaag", hoop ik?'

Dat bedoelde hij wel, maar misschien was dat te veel gevraag
'Niet vandaag, maar wel snel. Volgend weekend, als dat kan. Ik z
de rechtbank bellen en kijken wat we moeten doen. Kun jij ee
paar dagen vrij krijgen van je werk?'

Ze knikte. 'Maar hoe zit het met de kinderen?'

'Hoe bedoel je?'

'Gaan ze met ons mee?'

'O, nee. Natuurlijk niet. Ik verzin wel iets. Misschien kan Wre
een paar dagen op ze passen. We kunnen niet naar Hawaii of z
maar misschien kunnen we een paar daagjes naar Kansas City. Da
gaan we volgende zomer echt op huwelijksreis, dat beloof ik.'

Ze legde zachtjes een vinger op zijn lippen. 'Sst. Geen belofte

oen die je misschien niet kunt houden. We zullen de dingen ge-
'oon nemen zoals ze komen, goed?'

Hij knikte. Ze zou dit misschien echt willen doen. Hij werd
erscheurd tussen opluchting en paniek. Als ze hiertoe bereid was,
an zouden ze vandaag over een week man en vrouw zijn.

'Ik... ik zou mijn huis moeten verhuren... of,' ze slikte moei-
ıam, 'verkopen.'

'Je zou het voorlopig kunnen verhuren. We kunnen later wel
eslissen wat we moeten doen. Het is niet nodig om je overhaast
rgens in te storten.'

De omtrek van haar tong was door haar wang heen zichtbaar.
Eh... neem me niet kwalijk, maar is dat niet precies waar jij het
ver hebt? Dat we ons overhaast in een huwelijk storten?'

'Je snapt best wat ik bedoel. De minder belangrijke zaken. Die
unnen we later wel regelen. Laten we nu eerst maar eens een ring
ıan uitzoeken. Met wat we besparen op de bruiloftskosten, kun je
e allerduurste ring in de winkel uitkiezen.'

'O, Doug.' Haar ogen lichtten op en ze huiverde van enthousi-
me.

Hij schoof zijn stoel naar achteren en pakte haar hand. 'Kom,
hatje, we doen het gewoon.'

Doug duwde de deur van Wrens Nest open en liet hem hard ge
noeg dichtslaan om de belletjes te laten rinkelen en zijn komst aa
te kondigen. Wrens enorme gestreepte cyperse kat kwam achter d
balie vandaan drentelen, maar Wren was nergens te bekennen.

Hij snoof de karakteristieke geur van appels en kaneel en vers
gezette koffie op, en zijn maag knorde. Na een minuutje schraapt
hij zijn keel en riep Wrens naam. Hij dacht dat hij een droogtrom
mel hoorde en liep om de balie heen om te zien of ze achter wa

De kat koos dat moment uit om zichzelf om zijn been heen
vleien. Als de balie zijn val niet had opgevangen, zou Doug plat o
zijn gezicht zijn gevallen, en zou die stomme kat onder zijn gewic
fijngedrukt zijn. Hij gaf het beest een duwtje met zijn schoen.

Op dat ogenblik kwam Wren Johannsen de wasruimte u
lopen met een stapel gevouwen, donzig witte handdoeken in ha
armen. 'Douglas, ik wist niet dat je er was. Lieve help, heb je lan
staan wachten?' De kat verplaatste zijn affectie naar Wren, en z
gaf hem een duwtje met haar voet. 'Uit de weg, Jasper, domm
ouwe kat.'

'Ik ben er net.'

'Nou, kom mee naar de eetzaal. Ik heb nog een paar stukke
perzikkwarktaart in de koelkast.' Ze legde de stapel handdoeke
op de balie en liep voor hem uit naar de zonnige eetzaal. 'Hoe ga
het met je?'

Het medelevende toontje waarmee die vraag altijd gepaard gin
was duidelijk aanwezig in Wrens stem, maar op de een of ande
manier vond hij dat van haar niet zo erg. Wren had van Kaye ge
houden alsof ze haar eigen kind was – en daarom ook van hem
Sterker nog, ze had hen aan elkaar gekoppeld toen ze nog maar n

ın de middelbare school waren en Kaye Wren af en toe hielp in et hotelletje.

'Het gaat goed met me. En met jou?' Hij wurmde zichzelf op en stoel onder een te klein tafeltje en keek toe hoe ze koffie inhonk en stukken van haar beroemde kwarktaart op gebaksbordes zette.

Toen ze zich bij hem voegde, maakte ze het hem gemakkelijk. ,aat me raden: je hebt iemand nodig om op die schatten van kineren van je te passen?'

'Eigenlijk wel, ja.'

Haar ogen glinsterden ondeugend. 'Heeft het toevallig iets te aken met dat knappe meisje Valdez?'

Hij schoot in de lach. 'Zo te horen draait de geruchtenmachine Clayburn nog op volle toeren.'

Haar uitdrukking werd serieus. 'Is het alleen maar een gerucht?'

Zijn glimlach verried hem kennelijk.

'Dus het is waar, Doug? Heb je iets met Mickey Valdez?'

'Ik heb niet alleen iets met haar.' Hij boog zich over de tafel en empte zijn stem. 'We gaan trouwen, Wren.'

Een mollige hand vloog naar haar boezem. 'Trouwen? Je maakt n grapje.'

'Absoluut niet. Deze vrijdag zelfs. Daarom ben ik feitelijk hier. wilde vragen of jij op de kinderen zou willen passen, terwijl wij n paar daagjes weggaan op huwelijksreis.'

'Doug...? Vrijdag? *Aanstaande* vrijdag?'

Al deed hij nog zo zijn best, hij kon zijn glimlach niet onderukken. 'We hebben gewoon besloten om het te doen.'

Ze hield haar hoofd iets schuin en keek hem aan, zonder zweem n de blijdschap die hij van haar verwacht had bij het nieuws. eze vrijdag?' zei ze weer.

Het drong opeens tot hem door dat ze zich misschien gekwetst elde omdat ze niet uitgenodigd werd voor de bruiloft. 'We trouen bij een kantonrechter,' zei hij snel. 'In Salina. Zonder mensen bij.'

Het was vanochtend verbazingwekkend eenvoudig geweest o
een ambtelijke huwelijkstoestemming te krijgen. De plechtighei
zou vrijdagmiddag om twee uur plaatsvinden bij rechter Miria
Rickard. De beambte die hem had geholpen met de toestemmin
had gezegd dat ze niet eens getuigen hoefden mee te nemen als z
dat niet wilden. 'We kunnen een paar mensen van kantoor late
dienstdoen als getuigen,' had ze gezegd.

'We wilden geen grote bruiloft,' zei hij nu tegen Wren. 'Ik den
dat je dat wel begrijpt.'

'O, Doug.' Ze schudde langzaam haar grijze hoofd. 'Het is z
snel. Zo snel na Kaye en Rachel. Weet je zeker dat je dit wilt? H
is amper...'

Hij zag haar als het ware de maanden aftellen in haar hoo
en bespaarde haar de moeite. 'Het is bijna vijf maanden gelede
Waarom deed ze dit? Waarom vond ze het nodig zijn vreugde
bederven?

'Nog niet eens vijf maanden? O, Douglas, doe geen overhaas
dingen, schat.'

'Dat doe ik niet, Wren,' verzekerde hij haar. 'Dat doen we ni
We hebben dit goed besproken.'

Ze leek hem niet te horen, maar vervolgde op bijna smeken
toon: 'Je hebt zo veel meegemaakt. Geef jezelf de tijd. Het ver
tijd om over zoiets heen te komen. Om weer lief te gaan hebbe
Het is te snel. Het is gewoon te snel.'

Hij knikte, maar meende het niet. Hij wilde niet horen wat ze
zeggen had. Hij nam nog een hap kwarktaart. 'Lekkere taart.'

Wren gaf hem een klopje op zijn wang – een gebaar dat he
vreemd genoeg aan Kaye deed denken. 'Ik zeg niet dat Mickey ni
van je houdt, schat. Wie zou er niet van je houden? Maar je he
tijd nodig om... dit allemaal te verwerken. En hoe zit het met
kinderen? Ze...'

'O, de kinderen zijn dol op Mickey.' Hij klampte zich vast a
het sprankje redelijkheid dat ze bood. 'En zij is dol op hen.'

'Dat geloof ik best. Maar dit zal een behoorlijke aanpassi

n... voor jullie allemaal.' Ze raapte een kruimel van het gebor-
ıurde tafelkleed. 'Waar gaan jullie wonen?'

Hij merkte dat hij haar voor zich begon te winnen. 'In mijn huis.
gaat haar huis verhuren. Zeg eens, weet jij toevallig iemand die
zoek is naar een huis om voor langere tijd te huren? Met de
tie om te kopen, misschien?'

'Mickeys prachtige tuin... geeft ze die op?'

Hij haalde zijn schouders op. 'Dat weten we nog niet. Misschien
udt ze die nog even aan. Dat hangt af van wat de huurders wil-
ı.'

Hij had gisteravond ontdekt dat Mickey het vreselijk vond om
ar tuin achter te laten. Ze leek te denken dat ze tijd zou hebben
n hem bij te houden nadat ze naar zijn huis verhuisd was. 'Ik
u er iedere avond na mijn werk even heen kunnen gaan,' had ze
zegd. 'Zodat hij niet verwildert.'

Waarom ze een tuin zou willen bijhouden voor vreemden,
pte hij niet. Hij had voorgesteld een tuin aan te leggen bij zijn
is, maar daar had ze niet al te enthousiast over geleken. Maar ze
uden er wel uitkomen. Hij had het gevoel dat zulk soort dingen
t eens belangrijk meer zouden zijn als ze eenmaal getrouwd
ren.

Hij schraapte het laatste restje kwarktaart op met de zijkant van
n vorkje en keek nadrukkelijk naar de klok. 'Ik moet ervandoor.
s je denkt dat het voor jou en Bart te druk is om op de kinderen
passen, dan zoek ik wel iemand anders.' Hij had geen idee wie
zou moeten zijn, vooral nu Harriet volop aan het pakken was
or haar verhuizing, maar hij zou doen wat hem te doen stond.

Ze haalde afkeurend haar schouders op en zei met een afwerend
ɔaar: 'Natuurlijk zullen we op hen passen. Als je zeker weet dat
dit wilt doen. Maar denk er alsjeblieft nog even over na, Doug.
– ik voel me een beetje verantwoordelijk, aangezien ik degene
s die jullie op elkaars pad heeft gebracht.'

'Op de bruiloft van Jack en Vienne, bedoel je?' Hij was bijna
geten dat het Wren was geweest die hem die avond had voorge-

steld om een praatje met Mickey te maken. Daar was het inderda allemaal mee begonnen.

Wren knikte. 'Misschien was ik er een beetje te veel op gebra om jullie aan elkaar te koppelen.'

'Je hebt Kaye en mij ook aan elkaar gekoppeld, als ik het r goed herinner. En kijk maar eens hoe goed dat uitgepakt heeft.' H forceerde een lachje.

'Beloof me alleen dat je ervoor zult bidden, Doug. Misschi moet je eens met Trevor praten. Hij heeft hetzelfde meegemaa als jij. Hij zal je goede raad kunnen geven. Ik zou het vreselijk vi den als ik je overgehaald heb om je overhaast in iets te storten w niet Gods plan voor je leven is.'

Hij bromde wat. Het ging haar eigenlijk niets aan.

Wren leek het niet te merken en vervolgde haar preek. 'We je, als je zou besluiten om het uit te stellen, kun je altijd later n trouwen. Andersom is lang niet zo gemakkelijk. Beloof me alle dat je ervoor zult bidden,' zei ze weer. Ze wierp hem een glimla toe die hem vertelde dat *zij* ervoor zou bidden.

'Wil je ze hier, of zou het gemakkelijker zijn om naar mijn h te komen – *ons* huis?' Allemensen. Hij had zichzelf eindelijk aa gewend om in enkelvoud te denken en nu moest hij er weer a wennen om in meervoud aan zijn huis en bezittingen te denk *Hun huis*. Van hem en Mickey.

'Wat voor jou het gemakkelijkste is. Misschien vinden ze l leuk om hier te komen. Ik heb tot nu toe maar één kamer ve huurd in het weekend, dus Kayeleigh zou een eigen kamer kunn krijgen.'

Hij grijnsde waarderend en nam Wren weer in zijn gratie a Kayeleigh zou het geweldig vinden om in het hotelletje te loger Misschien zou het haar reactie op het nieuws dat hij met Mick ging trouwen wat temperen. Hij was van plan het de kinder vanavond te vertellen. Maar bij het vooruitzicht ging er een g van paniek door hem heen.

Eerst moest hij Mickey vertellen dat het vrijdag doorging.

eeuwbal rolde nu steeds sneller de heuvel af. Hij stond op en gde een hand op Wrens schouder. 'Dank je, Wren. Ik ben je heel at verschuldigd.'

'Je bent me niets verschuldigd, Douglas. Ik wil alleen maar dat je lukkig wordt. Dat is wat we allemaal willen.'

Toen hij naar zijn werk reed, dacht hij over die opmerking na. elukkig worden. Wren had de spijker op de kop geslagen. Dat as eigenlijk het enige wat hij wilde. Hij had zo veel verloren. aar als hij bij Mickey was, voelde hij weer dat hij leefde. Ondanks twijfels die Wren Johannsen vanochtend in zijn geest geplant d, verdiende hij het toch zeker om weer liefde te kennen, om eer gelukkig te zijn na alles wat God van hem verlangd had.

En als *hij* het niet verdiende, dan kan niemand aanvoeren dat zijn nderen de liefde die Mickey hun bood niet verdienden.

yeleigh was net verdiept in de nieuwe realityserie, toen papa afstandsbediening uit Landons handen pakte en de tv uitzette. om eens allemaal hier, jongens. Ik wil jullie iets vertellen. Op de nk. Kom op allemaal. Jullie kunnen straks verder tv kijken.'

'Harley ook, papa?' vroeg Sarah.

'Harley ook.'

Bij die woorden slaakte Harley een kreetje en rende naar de uken.

'Ik pak haar wel.' Kayeleigh liep achter de peuter aan, tilde haar en nam haar mee terug naar de woonkamer, waar de tweeling Landon al naast elkaar op de bank zaten, alsof ze in de kerk ren.

Ze zette de peuter tussen Sarah en Sadie en ging toen op de ning van de bank zitten. Papa zat op de salontafel tegenover n, met een been op zijn knie. Maar toen ze naar zijn gezicht k, sloeg Kayeleighs hart een slag over. Hij had dezelfde ernstige drukking op zijn gezicht die hij op Thanksgiving ook gehad l, toen hij hen bij oma zo had neergezet om hun te vertellen dat ma en Rachel gestorven waren.

Kayeleigh sloeg haar armen om haar bovenlichaam en probeer te voorkomen dat haar knieën gingen trillen.

Maar iedereen van wie ze hield was hier. Ze hapte naar ade Was er iets gebeurd met oma Thomas? Of met Seth? Was er i gebeurd met Seth Berger? Maar nee, papa wist niet eens dat er w speelde tussen haar en Seth, en zelfs al had hij dat wel geweten, d zou hij de andere kinderen niet bij elkaar roepen voor zoiets.

Papa schoof een stukje naar achteren op de salontafel en hie zijn hoofd iets schuin, waarbij zijn ernstige uitdrukking verander in een glimlach. Kayeleigh haalde opgelucht adem. Hij leek bij verlegen... zoals die keer dat mama hem betrapt had toen hij v de koekjes at die zij voor de vakantiebijbelschool had gebakk Ze hadden er vreselijke ruzie om gekregen. Zij had dat gehoord was de keuken in gelopen, waar mama papa uitkafferde en hij z verontschuldigingen probeerde aan te bieden, die zij niet wil accepteren. Kayeleigh had al haar moed bij elkaar geraapt en h uiteindelijk geschreeuwd om hun aandacht te krijgen. 'Hé! Is h niet een beetje stom om ruzie te maken over een *Bijbel*school?'

Om de een of andere reden waren ze daar allebei om in de la geschoten en voor ze het wist, lagen ze allebei dubbel van het chen, om elkaar daarna in de armen te vliegen en te zoenen al ze nooit ruzie hadden gehad. En alsof ze vergeten waren dat ook in de keuken was.

Bij die herinnering voelde ze zich helemaal warm worden v binnen.

'Ik heb nieuws, dat ik jullie wil vertellen,' zei papa, waardoor weer met een schok in het heden was. 'Goed nieuws.'

Ze ging rechtop zitten en leunde wat voorover. Misschien z Bindy weer puppy's krijgen! Maar nee, dat kon het niet zijn. Pa had haar na haar laatste worp naar de dierenarts gebracht, om mama zei dat ze zich al nauwelijks konden veroorloven om h kinderen te eten te geven, laat staan ook nog een nest puppy's.

'Juf Valdez...' Papa schraapte zijn keel. 'Juf Mickey en ik z verloofd.'

De klok aan de muur tikte in de stilte, terwijl de kinderen elkaar
nkeken.
Uiteindelijk vroeg Sadie met een frons op haar voorhoofd aan
pa: 'Betekent verloofd... dat u gaat trouwen?'
Landon gaf haar een duw met zijn elleboog. 'Wat dacht jij dan,
fferd?'
Papa gaf Landon niet eens een standje omdat hij zijn zus uit-
hold voor sufferd. In plaats daarvan zei hij met een grote glim-
:h: 'Dat klopt. We gaan trouwen.'
Kayeleighs adem stokte. Dat *verloofd* wilde al nauwelijks tot haar
rsens doordringen. Maar *trouwen*?
'Sterker nog,' zei papa op heel vrolijke toon, 'we gaan deze vrij-
g al trouwen. Mickey komt hier wonen en...'
Geen sprake van! Dat kon hij niet menen.
Toen keek papa naar haar en op de een of andere manier wist ze
t hij bijna had gezegd: 'en wordt jullie moeder.' Maar hij maakte
n zin niet af. Dat was maar goed ook, want anders had ze hem
n klap gegeven. Een harde klap. Midden in zijn gezicht.
Sarah en Sadie begonnen op en neer te springen op de kussens
n de bank, en Harley lachte en klapte in haar handjes. Zij kon
g niet begrijpen wat papa had gezegd. En de tweeling was ge-
oon enthousiast omdat ze dol waren op juf Valdez. Ze begrepen
:t wat het betekende. Dat hun juf samen met papa zou zijn...
als mama met hem samen was geweest.
Ze balde haar handen tot vuisten en voelde zich misselijk. Ze
n geen lucht krijgen en zette toen haar nagels in de bekleding
n de leuning van de bank, terwijl ze bad om kracht. 'Dat... meent
och niet?' wist ze er uiteindelijk met een klein stemmetje uit te
engen.
'Natuurlijk meen ik dat, Kaye.'
'Noem me niet zo!'
Papa keek alsof hij zich niet eens gerealiseerd had dat hij haar bij
ma's naam had genoemd. Dat deed hij de laatste tijd voortdu-
d.

'En mama dan?'

'Kayeleigh...' Hij legde zijn hand op haar knie.

Ze deinsde terug en duwde zijn hand weg. 'Het kan u niks sch len!'

'Waar heb je het over?' Hij sloeg zijn armen over elkaar, zo hij deed wanneer ze in de nesten zat. Maar zijn stem klonk zac 'Natuurlijk kan het me wat schelen, Kayeleigh. Ik zou hier n met jullie over praten als het me niks kon schelen.'

Ze wist niet wat dat ermee te maken had.

Naast haar sprong Sadie van de bank, nog altijd met een grijns v oor tot oor. 'Krijgt juf Mickey dan net zo'n trouwjurk als mama

Kayeleigh duwde haar weer op de bank. Dat veroorzaakte e kettingreactie, waardoor Harley op Sarahs schoot viel.

'Hé!'

'Hou je grote mond, Sadie.' Kayeleigh deed haar uiterste best tranen uit haar stem te weren. 'Snap je het dan niet? Papa verra haar!'

'Kayeleigh. Waarom zeg je zoiets?' Papa kreeg een gekwetste b in zijn ogen.

Ze keek een andere kant op.

'Kayeleigh? Lieverd, kijk me eens aan.'

Ze keek op, net genoeg om niet in de problemen te raken richtte haar blik toen op haar schoot.

Papa gaf haar een klopje op haar knie en fluisterde: 'Ik hi meer van je moeder dan je ooit zult weten. Ze was...' Zijn st brak.

Kayeleighs hart brak ook.

Papa legde een vinger onder haar kin en tilde hem op, zodat zijn blik niet kon ontwijken. 'Lieverd, er zal nooit iemand zijn zo je moeder. Niemand kan ooit haar plaats innemen. Maar... ze dood. En wij moeten verder met ons leven.'

Kayeleigh probeerde te slikken, maar ze had het gevoel alsof iets scherps in haar keel zat. 'U verraadt mama,' zei ze op mon tone toon. 'U verraadt ons allemaal.'

'Wat is dat? Ver-haat?' Sarah liet Harley paardjerijden op haar ɿoot.

'Niemand verraadt ook maar iemand.' Papa's stem klonk nu hard zijn blik hield haar vast. 'En zulk soort praat wil ik niet meer ren.'

Ze liet zich van de bankleuning glijden en liep langs hem heen. et opeengeklemde kaken stommelde ze de trap op naar haar ka- :r. Het kon haar niet schelen wat er in de Bijbel stond. Dit zou hem nooit vergeven. Nooit.

'Ik, Michaela, neem jou, Douglas, tot mijn echtgenoot.' Mick keek op in Dougs ogen, terwijl haar stem door de schemerig v lichte rechtszaal klonk. 'In goede en slechte tijden, in voor- tegenspoed, in ziekte en gezondheid…'

Doug knipoogde even tegen haar bij het woord *tegenspoed*, en schoot bijna in de lach. Ze ontweek zijn blik en keek recht vc zich uit naar de lege tribune achter hem en maakte de belofte die hij net ook aan haar gedaan had. 'In alles wat op ons pad ko beloof ik voor God en mensen dat ik je zal liefhebben tot de do ons scheidt.'

Vanaf deze dag had ze een trouwdag om te vieren. *27 april.* H zou een dag zijn, die ze de rest van haar leven met rood zou m keren op haar kalender – *hun* kalender.

De rechter, die net zo goed had kunnen doorgaan voor e rechtenstudente, vroeg aan Doug: 'Hebben jullie ringen om te wisselen?' Ze vroeg het op een manier waarop ze had kunn vragen of hij soms een dollar kon wisselen.

Hij knikte en stak zijn hand in de zak van zijn jasje om M keys trouwring eruit te halen. Ze hadden de ringen op maat lat maken en hadden ze pas vanmiddag onderweg naar de rechtsz opgehaald. Mickey liet haar vinger over de diamant op de ver vingsring glijden, die ze nog maar een uur om had.

Doug haalde allebei de trouwringen tevoorschijn en drukte z ring in Mickeys hand.

'U eerst.' De rechter knikte naar Doug. 'U mag de ring aan h vinger schuiven.'

Mickey probeerde haar hand niet te laten trillen, terv Doug zijn best deed om de eenvoudige trouwring over h ɩokkels te krijgen. Ze had zichzelf gisteren op een manicure trakteerd. Maar geen enkele hoeveelheid nagellak of handème kon camoufleren dat haar handen ruw waren van het ortdurende wassen op het kinderdagverblijf, om nog maar te ijgen van de tuinaarde, die volgens haar in haar poriën was an zitten.

Doug leek het niet eens te merken. Ze voelde zijn emotie toen smalle, zilveren ring over haar knokkels op zijn plaats gleed. speelde even met haar verlovingsring die voorlopig aan haar hterringvinger zat.

Doug nam haar handen in de zijne. Ze slikte moeizaam en pakte eenvoudige, bijpassende zilveren ring die ze zaterdag voor hem gekozen hadden. Ze schoof hem aan zijn linkervinger, waarna haar hand even op de zijne liet rusten.

Doug pakte haar handen weer en zo stonden ze te wachten tot hter Rickard het tekstje over de ringen zou oplezen dat ze op ernet gevonden hadden.

De rechter schraapte haar keel en pakte het papiertje uit de dun- handleiding die ze in haar hand hield. 'De trouwring is een ui- lijk, zichtbaar symbool van de ononderbroken cirkel van liefde.' las de woorden op alsof ze een wetstekst voorlas. 'Het maakt wereld duidelijk dat deze man en deze vrouw elkaar voor God n trouw beloofd hebben. Draag deze ringen ter herinnering aan aar en uit respect voor het huwelijksverbond.'

De jonge vrouw sloeg een bladzijde in de handleiding om en starde. Ze bladerde met een verwarde blik op haar gezicht te- door het dunne boekje. Na nog meer heen en weer geblader lde ze haar schouders op en zei met een schaapachtig lachje: eps. De trouwbelofte had voor de ringen moeten komen. Nou /olgens mij doen we het nog steeds conform de wet.'

Doug keek naar Mickey, met een stilzwijgende verontschuldig op zijn gezicht.

Maar de stem van de rechter werd wat hartelijker en ze wist zelfs glimlach op haar gezicht te toveren voor ze hun de eeuwenoude vraag stelde. 'Neemt u deze man tot uw echtgenoot? Wat daarop uw antwoord?'

'Ja,' zei Mickey.

'Neemt u deze vrouw tot uw echtgenote? Wat is daarop u antwoord?'

'Ja,' zei Doug, met tranen in zijn ogen.

En op dat moment voelde alles aan deze dag goed.

Hun hotel lag aan de rand van de stad, met het verkeerslawaai v het viaduct van de I-70 boven hun hoofd. De kamer die Doug h gereserveerd lag aan het eind van een smalle gang. Toen hij de de voor Mickey opendeed, sloeg de stank van verschaalde sigarette rook en vuile sokken haar in het gezicht. Ze ademde door h mond en deed vlug een raam open, terwijl Doug de deur dub op slot deed.

Ze stond aan de knoppen van de verwarming en de airco morrelen toen ze zijn armen op haar schouders voelde. 'Hé, m vrouw DeVore...'

Vanaf het moment dat ze afgelopen zaterdag de ringen uitgek zen hadden, had ze geoefend om haar nieuwe naam te schrijv – *Michaela DeVore* – met zwierige, vloeiende letters. Maar op een of andere manier schrok ze ervan om hem haar nu zo te ho noemen. Ze was nu een *mevrouw. Mevrouw DeVore. Mickey DeV* In haar hoofd paste die naam niet goed, zoals een jas die ze v iemand anders had geleend.

'Kom eens hier, jij.' Doug trok haar naar zich toe en zijn st klonk schor. 'Ik hou van je. Weet je dat?'

Ze kwam overeind, draaide zich naar hem toe en knikte teg zijn borst. Ze had niet verwacht dat ze zo zenuwachtig zou zijn vo deze nacht. Ze was dertig jaar. Ze had genoeg boeken en tijdschr artikelen gelezen, en met haar getrouwde vriendinnen over dit pect van het huwelijk gepraat. Sinds die eerste hartstochtelijke had Doug geen geheim gemaakt van zijn verlangen naar haar. M hij had haar wens om zichzelf voor hem te bewaren gerespectee

Maar nu het zover was, voelde ze zich verlegen en onzeker van :hzelf.

Hij leek haar spanning aan te voelen en wreef langzaam in cir-lbewegingen over haar rug, door de stof van haar zijden blouse en. Hij kuste haar haar, mompelde in haar oor. Ze voelde het rlangen, de behoefte in zijn liefkozingen. Stel nu dat ze een te-ırstelling voor hem was? Stel nu dat... het allemaal niet ging als het zou moeten gaan?

Ze dacht aan de korte plechtigheid van vanmiddag, hoe anders t was geweest dan ze altijd gedroomd had. Al vanaf dat ze een ein meisje was had ze een lange, witte trouwjurk willen dragen vijf bruidsmeisjes willen hebben en een kerk vol mensen. In ats daarvan had ze een gewone, zwarte rok gedragen en deze emekleurige zijden blouse. Ze had hem maar een paar uur ge-gen... en nu morrelde Doug aan het bovenste knoopje.

Ze trok zich terug. 'Ik wil me even opfrissen.' Ze pakte haar ekendtas. 'Ben zo terug.'

Hij glimlachte en liet zijn handen over haar armen naar beneden jden. 'Ik zal op je wachten.'

In de badkamer inspecteerde ze haar gezicht in de spiegel. Haar ke-up was vervaagd, en ze had donkere wallen onder haar ogen. ar haar was veranderd in een ragebol. Ze zou hem het licht uit en doen voordat...

Ze ritste haar toilettas open, pakte haar tandenborstel en draaide kraan open. Het hete water deed de spiegel beslaan. Ze poetste ır tanden tot ze bang was dat haar tandvlees zou gaan bloeden. teindelijk kon ze niet langer talmen.

Zonder in de spiegel te kijken kleedde ze zich uit en liet ze vlug bruidsnegligé over haar hoofd glijden dat ze vorige week bij lmart had gekocht. Na een vlugge blik op haar spiegelbeeld or de wolk van stoom deed ze het badkamerlicht uit, haalde op-vlakkig adem en opende de deur.

De kamer was donker, alleen verlicht door de flauwe gloed van lamp bij de deur. Doug zat op de rand van het bed, met zijn onderarmen op zijn knieën. Hij wierp een blik op haar en liep to vlug de kamer door om haar in zijn armen te nemen. 'Gaat het v met je?'

Ze haalde schokkerig adem en begroef haar gezicht tegen z schouder. 'Ik, ik ben doodsbang.' Toen kwamen de tranen en leek ze niet terug te kunnen dringen. 'Jij... voor jou is dit n nieuw.'

'Nee. In zekere zin niet.' Hij sloeg zijn armen nog vaster om h heen. 'Maar het is nieuw met jou.'

'Stel nou dat ik niet weet... wat ik moet doen?'

'Dat zul je vanzelf weten.' Ze hoorde de tederheid in zijn ste

Maar hij was getrouwd geweest met een vrouw die jaren de t had gehad om te leren hoe ze hem gelukkig moest maken. H zou hij kunnen voorkomen dat hij haar met Kaye vergeleek? hoe zou zij dan niet tekort kunnen schieten? Kaye was altijd levendig geweest, had altijd zo zelfverzekerd geleken.

Hij legde een hand op haar hoofd en liet het een beetje acht overhellen, terwijl hij haar blik zocht.

Hun ogen vonden elkaar en ze klampte zich aan zijn blik vas

Hij nam haar hand in de zijne. Terwijl hij met zijn ogen to stemming vroeg, leidde hij haar naar de andere kant van het b Ze ging op de rand van het matras zitten en hij knielde voor h neer.

'Het geeft niet, schat,' fluisterde hij. 'We zullen het rustig doen, heus. We zullen alle tijd nemen die je nodig hebt. We hebb nog een heel leven voor ons om te leren hoe het moet. Samen.

Zonlicht kroop door de spleet tussen de helften van de zware telgordijnen door. Doug sloeg zijn arm over de vrouwengest die rustig naast hem lag te ademen. Hij trok haar tegen zich en drukte zijn voorhoofd tegen haar rug. Nog maar half wak probeerde hij de herinneringen vast te houden die als schokker filmbeelden door zijn hoofd speelden. Daar was Kaye met h stralende glimlach, die hem iets probeerde te vertellen. Maar h

:h werd overstemd door de emotieloze stem van een vrouwelijke
chter. 'Met de mij door de staat Kansas toegekende bevoegdheid
rklaar ik u tot man en vrouw.'

Hij schrok en rolde op zijn rug, waarna hij overeind kwam en
et half dichtgeknepen ogen in het donker naar de cijfers op de
gitale wekker op het nachtkastje keek. Zes minuten voor acht.
aast hem in het bed lag Mickeys donkere haar in golven op het
tte kussensloop. Hij schudde zijn hoofd en probeerde de veront-
stende droom kwijt te raken.

Hij was getrouwd. Opnieuw. Hij had een nieuwe kans gekregen
n gelukkig te worden. Maar gisteravond was een wankele start
weest van zijn leven met Mickey Valdez. Ze was net een bang
nd geweest. Haar vrees en het geschenk dat ze hem aanbood
kten hem diep, en hij had het niet moeilijk gevonden om geld met haar te hebben. Ze had de smaak te pakken gekregen
n zijn kussen, en ze hadden op een tedere, fijne manier de liefde
dreven. Net als de eerste keer met Kaye.

Toen ze klaar waren en Mickey in zijn armen lag te slapen, wa-
n onverwachts de tranen gekomen. Tranen voor Kaye. Hij miste
ar op dat moment zo vreselijk. En hij kon Mickey nooit vertel-
n hoezeer hij naar zijn vrouw verlangd had – naar Kaye – zelfs
wijl hij zijn nieuwe bruid in zijn armen had.

In zijn huwelijksnacht huilde hij om alles wat hij verloren had.
m Rachel en om het leven dat hem ontstolen was.

Hij huilde omdat, hoe graag hij dat ook wilde, Mickey Kaye niet
s – en ook nooit zou worden.

Mickey drukte nog een keer op de bel en sloeg toen haar hand in elkaar, terwijl ze het toespraakje probeerde te oefenen dat nog niet voorbereid had in haar hoofd.

'Je bent nerveus.' Achter haar legde Doug zijn handen op ha schouders en masseerde haar gespannen spieren. Op ieder and moment zou ze dat gewaardeerd hebben, maar nu moest ze vec ten tegen de aandrang om hem af te schudden.

'Een beetje.'

Grijnzend legde hij een hand in haar nek en kuste haar slaap. was vrijdagavond ook nerveus en kijk eens hoe dat uitgepakt is.

Ze voelde een warme blos in haar hals omhoogkruipen, ma heimelijk was ze blij dat hij haar geplaagd had met die avond. H had stil en afwezig geleken sinds ze voor het eerst de liefde hadd bedreven. Ze had zich bijna zorgen gemaakt dat hij teleurgeste was. Het was fijn om hem met zo veel woorden te horen zegg dat alles goed was gegaan.

Maar nu voerde de angst voor de reactie van haar broer de b ventoon en ze wilde niet toestaan dat Doug van onderwerp vera derde. 'Ik weet gewoon niet hoe Rick dit zal opvatten.'

'Je hebt beloofd dat ze me niet zullen vermoorden, weet nog?'

'Hou op, Doug!' Het was niet haar bedoeling geweest teg hem te snauwen, en ze gaf hem een verontschuldigend klopje zijn arm. 'Het spijt me, maar daar help je me niet mee.'

Doug en zij waren vorig weekend na het uitkiezen van de ri gen bij haar broer langsgegaan. Maar er was niemand thuis, en la had ze besloten dat God daar misschien de hand in had geh Ze had met haar broers over Doug en de kinderen gesproken, ɔg wat meer met Angie, maar ze had nooit verteld hoe hecht ıar relatie met Doug geworden was. Voor zover zij wisten was hij ·woon een goede vriend, met wie ze af en toe uitging. Nadat ze ·sloten hadden om zo snel te gaan trouwen, had ze Doug overge-ıald het pas na hun huwelijk aan haar broers te vertellen. Nu had daar spijt van.

Ze stak haar hand weer uit naar de deurbel, maar de deur vloog ɔen en Angie zei met een grote glimlach: 'Mickey! Kom binnen.' ͤ keek langs haar heen en schonk Doug een beleefde glimlach.

'Angie, dit is Doug DeVore.'

'Welkom, Doug. We hebben al zo veel over je gehoord. Het ·rd hoog tijd dat Mickey je meenam, zodat we je kunnen leren nnen. Kom binnen.'

Ze nam hen mee naar binnen. 'Alex en Tony komen pas na het ·en. Ze moesten hun plannen een beetje aanpassen, aangezien dit ·t ons vaste weekend is dat we bij elkaar komen.' Ze draaide zich n en schreeuwde de trap op: 'Rick! Mickey is er. Hij haalt Emmy ·t uit bed van haar middagslaapje,' verklaarde ze.

'O, mooi zo. Ik hoopte al dat ze wakker zou zijn.' Ze zei tegen ɔug: 'Wacht maar tot je die baby ziet.' Emmy zou ervoor zorgen t ze iets hadden om over te praten. En misschien als buffer die-n.

Het gekir van een baby kwam hen tegemoet en Rick verscheen ·ven aan de trap met Emmy in zijn armen.

'Hé zusje. Daar ben je dan. We begonnen al te denken dat je ·t zou komen.' Hij kwam de trap af en gaf haar een zoen op haar ıng, waarna hij de baby aan haar gaf. Net als Angie wierp hij ɔug een beleefde glimlach toe en wachtte tot Mickey hen aan ·aar voorstelde.

Ze drukkte Emmy even tegen zich aan en snoof de bedwelmende bygeur op. 'Rick, Angie, dit is Doug.' Ze haalde nog een keer ·p adem en zei toen met een quasi-mysterieus lachje: 'Dit is... jn man.' Ze was van plan geweest het pas te vertellen als al haar ɔers er waren, maar nu waren de woorden er uit.

Haar broer en zijn vrouw wisselden een blik, die zei: 'Heb ik ie gemist?'

'Doug en ik zijn vrijdag getrouwd.' Mickey probeerde haar ste opgewekt te laten klinken terwijl ze zich niet zo voelde. 'We zi onderweg naar huis van onze huwelijksreis. Daarom vroegen we jullie de datum konden veranderen.'

'Wat?' Ricks matgrijze wenkbrauwen trokken zich samen in e frons. 'Dat meen je niet, Michaela.' Het was een mededeling, ge vraag. En ze zat in de nesten als hij haar bij haar volledige naa noemde. Hij nam het op zoals ze verwacht had.

Doug deed een stap naar voren en stak zijn hand uit. 'Het waar. Ik ben de gelukkige. Leuk om je te ontmoeten... nou ja, o je weer te zien. Je zult je mij wel niet herinneren,' legde hij u 'maar ik was een groot fan van je toen je nog basketbal speel op Clayburn High. Ik heb ook een paar Marymountwedstrijd gezien toen je voor hen speelde.'

Mickey had hem wel kunnen zoenen. Als er één manier was o bij Rick in een goed blaadje te komen, dan was het wel door praten over zijn oude basketbalsuccessen.

Rick schudde Dougs hand, en Mickey zag de woede die o der de oppervlakte van zijn donkere huid gekolkt had, een bee afnemen. Toch ging zijn acceptatie van Doug niet verder dan handdruk en hij richtte zich weer tot Mickey. 'Is het waar? Z jullie echt *getrouwd*?'

'Ja, Rick.'

'Hm, ik kan me niet herinneren dat ik een uitnodiging heb g had.' Hij lachte er niet bij.

'We wilden geen grote bruiloft, Rick. We waren gewoon n zijn tweetjes.'

'Je bent dus niet in de kerk getrouwd, begrijp ik.'

Er kwam een angstaanjagende gedachte in haar op. Zou h broer proberen het huwelijk ongeldig te laten verklaren omdat plechtigheid buiten de kerk had plaatsgevonden? Ze haastte zi om het uit te leggen. 'We zijn door een rechter getrouwd, Ri

: heb jullie verteld van Dougs situatie.' Ze betrok Angie bij het
:sprek. 'We wilden alles zo eenvoudig mogelijk houden. We... we
ouden van elkaar, en ik hou van Dougs kinderen. We hebben het
voel dat dit is wat God van ons wilde.'

Rick fronste zijn voorhoofd. 'Ik weet niet of ik me zou aanma-
gen te weten wat God wil.'

Mickey hoopte vurig dat Doug tussenbeide zou komen en het
oor hen op zou nemen, maar hij stond alleen maar met de punt
n zijn schoen over het kleed te schrapen.

Ricks donkere ogen vernauwden zich iets. 'Het zou fijn zijn
weest als je ons uitgenodigd had. Wie heeft je weggegeven?' Er
onk diepe gekwetstheid in zijn stem.

Op dat moment realiseerde Mickey zich dat haar broer altijd
echt had aangenomen dat hij degene zou zijn die die taak zou
rvullen.

'Daar... was niet echt gelegenheid toe. We zijn in de rechtbank
trouwd. Op vrijdag.' Ze verplaatste Emmy naar haar andere heup.
ick, ik ben gelukkig. Kun je niet gewoon blij voor me zijn?'

De baby begon onrustig te worden en Mickey klakte met haar
ng en maakte sussende geluidjes in een poging om haar tevreden
houden, terwijl ze bad dat Rick zou bijdraaien.

Angie legde een hand op de arm van haar man. 'Rick, alsje-
eft...' Ze richtte zich tot Doug en Mickey. 'We zijn heel blij
or je, voor jullie allebei.' Met haar ogen smeekte ze hun Ricks
beleefdheid door de vingers te zien.

Maar hij schudde Angies hand met een boze blik van zijn arm,
nder zich aan te sluiten bij haar felicitatie.

'Zullen we naar de keuken gaan? Het eten is bijna klaar. Mickey,
kunt me gezelschap houden, terwijl ik alles op tafel zet.' Er bleef
n weinig anders over dan achter Angie aan door de grote kamer
ar de ruime, zonnige keuken te lopen.

De twee jongste zoontjes van Rick en Angie kwamen uit de
elkamer in het souterrain toen ze aan de keukentafel plaatsna-
en. 'Tante Mickey!'

'Hallo, jongens. Hoe gaat het ermee?'

Rickey rende naar haar toe om haar een knuffel te geven, ma de zesjarige jongen bleef abrupt stilstaan toen hij Doug naast ha zag zitten.

'Jongens, dit is mijn man, Doug. Hij is nu jullie oom Doug.'

'Gaan jullie maar weer naar beneden,' blafte Rick. 'We roep wel als het eten klaar is.'

De jongens deinsden terug alsof ze straf hadden gekregen, ma ze bleven nieuwsgierig naar Doug kijken toen ze achteruit naar trap liepen.

Het eten verliep uiterst stroef. De kinderen waren ondeuge en de volwassenen probeerden allemaal angstvallig het onderwe te vermijden waar ze allemaal aan dachten. Doug probeerde e gesprek op gang te houden, maar nadat Rick hem een paar ke afgescheept had, gaf hij het uiteindelijk op en concentreerde zich op het enorme bord eten dat Angie voor hem neer had g zet.

Tegen de tijd dat Tony en Alex verschenen, kon Mickey h broer wel wurgen. Gelukkig zorgden acht kinderen en een hu lerige baby voor genoeg afleiding, zodat ze ieder gesprek over mening van haar broers over haar huwelijk wisten te ontwijken

Ze aten zelfgemaakt ijs in de achtertuin, maar zodra Dou schaaltje leeg was, zei Mickey dat ze moesten gaan.

'Bel me,' zei Rick nadrukkelijk, terwijl ze naar de auto liep 'Dan praten we verder.' Hij gaf Doug een knikje, dat Mickey go genoeg kende om te interpreteren als: 'en met jou heb ik ook n een appeltje te schillen, maat.'

Ze kon zich helemaal voorstellen hoe het gesprek tussen h broers en hun vrouwen zou verlopen zodra Doug en zij hun h len hadden gelicht.

De terugrit – naar hun eerste nacht samen in Dougs huis – we in stilte afgelegd. Ze vermoedde dat hij zich een voorstelling p beerde te maken van het volgende familie-etentje in de Vald dierentuin, als zijn vijf kinderen er ook bij waren. Gezien de n er waarop Rick met de zaak omging, zouden ze waarschijnlijk et eens uitgenodigd worden.

Bij die gedachte bedwong ze haar tranen. Rick zou uiteindelijk st wel wennen aan het idee dat ze getrouwd was. Angie kon hem eestal wel weer een beetje tot rede brengen. Maar stel nu dat ze, oor met Doug te trouwen, een van de meest dierbare dingen in ar leven had opgeofferd, ook al was het maar even? Ze kon zich et voorstellen niet iedere maand naar die familiebijeenkomst met ar broers en hun gezinnen te gaan. Tegelijkertijd kostte het haar oeite zich voor te stellen hoe Doug en zijn kinderen erin zouden ssen.

Ze had gedroomd van de dag dat ze een man mee naar huis zou men om haar familie te ontmoeten – dat ze hartelijke instemming in de ogen van haar broers zou zien. Maar bij die droom had n lange verkeringstijd gehoord en een verloofde, die haar familie gzaam maar zeker zou leren kennen. En er hadden zeker geen f kant-en-klare kinderen bij gehoord.

Ze was blij dat ze geregeld hadden dat de kinderen vanavond g bij Wren zouden blijven. Ook al miste ze Dougs kinderen, navond was ze niet in de stemming om met alle aanpassingen n te gaan waarmee ze te maken zouden krijgen.

Morgen zouden Doug en zij haar spullen naar zijn huis verhuin en proberen een beetje op orde te komen voor ze de kinderen uden gaan ophalen bij Wren. En dan zou ze dinsdagochtend kker worden in haar nieuwe leven – in een nieuw huis, naast ar nieuwe echtgenoot. Ze zou met de tweeling en Harley naar t kinderdagverblijf rijden. Kayeleigh en Landon zouden zoals ijd na schooltijd naar het kinderdagverblijf komen lopen. En om lf zes zou ze met de kinderen naar huis gaan. Ze zou eten maken, kinderen misschien helpen met hun huiswerk. Een was draaien, ee misschien wel. Het zou het begin zijn van een heel nieuw en – hun 'nieuwe realiteit', zoals Doug het was gaan noemen.

God had haar precies gegeven waar ze altijd van gedroomd had. arom had ze er dan zo'n dubbel gevoel over? Er klopte iets niet.

Diep van binnen voelde ze dat. Wat de afgelopen paar dagen n
slechts een nauwelijks hoorbaar gefluister was geweest, klonk
steeds luider. Ze was er nog niet klaar voor.

God had haar het verlangen van haar hart gegeven. Waar ze He
om *gesmeekt* had. En ze wilde dit echt – allemaal. Ze was er alle
niet op voorbereid geweest om het allemaal tegelijk te krijgen.

Het enige wat ze nu wilde was teruggaan naar haar eigen h
– alleen. In haar lekkere bed kruipen in haar rustige kamer en ee
goed huilen.

De duisternis viel veel te snel in en om tien uur hoorde ze Do
de tv uitzetten en de voordeur op slot doen. Hij kwam achter ha
staan bij de gootsteen, waar ze de afwas stond te doen, en kus
haar wang. 'Ik ga pitten. Wil je het licht uitdoen als je naar b
komt?'

Zonder op een antwoord te wachten, liep hij naar de slaapk
mer. Ze hoorde de kraan lopen toen hij zijn tanden poetste en zi
klaarmaakte voor de nacht.

Ze had eigenlijk nog geen slaap. Meestal deed ze pas om een u
of elf het licht uit. Maar het leek erop dat Doug verwachtte dat
gelijk met hem naar bed zou gaan, dus ze maakte de afwas af, de
het licht uit en liep naar de slaapkamer.

Doug kwam de badkamer uit en stapte in bed – aan de kant v
het bed waar zij meestal sliep. Hij hield een hoekje van de dek
omhoog. 'Denk je dat je extra dekens nodig hebt? We zetten
verwarming altijd heel laag 's nachts.'

Mickey vroeg zich af wie hij bedoelde met 'we.' Ze voelde zi
een gast in zijn huis, alleen sliep ze niet in de logeerkamer. 'He
wel goed zo,' zei ze.

Ze pakte haar nachtpon en liep naar de badkamer om zich uit
kleden. Ze hing haar kleren op de haak aan de achterkant van
deur. Ondanks het feit dat al Kayes kleren weg waren uit de k
en haar toiletspullen uit het badkamerkastje verwijderd waren, le
haar aanwezigheid de kamer te vullen. Het huis.

Mickey stapte naast Doug in bed. Ze wisselden een zenuwachtig chje, en hij gaf haar een klopje op haar hand. Ze was gewend nog at te lezen voordat ze ging slapen, maar hij deed de lamp op zijn ıchtkastje uit, dus zij deed hetzelfde, waarna ze verstrakte toen hij jn hand uitstak om haar aan te raken.

Het verlangen dat hij meestal in haar wist te wekken, sloeg door ıar heen, maar ze wist niet of ze met hem zou kunnen vrijen in :ze kamer, waar Kaye zich nog in iedere hoek leek op te hou- :n, in de muren zelf. Alles droeg nog haar stempel: het stapeltje ɔeken op het nachtkastje, de mand met stoffige kunstbloemen e op de ladekast stond. Meer dan dat... *erger* dan dat, Kaye was ɔg aanwezig in iedere ademhaling van Doug, in zijn hart, in zijn :fkozingen.

Ze rolde van hem weg en trok het dekbed op tot aan haar kin. elfs in het dekbed hing nog de vage geur van Kayes parfum.

Doug drong niet verder aan, maar rolde naar zijn eigen kant van :t bed.

Ze bleef doodstil liggen en durfde nauwelijks adem te halen, ıuwelijks te bewegen, bang dat hij in het donker zijn hand naar ıar uit zou steken.

Uiteindelijk kreeg de ademhaling van haar man een gelijkmatig me, en liet ze de spanning een beetje uit haar spieren vloeien.

O, God, wat heb ik gedaan? Wat hebben wij *gedaan?*

Drie dikke roodborstjes zaten op de schutting te pronken met hu
helderrode borstjes. Mickey trok nog een handvol droge blad
ren onder de rozenstruiken vandaan en propte ze in de vuilnisza
Ze was pas getrouwd. Ze zou zich niet verdrietig moeten voele
Maar ze vond het verschrikkelijk om dit huis achter te laten. Me
dan ze verwacht had. Niet zo zeer het huis, als wel haar tuin. D
afgelopen vijf jaar had ze haar hele hart in deze duizend vierkan
meter aarde gelegd. Het was haar heiligdom geweest, haar creatie
uitlaatklep: de plek waar ze heen ging om na te denken en te bi
den. De hele winter had ze uitgekeken naar de lente, als de tuin d
ze gecreëerd had weer zou gaan bloeien. En nu liet ze hem acht
precies op het moment dat alles tot leven kwam.

Ze hadden het huis nog niet eens te koop gezet, maar ze hadd
nu al een mogelijke huurder. Wren Johannsen had Doug verte
dat de zus van Meg Ashlock en haar man naar Clayburn verhui
den en een plek nodig hadden om te wonen. Ook al was het
financieel opzicht niet zo voordelig, Mickey vond het veel pre
tiger om haar huis te verhuren.

Ze had het er met Doug over gehad om de tuin aan te houde
en er iedere avond na haar werk even heen te gaan. Hij was er ni
tegenin gegaan, maar aan zijn stilzwijgen kon ze merken dat hij h
geen denderend idee vond.

Maar nu ze hier aan het werk was en zich voorstelde hoe h
zou zijn om hier te komen, terwijl er iemand anders in het hu
woonde, besefte ze waarom Doug zich zo op de vlakte had geho
den. Ze zag nu wel in dat het waarschijnlijk niet zou werken – ni
alleen omdat ze de kinderen zou moeten meenemen, maar o
omdat ze geen gebruik zou kunnen maken van de kraan of van

ırage, en omdat het voor iedereen een ongemakkelijke situatie ɔu zijn. Wie wilde nu dat zijn huisbaas bijna iedere avond, van het ɔorjaar tot diep in het najaar, in zijn tuin kwam werken? En dat ʼas wat er voor nodig was om te zorgen dat de tuin er tiptop uit .eef zien.

En trouwens, de helft van het plezier van werken in de tuin was · iedere avond even te zitten om te genieten van het resultaat van ıar werk. Als het huis verhuurd was, zou iemand anders van de hoonheid van de tuin genieten, terwijl zij al het werk deed.

Ze propte nog een handje bladeren en tuinafval in de zak. Doug ıcht dat ze hier was om haar spullen in te pakken en te besluiten ʼelke meubels en spulletjes ze mee wilde nemen naar zijn huis. ı plaats daarvan zat ze hier buiten te treuren over het feit dat ıinen niet verplaatsbaar waren. Ze probeerde troost te putten uit ʼougs belofte dat ze een tuin kon aanleggen bij zijn huis. 'Neem bloempotten mee,' had hij gezegd. 'Je kunt de veranda volzet- n met bloeiende planten.' Op de een of andere manier was het ıoeilijk om zich haar elegante bloempotten voor te stellen op de ːranda van de boerderij, die altijd vol lag met fietsen en rolschaat- n, en overstroomd werd door drie honden en vier katten, die, ıders dan de goed opgevoede Sasha, maar al te graag de topjes uit ıar bloemen zouden eten zodra die uitkwamen, en haar potaarde ɔuden gebruiken als kattenbak. En trouwens, als ze zouden be- ıiten haar huis toch te verkopen, dan zouden de potten ervoor ɔrgen dat haar huis er aantrekkelijk uitzag.

Ze hoorde de telefoon rinkelen in het huis. Dat zou Doug wel jn, die zou willen weten of hij al kon komen om een lading mee nemen naar zijn huis – *hun* huis. Het was verleidelijk om niet op nemen.

Ze was er nog niet klaar voor. Heel even speelde ze met het idee ːm te zeggen dat ze had besloten haar huis te houden. Op die ıanier zou ze – zouden ze – een rustig plekje hebben om zich rug te trekken als het bij hem thuis allemaal te druk werd.

Maar dat was financieel niet haalbaar. Ze verdiende nauwelijks

genoeg om haar hypotheek en vaste lasten te betalen en de voo
raadkast gevuld te houden. Door haar inkomen met dat van Dou
te combineren, zouden ze wat onderhoud aan zijn huis kunne
laten doen. En dat had heel wat onderhoud nodig.

Pas toen ze er vannacht geslapen had en zich vanochtend ha
gedoucht en aangekleed in de kleine badkamer, was het tot ha
doorgedrongen in wat voor deplorabele staat het huis verkeerd
Ze popelde om haar mouwen op te stropen en aan de slag te gaa
om haar eigen stempel op het huis te drukken. Maar eerst had h
huis een grote schoonmaakbeurt nodig.

De telefoon bleef rinkelen. Met een zucht sleepte ze de vui
niszak achter zich aan en zette hem bij de garage, waarna ze na
binnen ging.

Ze veegde haar handen af aan haar spijkerbroek en nam o
'Hallo?'

'Hallo, schatje. Lukt het een beetje?'

'Ik ben nog niet veel opgeschoten. Ik ben min of meer blijve
steken in de tuin.'

'O. Nou, ben je al zover dat ik kan komen? Ik wil de kindere
niet te lang bij Wren laten.'

Ze hoorde het ongeduld in zijn stem en voelde zich schuldig d
ze hem ophield. Hij had nog een dag vrij genomen van zijn we
om haar te helpen wat spullen uit haar huis te verhuizen. 'Je ku
wel vast komen. Ik heb al een paar dingen klaarstaan. De rest ka
ik wel een andere avond meenemen, of volgend weekend.'

'Ik heb geen zin om twintig keer op en neer te rijden. Als je n
niet klaar bent, zeg dat dan.' Nu klonk het alsof hij door opeeng
klemde kaken sprak.

'Ik ben klaar.' Het kostte haar moeite haar stem niet al te ve
dedigend te laten klinken. 'Die paar dingen hebben we zo ingel
den.'

'Oké. Dan kom ik er zo aan.'

Ze verbrak de verbinding en keek om zich heen in haar opg
ruimde huisje, terwijl ze in haar hoofd een lijstje maakte van

ulletjes die ze wilde meenemen naar Dougs huis. Ze liep vlug rug naar de slaapkamer, trok de laden van haar ladekast open en oide wat kleren in een tas.

Sasha kwam klaaglijk miauwend de kamer binnendrentelen. Ze elde duidelijk aan dat er iets ongewoons aan de hand was – of was er niet blij mee dat ze het hele weekend alleen gelaten was. ickey liet haar hand over Sasha's zijdezachte, bonte vacht gaan sprak haar op een geruststellend toontje toe. De kat kromde nietend haar rug onder Mickeys streling.

'Het komt allemaal goed, poesje. We gaan op avontuur.' Ze ritste ar tassen dicht en zette ze op de grond. Gisteravond had ze bij oug thuis haar tassen van hun 'huwelijksreis' uitgepakt, dus haar ake-up en haar toiletspullen waren al daar.

Toen ze bezig was de inhoud van de laden van de kaptafel in een os te gooien, kroop Sasha onder de sprei van het bed. Mickey aakte zich zorgen over hoe haar kat zich zou aanpassen aan het ven in een ander huis. Gelukkig waren alle huisdieren van de milie DeVore buitendieren.

Vanavond zouden ze de kinderen ophalen bij Wren. Mickey had n meer gemist dan ze had verwacht. Tegelijkertijd was ze zewachtig over wat haar rol zou zijn als ze eenmaal allemaal onder tzelfde dak woonden. Op Kayeleigh na leken alle kinderen dol haar en ze hadden altijd net zo goed naar haar geluisterd als ze het kinderdagverblijf deden.

Kayeleigh was een ander verhaal. Vanaf het moment dat Doug en vorige week hun plan om te gaan trouwen hadden aangekongd, was Kayeleighs houding ten opzichte van Mickey veranderd n geforceerde onverschilligheid in openlijke vijandigheid. Doug eld het een beetje in toom, maar hoe zou het zijn als hij er niet j was?

Ze sleepte twee tassen naar de voordeur, zodat Doug ze zou nnen inladen. Daarna ging ze naar de keuken en gooide etensaren uit de voorraadkast en de koelkast in dozen. Die zouden bij oug thuis wel op gaan. De gedachte om boodschappen te moe-

ten doen voor een gezin van zeven personen joeg haar nu al ang
aan.

Ze hoorde Dougs wagen voor het huis stoppen en rende teru
naar de badkamer om te kijken of haar haar nog goed zat. Ze wil
niet zo'n vrouw worden die zichzelf begon te verwaarlozen zod
de ring aan haar vinger zat.

Die gedachte herinnerde haar eraan dat ze haar ringen had afg
daan toen ze in de tuin ging werken. Ze liep vlug naar de keuk
om ze uit het zeepbakje naast de gootsteen te halen. Doug kwa
na een korte klop op de deur binnen.

Hij gaf haar een plichtmatige kus op haar wang. 'Kunnen de
spullen mee?'

'Ja, maar wil je de grote spullen niet eerst inladen?'

'Welke grote spullen?'

'Nou, ik dacht dat ik wel een paar stoelen zou kunnen meen
men en misschien dat bijzettafeltje.' Ze wees in de richting van
woonkamer.

Hij leek haar niet te horen. Hij pakte in elke hand een tas
droeg ze naar de pick-up.

'Ook fijn om jou te zien,' zei ze tegen de lege kamer. Ze sleep
het bijzettafeltje naar de deur. Het zou goed dienst kunnen do
als nachtkastje in hun slaapkamer. Ze pijnigde haar hersenen o
zich te herinneren wat ze vanochtend, toen ze Dougs huis doo
gelopen was, nog meer bedacht had om mee te nemen. Toen
merkte dat ze het vergeten was, rolde ze twee kleedjes op om
versleten plekken in de vloerbedekking in de woonkamer in
boerderij mee te bedekken. Daarna verzamelde ze wat beeldjes
fotolijstjes van de bovenkant van haar boekenkast, zodat Doug ni
het gevoel zou krijgen dat hij voor niks gekomen was.

Hij kwam weer binnen, en ze wees naar de stapel die ze bij
voordeur verzameld had.

'Wil je dit allemaal meenemen?'

Ze knikte, geïrriteerd door de toon in zijn stem.

Hij zette zijn handen in zijn zij. 'Mickey, waar gaan we dit maal laten? Denk je dat we dit allemaal kwijt kunnen in mijn ıis?'

Wat was dit? Een paar minuten geleden had hij nog lopen zeu-n omdat hij er zeker van wilde zijn dat hij wel genoeg spullen ɔu hebben om de pick-up te vullen. Ze plakte een glimlach op ıar gezicht en probeerde haar stem luchthartig te laten klinken. *ɔuw* huis?'

Opnieuw negeerde hij haar opmerking, alsof hij haar niet ge-ɔord had.

Ze begon zo langzamerhand kwaad te worden. Ze dwong zich-:lf tot tien te tellen. 'We kunnen altijd spullen terugbrengen als e ze niet nodig hebben.'

Hij haalde zijn schouders op en bukte zich om een armvol op te len. 'Wat is dit?' Hij hield de kattendraagmand omhoog.

'Die is voor Sasha. Voor in de auto.'

'Neem je haar vanavond al mee?'

'Nou, ik wil haar niet weer alleen achterlaten.'

Hij zette de draagmand weer op de grond. 'Denk je niet dat we genoeg aanpassingen moeten ondergaan zonder daar ook nog :ns een kat aan toe te voegen?'

'Maar ze is het hele weekend alleen geweest.'

'Precies. En dat ging prima. Wat maakt één nachtje extra nou t? Ze heeft brokjes en water. Je kunt morgenochtend even bij ıar gaan kijken als je denkt dat dat nodig is.'

'Het is alleen… ze is er niet aan gewend om zo lang alleen gela-n te worden.'

Hij wuifde haar opmerking weg. 'Dan moet je het zelf weten. ɔlgens mij is het beter om te wachten tot we onze draai een :etje hebben gevonden voordat we proberen ook nog een kat aan : chaos toe te voegen.'

'Doug, we zullen geen last van haar hebben. Ze zal zich waar-hijnlijk toch een paar dagen onder het bed verstoppen en…'

'Onder de veranda, bedoel je?'

'Doug, daar hebben we het al over gehad.' Hij had erop gezinspeeld dat hij Sasha niet in het huis wilde, maar dat was iets waa over ze haar poot stijf zou houden. Sasha zou het nog geen nac overleven met die sterke boerderijkatten.

Zonder antwoord te geven duwde hij de draagmand met c neus van zijn schoen opzij en tilde het bijzettafeltje met beide ha den op. Met het tafeltje tegen zijn been duwde hij met zijn heu de deur open.

Mickey hield de deur voor hem open. Hij liep ruggelings lan haar heen en droeg het tafeltje naar de pick-up.

Voor hij terugkwam voor de volgende lading, trok ze de stekke van twee lampen uit het stopcontact en zette ze bij de stapel, g woon om te pesten. Dit was geen goede manier om een huweli te beginnen, maar hij gedroeg zich als een onbehouwen beer e ze was op dit moment niet in de stemming om zich gewonnen geven.

30

eeeuw!' Sasha schoot van de bank en vloog als een bonte schicht or de gang.

'Sorry, Mickey! Sorry! Ik ging niet expres...' Landon had zijn nden voor zijn mond geslagen en zijn ogen waren zo groot als hoteltjes.

'Wat is er gebeurd?'

'Ik ging per ongeluk boven op haar zitten.'

Mickey voelde haar adrenaline stijgen, maar dwong zichzelf om stig te blijven. 'Het geeft niet, vent. Het was een ongelukje.' Ze is blij dat Doug buiten was, zodat ze niet hoefde te luisteren naar n 'had ik het niet gezegd?'.

Maar precies op dat moment sloeg de achterdeur met een klap cht en schreeuwde Doug een woord dat zijn kinderen volgens ickey niet mochten gebruiken. Ze sprong op en rende naar hem e. 'Wat is er gebeurd?'

'Die,' hij klemde zijn kaken op elkaar, '*kat*'.

Mickey merkte dat hij zijn uiterste best deed om zijn zelfbeersing te bewaren. 'Wat is er gebeurd?'

'Ik brak zowat mijn nek over haar, dat is er gebeurd. Ik deed de ur open en ze rende naar buiten en ik struikelde over haar.'

Mickey hapte naar adem. 'Is ze naar buiten?' Ze keek langs Doug ar de tuin. De zon begon al onder te gaan en het zou over n paar minuten donker zijn. 'Bedoel je dat ze nu nog buiten is? aarom heb je haar niet gepakt?'

Hij wierp haar een laatdunkende blik toe. 'Terwijl ik probeerde voorkomen dat ik mijn nek brak, bedoel je?'

Mickey slaakte een zucht van frustratie en vloog de deur uit, wijl ze Sasha riep. 'Poes, poes, poes, kom dan...'

Doug liep achter haar aan en legde zijn handen op haar scho
ders. 'Ze redt zich wel, Mickey. Laat haar nou maar gewoon. Z
komt wel terug als ze honger krijgt.'

Ze schudde zijn handen met een schouderbeweging af en z
met opeengeklemde kaken: 'Ze heeft geen nagels, Doug. Ze k
zich niet verdedigen. Ze kan zelfs niet in een boom klimmen o
te vluchten voor de honden.'

'De honden zitten vast. Kom binnen. Ze komt heus wel teru
Je vindt haar toch niet in het donker.'

Mickey bedwong haar tranen. Ze had naar Doug moeten luist
ren en Sasha thuis moeten laten, waar ze veilig was. Als de hond
haar niet te pakken kregen – of de coyotes – dan mocht Sasha b
zijn als ze twee dagen zou overleven in dit gekkenhuis, waar La
don boven op haar ging zitten en Harley aan haar staart trok.

Ze gebaarde Doug dat hij weg moest gaan. 'Ga maar naar bi
nen. Ik ga proberen of ik haar kan vinden.'

'Best.' Achter haar sloeg de hordeur met een klap dicht.

De volgende twintig minuten zocht ze heel Dougs grondg
bied af en liep ze roepend om Sasha om de schuur heen. Ze h
Doug tegen de kinderen horen zeggen dat ze niet in de ou
schuur mochten komen, omdat hij op instorten stond. Dat w
waarschijnlijk precies de plek waar Sasha zich verstopte, maar
reageerde niet op Mickeys stem. Tegen de tijd dat ze naar het hu
terugliep, volgden de vier buitenkatten van de familie DeVore ha
als ratten achter de rattenvanger van Hamelen, maar Sasha was n
steeds nergens te bekennen.

Turend in het donker zocht ze de horizon nog een keer
waarna ze omhoog keek naar de donkere hemel. 'God, help me a
tublieft om haar te vinden. Laat haar niets overkomen.' Doug z
denken dat ze gek geworden was dat ze bad voor een kat, maar d
kon haar niet schelen.

Ze ging met gebogen hoofd het huis weer binnen en liet
deur een klein stukje openstaan, zodat ze Sasha door de horde
zou kunnen horen als ze terugkwam.

Doug had de tv uitgezet en probeerde de kinderen bij elkaar te ijgen voor een 'schoonmaakactie' zoals haar moeder dat volgens ıyeleigh noemde. Kayeleigh leek vastbesloten bij elke gelegenid te vertellen 'hoe mama het deed'. En tot nu toe had Mickey g niets gedaan 'zoals mama het deed'... met andere woorden: ickey kon niets goed doen.

Ze probeerde niet al te pietluttig te zijn, maar Doug en de kinren hadden zogenaamd het huis schoongemaakt voordat zij bij n introk. Als dat waar was, was ze blij dat ze niet gezien had hoe t eerst was. Ze vond het vreselijk om haar huwelijk zeurend te ginnen, maar zo kon ze niet leven. Ze had alle tact verzameld ze had en had Doug gevraagd of ze deze avond als gezin eens ondig konden schoonmaken. De kinderen hadden gemopperd n hij het plan aankondigde, maar ja, het zouden geen normale nderen zijn als ze zouden juichen over klusjes. En Doug leek egaand.

Ze had geprobeerd er een speciale gebeurtenis van te maken. oug had hamburgers gebakken voor het eten en ze hadden san ijs gemaakt voor later, als de klus geklaard was. Eerder, toen ickey in folie gewikkelde aardappels in de oven legde om te bakn, had Kayeleigh haar laten weten dat 'mama de aardappels altijd een maar met boter insmeerde en ze gewoon op het ovenrek gde om te bakken.'

De vuile, aangekoekte oven duidde erop dat Kaye veel din-n op die manier gebakken had. Mickey zei niets, maar voegde *n schoonmaken* toe aan haar takenlijstje voor zaterdag. Kayeleigh atte nu tenminste tegen haar. Na de ontvangst die ze gekregen d toen Doug hun verteld had dat ze zouden gaan trouwen, had verwacht dat ze genegeerd zou worden – of nog erger.

Ze moest zichzelf eraan blijven herinneren dat dit voor hen alnaal een hele aanpassing was. En Doug en de kinderen hadden al afschuwelijkste aanpassing moeten maken die je kon bedenken. ar probeerde ze ook rekening mee te houden.

'Wat wil je dat ik doe?' vroeg ze nu aan Doug, terwijl ze met een half oor bleef luisteren of ze Sasha al bij de deur hoorde.

'Wil jij de keuken voor je rekening nemen?' Hij sloeg een ar om haar heen, in afwachting van een reactie. 'Ik ga naar buiten c een latje te zagen voor die bedbodem en daarna zal ik Kayelei en Landon helpen met de woonkamer en de slaapkamers. Wij zu len een oogje op Harley houden, goed?'

'Eh, wat vind je ervan als ik Sarah en Sadie in mijn team krij Het leek niet helemaal eerlijk dat zij er met zijn zessen vando gingen, terwijl zij zich in haar eentje afbeulde in de keuken.

De tweeling begon te juichen en rende naar haar toe om h hand te pakken.

'O, ja hoor.' Doug keek schaapachtig. 'Het was niet mijn bedo ling om de teams zo oneerlijk te verdelen.'

'Ik wist niet dat dit een teamsport was.' Ze forceerde een lach en trok een wenkbrauw op in een poging om wat luchthartig doen over een onderwerp dat niet bepaald licht aanvoelde.

Maar hij schoot in de lach en boog zich over de hoofden van meisjes heen om haar te kussen.

'Ieuw.' Landon trok zijn neus op. 'Zouden jullie dat niet h willen doen?'

'Ik vind het leuk als ze zoenen,' zei Sadie. 'Kus juf Mickey n eens.'

'Ja!' viel Sarah haar tweelingzus bij.

'Kus juf Mickey! Kus juf Mickey!' Harley brabbelde ook mee

'Gewoon niet kijken, Landon.'

Met een grote grijns naar Mickey schoof Doug de tweeling Harley opzij, sloeg zijn armen stevig om haar heen en liet h toen een beetje achteroverhellen voor een romantische omhelzi 'Ogen dicht, jongens. Gauw, ogen dicht. Daar komt 'ie... iee bah...' Doug aapte Landon na en drukte nog een kus op Micke lippen, die hij voor de lol extra lang liet duren.

De drie kleine meisjes juichten en Mickey giechelde, waarna zich met tegenzin losmaakte uit zijn armen. Ze was weer helem opgemonterd – tot ze Kayeleigh in het oog kreeg, die tegen ırpost geleund stond. Ze stond daar met haar armen over elkaar de blik op het gezicht van het meisje deed Mickey vermoeden ze met pijn terugdacht aan de tijd dat haar moeder had staan :chelen in Dougs armen.

Ontnuchterd en met pijn in haar hart voor Kayeleigh, maar in : besef dat zij niet degene was die haar moest troosten, nam ze tweeling elk onder een arm en duwde hen in de richting van keuken. 'Kom op jullie. We hebben heel wat te doen.'

Kayeleighs benen voelden aan als lood toen ze naar de ouderslaa kamer liep. Ze hoorde Sarah en Sadie met juf Valdez lachen in keuken. Zij hadden het gemakkelijkste karweitje en zij zat vast a het schoonmaken van de slaapkamer van mama en papa – van pa en *haar*, verbeterde ze zichzelf.

Ze bleef even voor de halfopen deur staan, terwijl ze oppervla kig ademhaalde. Ze kon het nauwelijks verdragen om naar het b te kijken en eraan te denken dat papa dat nu met haar deelde. gisteravond was het tweepersoonsbed niet meer opgemaakt si die afschuwelijke Thanksgivingochtend. Nu was het netjes op maakt en stonden de kussens keurig tegen het hoofdeinde.

Klaarblijkelijk was juf Valdez niet alleen overdreven netjes op kinderdagverblijf. Papa had hen het hele huis laten schoonmak voordat ze naar Wren gingen – voordat hij ervandoor ging en g trouwen zonder zelfs maar te vragen wat zij daarvan vonden.

Maar kennelijk was dat niet goed genoeg voor *haar.*

Juf Valdez had er zeker een groot punt van gemaakt dat het vuil was in huis, want papa had hen er allemaal flink van langs geven. Hij was een grote zuurpruim sinds ze thuis waren. Niet ze juf Valdez iets had horen zeggen, maar Kayeleigh was niet bli Kayeleigh had de blik op *haar* gezicht gezien toen ze binnen komen waren met al die troep uit haar huis. Ze waren nauwel terug van huwelijksreis, of ze begon al te doen alsof ze thuis wa hun huis. In *mama's* huis. Kayeleigh werd er kotsmisselijk van.

Vanaf het moment dat ze als papa's nieuwe vrouw die deur b nen was gekomen, konden ze nog geen propje laten liggen of p zei er al wat van. Vanochtend had hij hen nog uitgekafferd ze de vorige keer niet goed genoeg schoongemaakt hadden. I

moesten ze de hele avond bezig zijn met nog zo'n stomme
ıoonmaakactie.

Terwijl ze een enorme zwarte vuilniszak achter zich aan sleepte,
wde ze de deur open en sloop ze de kamer in, alsof haar daar
ı boeman opwachtte.

Ze schaamde zich er *inderdaad* een beetje voor hoe rommelig het
is geworden was sinds mama gest... Ze hield het woord tegen
ordat het zich in haar hoofd kon vormen. Sinds Thanksgiving.
had echt geprobeerd om alles opgeruimd te houden, voor het
val mama hen vanuit de hemel kon zien. Maar hoe hard ze ook
ır best deed, het duurde nooit lang.

Nadat oma naar Florida verhuisd was, was Wren hen een paar
er komen helpen, maar met Harley, die alles sneller overhoop
ılde dan zij het konden opruimen, was het niet gemakkelijk.
n nog maar niet te spreken van die sloddervos van een Landon.

De prullenbakken in het hele huis legen was altijd haar taak geest. Meestal was dat helemaal niet zo erg, maar vandaag had ze
: gevoel alsof ze die berg moest beklimmen waar ze het vorige
ek met aardrijkskunde over hadden gehad – de Mount Everest.
had het gevoel alsof ze duizend kilo meezeulde op haar rug,
en ze door de slaapkamer naar de aangrenzende badkamer liep.

Mama's mandje met make-up en geurtjes stond niet meer op
planchet; Mickeys spullen stonden er nu.

Nog een hele poos nadat mama gestorven was had deze badka-
er naar haar geroken – een zoete geur van vanille en babypoeder.
ı rook hij anders. Naar *haar*. Mama's afgedragen roze badjas, die
jd aan de achterkant van de deur had gehangen, was vervangen
or Mickeys luxe, lavendelkleurige badjas. Nadat mama gestorven
s, sloop Kayeleigh hier vaak naar binnen. Dan begroef ze haar
zicht in de plooien van die roze badjas, sloeg ze de mouwen om
ır schouders en deed ze net alsof mama haar een knuffel gaf.

Ze liet haar vingers over de mouw van Mickeys badjas glijden,
t het gevoel alsof ze iets deed wat niet mocht – en wensend dat
de badjas kon oprollen en door de wc spoelen.

Ze haalde schokkerig adem en keek naar al Mickeys flesjes potjes op het planchet. Mama had altijd gezegd dat als Kayelei en Rachel allebei pubers waren, de vier meisjes naar deze kan zouden kunnen verhuizen met zijn bad en twee wastafels. Ze h van die dag gedroomd – Rachel en zij hadden op een dag in herfst een catalogus zitten doorbladeren om spreien en kleedjes te zoeken die ze besteld zouden hebben als ze pubers waren. H keel werd dichtgesnoerd en ze legde een hand op haar borst zoog haar adem naar binnen. Ze had sinds die dag nooit meer a die herinnering met Rachel gedacht.

Ze zou deze slaapkamer nooit met Rachel delen. Ze dacht ze deze kamer ook nooit meer zou willen, ook al zou papa h haar willen geven. Het zou gewoon zo vreemd zijn.

Ze leegde het overvolle afvalbakje onder papa's wastafel in vuilniszak. Ze deed het kastje onder mama's wastafel open. H kleine afvalbakje was bijna leeg, aangezien ze hier vorige we nog schoongemaakt had. Er lagen alleen een paar tissues en e lege contactlensverpakking in, die van Mickey moest zijn gewe Dankzij Mickey had papa haar opgedragen alle kasten leeg te ha en alles grondig schoon te maken. Het was toch zeker zijn sla kamer. Waarom deed hij het niet, als het zo belangrijk was dat h smetteloos schoon was voor *haar*?

Ze trok het afvalbakje met een ruk uit het kastje en zette de s pel schone handdoeken ernaast – de handdoeken die mama all tevoorschijn haalde als ze logé's hadden.

Ze ging op haar knieën zitten en bukte zich om in het kastj kijken. Een handvol afval had het afvalbakje kennelijk gemist had zich in de hoek verzameld. Ze trok haar neus op en veeg alles naar de voorkant van het kastje. Er dwarrelde een tissue r lippenstiftvlekken op de vloer. Die mooie perzikkleur die ma altijd op had. Behoedzaam streek Kayeleigh de tissue glad op h knie en keek naar de volmaakte afdruk van getuite lippen, terv ze zich mama's glimlach probeerde te herinneren, de pretlich die ze altijd in haar blauwe ogen had als ze lachte.

Het beeld wilde niet komen.

Mama was pas een paar maanden dood en Kayeleigh was al geten hoe ze eruitzag. Papa had alle foto's van mama van de ur gehaald en de fotoalbums weggestopt voordat hij halsover- p trouwde. Nu wist Kayeleigh niet waar ze waren. Misschien ı ze ze moeten zoeken. Ze had het recht om een foto van haar en moeder te hebben.

Maar het zat haar dwars dat ze zich haar niet kon herinneren. haar hoofd. En als ze zich haar nu al niet meer kon herinneren, e zou dat dan over een jaar zijn? Of over twee jaar? Of op haar en trouwdag?

Ze sloeg haar handen voor haar gezicht. Waarom deed het nog eds zo veel pijn om aan mama te denken? Oma zei dat in de p der tijd herinneringen aan mama weer een glimlach op haar icht zouden brengen. Maar dat was nog niet gebeurd. Over het emeen wilde ze er helemaal niet aan denken – aan mama, papa juf Valdez... Het deed gewoon te veel pijn allemaal.

Ze vouwde de tissue stijf op en stopte hem in haar zak, terwijl ze ıngstvallig op lette dat ze hem niet scheurde. Met een stuk keu- ıpapier raapte ze de rest van het afval op en gooide het in het af- bakje. Ze hield hem ondersteboven boven de vuilniszak, maar de schoof weg en het vuil rolde alle kanten op. Er kletterde iets op tegelvloer en in een flits zag ze iets van paars plastic over de vloer en en tegen de muur tot stilstand komen. Ze raapte het vlug op. Terwijl ze het met twee vingers omhoog hield, bekeek ze het emde voorwerp. Het zag eruit als een thermometer. Maar zo'n rmometer hadden ze niet. Kayeleigh had er tenminste nog oit een gezien. Mama gebruikte altijd van die strips, die je op je orhoofd legde.

Trouwens, als dit een thermometer was, waarom zou mama hem weggegooid hebben? Ze keek nog eens wat beter en haar ag kneep samen. Het *was* geen thermometer. Het was... Ze aide het ding om. In blauwe letters stond er *Clear Blue* op het stic omhulsel.

Wacht eens even... Ze had reclamespotjes voor dit ding g
zien. Mama had hen bijna nooit tv laten kijken, maar nu keken
voortdurend. Meestal zei papa dat ze hem op een andere zen
moesten zetten als er reclamespotjes voor 'vrouwenzaken' voorb
kwamen. Maar ze had er genoeg gezien om het een en ander
weten.

Ze draaide het plastic ding weer om en bekeek het eens go
Aan één kant was een venstertje, waarin een blauw plusteken
zien was. Ze wist wat dat betekende. Het betekende positief. H
betekende dat een vrouw zwanger was. Het echtpaar op tv ku
elkaar dan altijd en lachte stralend als ze dat plusteken zagen.

Maar waarom lag er zo'n zwangerschapstestgeval in de prulle
bak? Haar adem stokte. *Juf Valdez.* Zij had deze badkamer gist
avond gebruikt en zich hier vanmorgen gedoucht en aangekle
Kayeleigh keek nog een keer naar het blauwe plusteken en hi
haar adem in. Was juf Valdez *zwanger*? Dat was wat zo'n plustek
betekende. Ten minste, dat zeiden ze in die reclamespotjes.

Ze keek naar de slaapkamer. Papa had het ledikantje van Har
naar Kayeleighs kamer verhuisd op de avond dat juf Valdez bij h
kwam wonen. Kayeleigh vond het fijn om Harley op haar kam
te hebben, maar probeerde niet te veel na te denken over *waar*
ze het ledikantje uit hun kamer hadden willen hebben. Over pa
en juf Valdez, die samen in dat bed wat dan ook deden... Het w
nooit in haar opgekomen dat ze misschien samen een kind zoud
krijgen.

Ze kreeg een misselijk en draaierig gevoel in haar maag.
gooide het plastic staafje naar de vuilniszak en liet zich met e
hand voor haar mond tegen de muur zakken. Papa en juf Val
waren nog maar een paar dagen getrouwd en nu was ze al zw
ger? Kon dat zo snel gebeuren?

Haar maag kwam weer in opstand toen een vreselijke gedac
postvatte in haar hoofd. Stel nu dat dat de reden was dat ze
trouwd waren? Stel nu dat papa en juf Valdez – afschuwelijk!

Ze vroeg zich af of papa het eigenlijk wel wist. Misschien hi

Valdez het geheim voor hem. Misschien had ze hem in een hu-
lijk gelokt en verstopte ze dat ding daarom helemaal achter in
hoekje van de kast.
Ze staarde naar het paarse staafje, dat nu half verborgen was in de
uwen van de vuilniszak. Misschien zou ze het op het planchet
en liggen. Als papa het niet wist, dan zou hij het moeten weten.
als hij het wel wist, dan zouden ze, doordat ze het daar zo open
bloot liet liggen, allebei weten dat zij hun vreselijke geheim
nde.
Nog altijd een beetje misselijk trok ze zich op aan de rand van
bad. Ze bleef doodstil staan en luisterde naar het gezoem van
pa's decoupeerzaag. Het gedempte, hoge gesnerp klonk vanuit
garage en stopte toen abrupt.
Even later ging de keukendeur open en schalde papa's stem.
ayeleigh! Kom eens hier.'
Met wild bonkend hart griste ze het plastic staafje uit de vuil-
zak en stopte het in de zak van haar spijkerbroek, waar mama's
penstifttissue ook al in zat. Door haar T-shirt omlaag te trekken,
beerde ze de duidelijke omtrek in haar broekzak te verbergen. Ze
pte vlug de rest van het vuilnis van de vloer, zette het afvalbakje
er in het kastje onder mama's wastafel en liep snel de gang in.
Papa stond met een buigtang in zijn hand in de keuken. 'Ha, daar
n je. Mooi zo. Hoe gaat het in de badkamer?'
Als reactie stak ze de vuilniszak omhoog, waarbij ze zich onmid-
lijk bewust was van de bobbel in haar zak en hoopte dat haar
icht haar ontdekking niet verried.
Papa leek het niet te merken. Ze liep langs hem heen en bracht
vuilniszak naar de garage, waar ze hem in de container gooide.
Hij liep achter haar aan. 'Waar is Landon? Is hij al klaar met het
ffen van de woonkamer?'
'Hoe moet ik dat weten?'
Hij deed een stap naar haar toe, met een harde uitdrukking op
gezicht. 'Kayeleigh. Ik wil niet dat je op die toon tegen me
at.'

Ze keek hem boos aan. 'Ik weet niet waar hij is. Hij zit wa
schijnlijk op zijn luie gat voor de tv.' Ze mompelde dat laatste
deelte, maar wel hard genoeg dat papa het zou horen.

De spieren in zijn kaak verstrakten en hij boog zich voorove
Heel even dacht ze dat hij haar de wind van voren zou g
geven, maar hij keek haar alleen een hele poos streng aan.

'Ik maak het hier even af in de garage,' zijn toon werd een be
milder, 'en dan kom ik je helpen.'

Ze liep achter hem aan naar de keuken en vulde een em
met warm sop. Toen ze het gesnerp van de zaag weer uit de gar
hoorde komen, liep ze met de emmer sop naar achteren om
badkamer verder schoon te maken.

Terwijl ze haar vingers over de omtrek in haar broekzak
glijden, probeerde ze te bedenken wat het betekende en aan
ze zou vertellen wat ze gevonden had.

g geen week getrouwd en nu al de gebeten hond – vanwege kat.

)oug rolde het raampje van zijn pick-up omlaag, legde zijn boog op de omlijsting en keek in zijn achteruitkijkspiegel ter-l het stof van de landweg achter hem opwervelde. Na twee en was Mickeys kat nog altijd niet teruggekomen. En daar was helemaal niet blij mee. Doug was gisteravond met haar mee r buiten gegaan en had overal om het huis naar het stomme st gezocht. Ze hadden zelfs in de vervallen schuur gekeken, ır zonder succes. De kat had waarschijnlijk geprobeerd de weg r Mickeys huis in de stad terug te vinden. Gelukkig was het d weer. De kat zou linea recta terugrennen zodra hij ontdekte er daar niemand met een zak kattenbrokjes op hem zat te hten.

Aaar zou er vanavond in de boerderij iemand op *hem* zitten hten met een bord eten? Mickey had hem niet de schuld dur-geven voor het verdwijnen van de kat. Als ze dat wel gedaan , dan zou hij haar er heel snel aan herinnerd hebben dat hij ei-lijk helemaal niet had gewild dat ze dat stomme beest mee zou nen naar de boerderij. Maar ze had zich afstandelijk gedragen enover hem sinds...

Jou, eerlijk gezegd sinds ze als man en vrouw uit Salina terug-omen waren.

Iij schudde langzaam zijn hoofd en slaakte een diepe zucht. kon niet goed zijn – dat je vrouw al boos op je was terwijl je geen week getrouwd was. Hij herinnerde zichzelf eraan dat Maizie van de bloemenwinkel moest bellen om morgen op het lerdagverblijf een bos bloemen voor Mickey te laten bezorgen.

Het had hem bijna tien jaar gekost om te leren dat een eenvoud
bos bloemen zijn gewicht in goud waard was en garant stond v
drie dagen minder ruzie. Bij Kaye had het altijd gewerkt.

Plotseling zag hij weer voor zich hoe ze hem afgelopen na
op een dag opgewacht had bij de achterdeur met de vaas roze
jers die hij haar gestuurd had en een glimlach die hem niet all
vertelde dat ze hem vergeven had, maar ook dat hij die avond n
schien wel geluk zou kunnen hebben.

Hij schudde zijn hoofd, terwijl hij het beeld uit zijn gedach
probeerde te krijgen. Een maand geleden had hij zich nog zor
gemaakt dat hij haar aan het vergeten was – haar gezicht, haar st
haar aanraking... Nu leek het wel alsof ze op de meest ongele
momenten in zijn herinneringen kwam. Hij begon het gevoe
krijgen dat hij allebei zijn vrouwen bedroog.

Hij ging langzamer rijden en draaide een weggetje met di
voren op, dat langs zijn South 80 liep – het enige stuk land dat
bezat dat niet aan de boerderij grensde. Hij had verschillende
ren de gelegenheid gehad om het te verpachten als ze krap bij
zaten, maar hij wilde het niet kwijt. Kaye had misschien thuis k
nen blijven als hij een risico genomen had. Als hij niet zo kop
was geweest. Totdat Landon naar school ging, had Kaye thuis k
nen blijven bij de kinderen. Dat was een kwestie van trots gew
voor Doug. Als het aan hem lag, zou zijn vrouw niet buitens
hoeven te werken.

Maar uiteindelijk had hij het niet meer kunnen voorkom
Kaye ging werken als secretaresse op de middelbare school e
hadden het net gered. Ze had altijd gezegd dat ze het niet erg v
om te werken, maar hij wist dat ze dat alleen voor hem gezegd
Zijn vrouw... Zijn vrouw...

Zijn gedachten deden hem met een schok stilstaan. En Mic
dan?

Hij wreef met een hand over zijn gezicht en dwong zijn
dachten naar praktischer zaken. Er werd regen voorspeld en al
vanavond niet met de schijfeg het land op zou gaan, zou het

poosje duren voor hij weer een kans had.
Het klokje op de dashboardradio sprong op 7:52. Hij trapte op gas. Als hij weer te laat op zijn werk kwam, zou hij alle tijd van wereld hebben om zijn grond te bewerken, omdat Trevor hem wel zou moeten ontslaan.

ckey zat net *Welterusten, kleine Beer* voor te lezen aan de drie- en jarigen op het kinderdagverblijf, toen Brenda achter de lees-k kwam staan en zwaaide om haar aandacht te krijgen. Ze las boekje vlug uit en droeg de kinderen over aan Holly Miller, meisje van de middelbare school dat hen na schooltijd hielp.
Is alles goed?'
Brenda keek bezorgd. 'De kinderen van de brugklas zijn er net, Kayeleigh is er niet bij. Landon zei dat hij haar met Seth Berger zien meelopen.'
O, o…' Mickey wreef over haar slapen en keek toen naar Bren-Ik geef haar nog vijf of tien minuten. Als ze er dan nog niet is, ik Doug.'
Hebben zij en Seth iets met elkaar?'
Mickey schudde haar hoofd. 'Niet dat ik weet. Maar ja, Kaye-h stort nou niet bepaald haar hart bij me uit.'
Ze neemt het niet zo goed op, hè, dat jij en Doug getrouwd ?'
Nee. En dit is waarschijnlijk een test… om zich tegen mijn ag af te zetten of zo.'
Ongetwijfeld.' Brenda gaf haar een klopje op haar schouder. lkom bij het leven met een puber.'
e wordt bedankt.'
Hoe gaat het met de rest van de kinderen?'
e forceerde een lachje en pinkte onverwachte tranen weg. Hoe ze tegen Brenda zeggen dat het huwelijksleven totaal anders dan ze zich had voorgesteld? Ze hield zielsveel van hen, maar inderen namen al haar tijd in beslag, en ze had de tweeling en ey ook al de hele dag op het kinderdagverblijf.

Morgen waren ze een week getrouwd en tot nu toe had Doug en zij precies twee keer de liefde met elkaar bedreven si ze thuis waren. O, maar ze hadden wel de tijd gevonden om keer ruzie te maken. Dat beloofde niet veel goeds voor de t komst.

Doug was deze week iedere dag meteen na zijn werk op tractor gesprongen en direct op het land aan het werk gegaan, aan haar overlatend om de kinderen eten te geven en te hel met hun huiswerk. Sinds dinsdag had ze geen minuut de tijd m gehad om even naar haar huis en tuin te kijken. En bovendien Sasha nog steeds weg en Doug leek het geen snars te kunnen sc len.

Ze schraapte haar keel en draaide de smalle zilveren ring haar linkerhand rond, terwijl ze Brenda's blik vermeed. 'Het is beetje hectisch geweest, maar het komt wel goed.' Ze keek op h horloge. De brugklas ging om half vier uit. Kayeleigh was mee om kwart voor vier bij het kinderdagverblijf, en het was al iets c vieren.

Ze schoof haar stoel naar achteren en pakte haar jas van de h achter haar bureau. 'Hoor eens, ik ben binnen een paar minu terug. Ik ga Kayeleigh zoeken. Ik heb het idee dat ze het er woon even van nemen.'

'Ga maar,' zei Brenda. 'Ik pas wel even op de winkel.'

Het was fijn om naar buiten te gaan. De thermometer op pui van de bank gaf 17 graden aan, maar door de zon leek het warmer. Mickey liep in noordelijke richting, en daarna in we lijke richting Maple Street in, waarbij ze de route volgde die kinderen van de brugklas meestal namen.

Ongeveer twee straten van de school verwijderd zag ze Ka leighs vriendin Rudi lopen, samen met een meisje dat ze kende. Ze ging wat sneller lopen en riep de naam van het m je.

Er verscheen een behoedzaam lachje op Rudi's ronde gezi je.

Ik weet niet of je het nog weet, maar ik ben Mickey Valdez
)eVore,' verbeterde ze zichzelf. 'Ik ben Kayeleighs... ik ben ge-
uwd met haar vader.'

Ja, dat weet ik. En ik herinner me u van de tijd dat ik naar het
derdagverblijf kwam, toen ik klein was.'

)at was ze vergeten. 'Heb jij Kayeleigh gezien? Ze is nog niet op
kinderdagverblijf.'

Ze liep daar wel naartoe,' voegde Rudi er vlug aan toe, terwijl
van de ene voet op de andere ging staan. 'Maar volgens mij was
amen met Seth.'

Gingen ze nog ergens anders heen?'

O, ik weet het niet zeker, maar misschien zijn ze wel even naar
é Latte gegaan, om een smoothie te kopen of zo.'

Het was duidelijk dat Rudi meer wist dan ze liet merken.

Bedankt, Rudi. En ik zal niet zeggen dat jij iets gezegd hebt.'

Het meisje keek opgelucht.

Mickey draaide zich om en liep in de richting van Main Street.
n ze in de buurt van de espressobar kwam, zag ze Kayeleigh en
h Berger net met een drankje in hun hand naar buiten komen.
had zijn arm om haar schouder en ze liepen met hun hoofden
en elkaar aan. Ze kon niet horen wat ze zeiden, maar Kayeleighs
erige lachje klonk over de straat.

Mickey sneed een stukje af door het steegje achter de espresso-
om te voorkomen dat ze haar zouden zien. Ze zou afwachten
Kayeleigh te zeggen had als ze op het kinderdagverblijf was.

Terug op haar werk trok ze vlug haar jas uit en hing hem op, ter-
ze de situatie uitlegde aan Brenda, die prompt in de speelzaal
lween.

Twee minuten later ging de deur open en kwam Kayeleigh met
r rugzak over haar schouder binnen. De beker van Café Latte
nergens te zien.

Kayeleigh, waar bleef je? We maakten ons zorgen.'

Ik ben gewoon van school komen lopen.'

Mickey keek nadrukkelijk naar de klok aan de muur naast de

deur. 'De school is al bijna veertig minuten uit. We maakten
zorgen om je,' zei ze weer.

'Het spijt me. Ik denk dat ik vandaag niet zo snel gelopen h
Er is niks aan de hand.'

Mickey haalde diep adem. Durfde ze Kayeleigh te confronter
Of moest ze wachten en het aan Doug overlaten? Ze had niet
gevoel dat ze al het recht verdiende om moeder te spelen. Maar
hoofd van het kinderdagverblijf was ze wel verantwoordelijk v
de kinderen die aan haar zorg waren toevertrouwd. Ze vroeg z
af hoe ze dit aangepakt zou hebben als dit zes maanden gele
gebeurd was, en had haar antwoord.

'Kom eens hier, alsjeblieft.'

Kayeleigh deed een halve stap naar Mickeys bureau.

'Ik zou willen dat je even komt zitten.' Mickey wees naar
stoel voor het bureau. 'We moeten praten.'

Kayeleigh plofte in de stoel neer met de rugzak voor haar b
en begon met het trekkertje van de rits te friemelen.

'Ben je rechtstreeks van school hiernaartoe gekomen?' Mic
voelde zich een beetje schuldig dat ze haar in de val lokte, maa
wilde zien hoe ze zou reageren.

Kayeleigh mompelde iets dat klonk als 'ja.'

'Kayeleigh, kijk me aan. Ben je nergens gestopt tussen hier
school?'

'Waarom ondervraagt u mij?'

'Ik ondervraag je niet. Ik wil alleen zeker weten dat je je aan
regels houdt.'

'Mijn vader bepaalt de regels, en als hij...'

'Ik heb het niet over de regels thuis. Ik heb het over de re
van het kinderdagverblijf. Ik ben hier de baas, en de regel is da
rechtstreeks van school hiernaartoe komt, via de kortst mogel
weg, zonder onderweg te stoppen. Ik denk dat je dat wel weet

'Nou, dat heb ik gedaan.'

'Wat heb je gedaan? Kayeleigh, ik ga het je nog een keer vra
Ben je rechtstreeks van school hiernaartoe gekomen?'

Ja!'

Waarom zag ik je dan uit de espressobar komen?'

Het bloed trok uit Kayeleighs gezicht. Ze was op heterdaad be- ɔt. 'Ik wil er niet over praten.'

Wil je er liever met je vader over praten?'

Best. Alles beter dan praten met u.' Ze hees haar rugzak omhoog stormde de voordeur uit.

Tegen de tijd dat Mickey zichzelf weer onder controle had en r achternaging, was Kayeleigh al een paar honderd meter ver- , terug in de richting van Café Latte.

'Wat had ik dan moeten doen, Doug?'

Doug had Mickey nog nooit zo opgefokt gezien.

Ze gooide een theedoek op het aanrecht. 'Ik heb haar net behandeld als ieder ander kind dat zich zo zou gedragen, ter het onder mijn hoede is.'

'Waarom heb je me niet gebeld?' Hij had het gevoel dat bemiddelaar speelde voor een stelletje zesjarigen. Hij had K eleigh naar haar kamer gestuurd en probeerde nu grondig ui zoeken wat er tussen haar en Mickey gebeurd was. Het en wat hij wist was dat hij vanavond blij thuisgekomen was, om hij vroeg klaar was met het werk op de boerderij en einde eens een avond thuis kon doorbrengen. Toen werd hij gec fronteerd met deze storm – Kayeleigh in tranen omdat Mic haar huisarrest had gegeven, en Mickey hevig verontwaard omdat hij haar daden in twijfel trok en haar niet onmiddel steunde.

Ze stond met haar handen in haar zij midden in de keuken beet hem toe: 'Ik heb je niet gebeld omdat ik weet hoe druk je hebt op je werk. Ik wilde je niet lastigvallen met iets waarvan dacht dat ik het zelf wel afkon.'

'Nou, het hoeft geen betoog: je kon het duidelijk *niet* zelf af

Haar ogen vernauwden zich iets en de spieren in haar kaak tr ken strak. 'Wat wil je daarmee zeggen?'

Hij woog zijn woorden voordat hij ze haar toesnauwde. 'Volg mij was het niet jouw taak om Kayeleigh huisarrest te geven.'

'Wat had je dan van me verwacht? Dat ik het er gewoon n bij liet zitten?'

'Nee, maar je had kunnen wachten tot ik thuis was, zodat

ver hadden kunnen praten. Zodat we samen een beslissing had-
n kunnen nemen.'

'Natuurlijk moeten we erover praten, Doug. Ik zeg niet dat de
us hiermee af is. Maar het was zonneklaar dat ze tegen me gelo-
n had. Dat kon ik niet zomaar laten gaan.'

'Dus je hebt haar gezien met Seth?'

'Ja. Ze kwamen uit de espressobar met smoothies, en ze...'

Weet je dat het smoothies waren? Ben je een rechercheur of
?'

Ze snauwde gefrustreerd: 'Daar gaat het niet om.'

Hij stak zijn hand op en dwong zichzelf om zachter te praten.
et spijt me.' Hoe kwam het toch dat ieder gesprek veranderde in
n ruzie?

Mickey volgde zijn voorbeeld en dempte haar stem. 'Waar het
gaat is dat toen ze terugkwam in het kinderdagverblijf – bijna
n half uur te laat, tussen twee haakjes – ik haar duidelijk vroeg of
rechtstreeks daarheen gekomen was. Ze keek me recht aan en
dat ze dat inderdaad gedaan had.'

Doug knikte. 'Goed. Ik had alleen gewild dat je het mij had laten
andelen.'

Nou, de volgende keer zal ik dat zeker doen. Ik had je uit je
rk moeten bellen om haar te komen halen.'

Wat zouden we daarmee bereikt hebben?'

Doug...' Mickey keek naar de trap, alsof ze bang was dat de
deren misschien zouden staan luisteren. Maar ze lagen al een
in bed – na een maaltijd, die in stilte opgegeten was. 'Als ik
ast ben met de zorg voor Kayeleigh, dan moet ik wat over haar
zeggen hebben. Toen jij haar zo verdedigde waar ik bij was, be-
fde je me van ieder gezag over haar – over alle kinderen.'

Hij slaakte een zucht en boog kort zijn hoofd, terwijl hij prorde berouwvol te kijken. 'Je hebt gelijk. Het spijt me. Dat had
waarschijnlijk niet moeten doen. Maar kom op, val dat kind
t zo hard. Ze heeft het nu niet bepaald gemakkelijk gehad deze
elopen paar maanden. Ze is nog in de rouw.'

Zijn eigen woorden verrasten hem. Zo had hij er niet echt o
nagedacht, maar het was waar. 'Je vat alles zo persoonlijk op, M
key, maar ik denk dat dit niets met jou te maken heeft. De kinder
zijn nog in de rouw. *Wij* zijn nog in de rouw. Allemaal. Zo la
geleden is het nog niet.'

'Zo klinkt het alsof jullie hier allemaal samen in zitten. En
dan, Doug?'

'Nu praat je weer alsof het allemaal om jou gaat.'

'Nee. Dat bedoel ik niet. Het is alleen... daar kan ik niet
genop, Doug.'

'Dat vraagt ook niemand van je. Het is geen wedstrijd.'

'Nou, ja, zo voelt het wel.' Ze draaide zich op haar hakken
en beende de gang in.

Hij wilde achter haar aan lopen, maar schudde toen zijn hoo
Ze moest nog maar even in haar eigen sop gaarkoken. Ze gedro
zich belachelijk.

Maar het was Doug die de hele avond kwaad was. Hij ging n
de garage, met het gevoel alsof hij uit zijn eigen huis verbann
was. Hij ruimde in elk geval nog wat spullen op, die hij al een h
tijd had willen uitzoeken. Toen hij om een uur of tien de mo
verzameld had om weer naar binnen te gaan, had Mickey al
lichten uitgedaan en de voordeur op slot gedaan.

Ze lag in bed en sliep, zo dicht opgekruld tegen de rand van
matras, dat hij bang was dat ze uit bed zou vallen. Nou ja, dan
ze maar uit bed. Misschien kwam ze dan weer bij zinnen.

Hij maakte zich klaar voor de nacht en nam een zelfde houd
aan aan zijn kant van het bed.

Voor hij het wist viel er alweer een streepje ochtendlicht tus
de gordijnen door. Hij had Mickeys wekker niet gehoord, m
hij hoorde de douche stromen en haar kant van het bed
leeg.

Hij liet zich uit bed glijden en liep naar de keuken om koffie
zetten. Toen hij terugkwam in de slaapkamer, was Mickey het

ı het opmaken, gekleed in een donzige badjas en met een hand-
ek om haar haar gewikkeld.
Hij peilde de stemming. 'Goedemorgen.'
'Morgen.' Zonder hem aan te kijken gaf ze een ruk aan de
ei en schudde ze hardhandig een kussen op tegen het hoofd-
ıde.
'uist ja. Nog altijd een beetje koel. Prima. Hij hield toch niet van
veel gepraat in de ochtend.
Hij douchte en kleedde zich vlug aan en liep naar de keuken.
frisse geur van waspoeder en droogtrommeldoekjes vulde de
ht en hij trof Mickey aan in de bijkeuken, waar ze was stond op
vouwen. Ze keek niet op toen hij door de bijkeuken naar buiten
ı om de ochtendkrant te halen.
Hij trok de krant uit het vakje onder de brievenbus en stak hem
der zijn arm. Toen hij overeind kwam, zag hij in een flits iets
ts.
Toen hij opkeek, zag hij Mickeys kat aan de kant van de oprit
en. Glimlachend ging hij op zijn hurken zitten en stak zijn hand
, terwijl hij de kat zachtjes riep. Hij had geen beter vredesoffer
nnen kopen.
De kat deed twee stappen in zijn richting en toen weer een stap
ır achteren, tot ze uiteindelijk dicht genoeg bij hem was om aan
ı vingers te ruiken. Hij legde de krant neer en pakte de kat beet.
krijste toen hij haar optilde, maar werd al gauw rustig in zijn
ıen. Hij liet de krant op de grond liggen en nam de kat mee
or de garage, naar de bijkeuken.
Mickey stond over de droogtrommel gebogen en haalde er een
ıng witte T-shirts en ondergoed uit.
Hij schraapte luid zijn keel. 'Kijk eens wat ik gevonden heb.'
Met haar armen vol schone was kwam ze overeind. Ze keek
n op en er verscheen een glimlach in haar ogen. 'Sasha!' Ze
de was voor de droogtrommel vallen en stormde op Doug af,
ırbij ze de kat bijna tussen hen vermorzelde. 'Waar was ze?' Ze
k voor het eerst sinds gisteravond in zijn ogen.

'Ze zat gewoon te wachten op de oprit. Zie je nou wel, ik h toch gezegd dat ze terug zou komen.'

Mickey gaf geen antwoord, maar duwde haar neus in de va van de poes en fluisterde haar lieve woordjes toe. De poes beg uit alle macht te spinnen.

Doug stond met zijn armen over elkaar te kijken naar de gelu kige hereniging. Ze keek op van de kat in haar armen en haar og vertelden hem dat zijn vredesoffer was aanvaard.

'Iedere andere man zou nu een tikkeltje jaloers worden, of wil of niet.'

Tot zijn verbazing welden er tranen op in haar ogen. 'Dank Doug.'

Hij wilde de afstand tussen hen overbruggen, haar in zijn arn nemen, haar weer mee naar bed nemen. Maar die stomme kat tussen hen in. En Mickey leek niet van plan haar op de grond zetten. En trouwens, hij hoorde de kinderen boven wakker w den.

Voor nu nam hij er maar genoegen mee.

ckey zwiepte de stinkende sportschoen van de bank, waarbij ze
na een glas melk omgooide dat iemand daar had laten staan. Ze
de het niet nog meer aan de stok krijgen met Doug, maar als er
r niet gauw iets zou veranderen, zou ze uit haar vel springen.
Ze schopte de andere schoen uit de weg en zocht weer naar de
nt van vandaag.
Toen de tweede schoen met een knal tegen de muur kwam,
reeuwde Doug vanuit de keuken: 'Landon? Wat gebeurt er
ır?'
'Ik ben het, Doug. Landon is buiten. Aan het spelen.' Ze hoopte
punt volkomen duidelijk te maken.
Doug verscheen in de deuropening tussen de keuken en de
onkamer. 'Wat ben je aan het doen?'
'Ik probeer de ochtendkrant te vinden, maar ik snap niet hoe
nand ook maar iets kan vinden in dit huis. Kijk nou toch eens,
ug. Kijk nou toch eens...' Ze spreidde haar armen uit om de
ner vol rondslingerend speelgoed en vuile kleren en borden met
gekoekt eten te omvatten. Wie weet wat er nog meer onder de
ste vuile laag verborgen lag.
Nou, roep de kinderen dan naar binnen. Zorg dat ze hun rom-
l opruimen. Dat zou jij niet moeten doen.'
Ik heb voor het eten gezegd dat ze moesten opruimen.'
En hebben ze dat gedaan?'
Pardon?' Met een blik vol ongeloof deed ze een stap opzij, voor
geval hij het nog niet goed gezien had. 'Kijk jij naar dezelfde
ner als ik?'
Hij haalde zijn schouders op. 'Eens even kijken, laat me raden...
, ze hebben niet opgeruimd.'

Ze was niet in de stemming voor zijn sarcasme.'Ik kan deze tro
geen minuut langer verdragen, Douglas! Ik moet er niet aan denk
hoe het volgende week zal zijn, als ze allemaal vakantie hebben!'

'Mickey, er wonen zes kinderen in dit huis. Het *zal* niet scho
blijven.'

Doug leek niet te merken dat hij zich versproken had. Of m
schien doelde hij op zichzelf als het zesde kind. Ze vond zichz
meteen gemeen dat ze zoiets dacht. Ze had weleens eerder g
hoord dat hij zich versprak. De gedachte dat hij de vader van z
kinderen was, zat zo bij hem ingebakken.

Hoewel er geen dag voorbij ging zonder dat ze met de nag
dachtenis van Kaye geconfronteerd werd in dit huis, was het la
geleden dat iemand voor het laatst Rachels naam genoemd h
Maar Mickey begreep wel waarom. Ze kreeg zelf ook nog ste
een brok in haar keel als ze aan het lieve meisje dacht.

Doug praatte verder, zich kennelijk niet bewust van wat hij g
zegd had. 'Mickey, zo is het leven met kinderen nu eenmaal. D
wist je vast wel toen je met me trouwde. Je hebt lang genoeg m
kinderen gewerkt om te weten dat...'

'Maar ik heb me nooit gerealiseerd hoeveel het van me z
vergen om de hele dag op het kinderdagverblijf voor ze te zorg
en ze dan thuis ook nog de hele avond te hebben.' Ze keek he
kwaad aan.

'Nou, welkom in mijn wereld,' zei hij met opeengeklemde k
ken. 'Alsof ik ga golfen of in de kroeg een biertje ga drinken m
mijn vrienden als ik uit mijn werk kom.'

Ze had nog nooit zo veel venijn in zijn stem gehoord. Ze w
niet goed of ze nu moest huilen of hem eens goed de waarhe
moest zeggen. Het laatste leek het eenvoudigst. 'Misschien n
maar als je eindelijk thuiskomt, staat er tenminste een lekk
maaltijd voor je klaar en kun je eventjes voor de tv neerploffen,'
ze op even sarcastische toon. 'Dat kan ik niet eens. Ik ben aan h
werk vanaf het moment dat ik wakker word tot aan het mome
dat *jij* naar bed gaat.'

'En wie is er vannacht uit gegaan voor Harley?'
'Hoe bedoel je? Ik wist niet dat ze wakker geworden was.'
'Dat klopt, want als jij gaat slapen, kun je de knop omzetten. Ik
ap altijd met een half oor open, voor het geval er iets mis is met
t huis, of een van de kinderen ziek wordt.'
Toegegeven, ze had niet gehoord dat Harley vannacht wakker
rd. En ja, ze zette al haar verantwoordelijkheden van zich af
dra ze onder de dekens kroop. 'Als ik dat niet zou doen, dan zou
er mentaal en fysiek aan onderdoor gaan. Ik mag nu al blij zijn
ik zes uur slaap per nacht krijg. Met het huishouden en de was
de boodschappen en kijken of de kinderen wel brood hebben
argemaakt voor de volgende dag is het bijna altijd na twaalven
ordat ik eindelijk naar bed kan.'
'Dat doe je jezelf aan, Mick. Niemand vraagt van je dat je ervoor
rgt dat dit huis er als een toonzaal uitziet.'
'Geloof me, het is verre van een toonzaal. Ik snap niet hoe je zo
nt leven!' Ze schopte tegen een schooltas, die een van de meisjes
schooltijd voor de bank had laten vallen. 'Hoe iemand ooit iets
n terugvinden in deze zwijnenstal is mij een raadsel. En weet
..' Nu kwam ze pas goed op stoom. Ze kon het er net zo goed
eteen allemaal uitgooien. Hij kon niet veel kwader worden dan
al was. 'Zou je het heel erg vinden om de kinderen te vragen
e af en toe een beetje te helpen?'
'Vraag *jij* ze dat maar.' Hij tilde een hand op, alsof hij alle gezond
rstand overboord gooide. 'Als je hulp wilt, Mickey, dan moet je
arom vragen. Er is geen enkele reden dat die kinderen je niet
uden kunnen helpen.'
'Ik vind niet dat ik altijd de boeman moet zijn.'
'Nou, het spijt me, maar ik ben er niet om te zien wat ze voor je
uden moeten doen. Je zult voor de verandering eens een grote
eid moeten zijn en het zelf moeten afhandelen.'
'Wat wou je daarmee zeggen?'
'Mickey...' Hij wachtte net even te lang, en de blik op zijn
zicht maakte duidelijk dat hij een slag achtergehouden had, die

hij haar nu met plezier wilde toedienen.

Hij beende heen en weer als een getergde stier. 'Je gedraagt als een kind! Je gedraagt je als een verwende prinses met drie ad rerende broers, die altijd haar zin kreeg en die nog nooit een of voor iemand anders heeft hoeven brengen.'

'En jij gedraagt je als een tiran, die nog nooit meegemaakt he dat iemand je autoriteit durfde te betwisten.' Razend fronste haar wenkbrauwen en dempte haar stem om hem te imiter 'Doe dat meteen. Zonder vragen. Als ik zeg "spring" dan is l juiste antwoord: "hoe hoog"?'

Het was duidelijk dat ze met die laatste opmerking te ver w gegaan. Dougs kaken verstrakten en zijn gezicht werd rood. 'H je het over jezelf of over de kinderen?'

Dat bracht haar van de wijs. 'Hoe bedoel je?'

Hij prikte met een vinger in de lucht. 'Vind je dat ik jou zo b handel? Nou?'

'Nee.' Ze deed een stap naar achteren, wensend dat ze h woorden ook zo gemakkelijk kon terugnemen. Doug behandel haar *niet* zo. En hij was nooit strenger voor de kinderen dan noc was. 'Laat maar zitten. Dat had ik niet moeten zeggen.'

'Nee. Je hebt het gezegd. Het kwam niet zomaar uit de luc vallen. Je moet er iets mee bedoeld hebben.'

Ze sloeg haar ogen neer, op de rand van tranen. 'Dit… dit niet zoals ik gedacht had dat het zou zijn.' Haar stem beefde en schudde haar hoofd. Ze wilde niet huilen, maar kon de tranen n tegenhouden. 'Niets is zoals ik dacht dat het zou zijn… voor j en mij. We zien elkaar nooit, Doug. Kayeleigh heeft een vreselij hekel aan me.'

'Ze heeft geen hekel aan je, Mick. Ze is twaalf. Val haar niet hard. Ben jij nooit twaalf geweest?'

Ze wuifde hem weg. 'Vergeet het maar. Je begrijpt niet wat bedoel.'

'Ik doe mijn best.' Maar de scherpte in zijn stem was niet ove tuigend.

Ze was kapot. Ze wilde nu alleen maar dat hij haar in zijn ar-
·n zou nemen, dat hij tegen haar zou zeggen dat alles beter zou
·rden. Dat ze een oplossing zouden vinden, dat ze de liefde en
lerheid terug zouden vinden die ze voor elkaar gehad hadden.
Maar dat deed hij niet. Hij bleef daar gewoon staan tikken met
n voet, alsof hij niet kon wachten tot ze klaar was met haar ti-
le, zodat hij met belangrijker zaken verder kon gaan.
Ze zuchtte. 'Kunnen we dit niet gewoon vergeten? Ik had niets
eten zeggen.'
Maar dat heb je wel gedaan.' Nu was het zijn beurt om zijn
en neer te slaan. 'Mickey, het spijt me dat het niet is zoals je ge-
cht had dat het zou zijn. Ik weet niet wat ik daaraan moet doen.
kan de kinderen moeilijk wegsturen.'
'Dat vraag ik ook niet van je, Doug. Doe niet zo belachelijk.'
'Nou ja, wat je vraagt is niet realistisch.'
'Op het kinderdagverblijf ruimen de kinderen hun rommel wel
. Ik zou niet weten waarom ze dat hier niet kunnen doen.' Er
gon een ideetje te rijpen in haar hoofd. 'Stel nu... zou je be-
d zijn mij de boel hier een beetje te laten reorganiseren? Als de
nderen een plekje zouden hebben om dingen in op te bergen,
uden ze zich misschien verantwoordelijker gedragen.'
Wat heb je precies in gedachten?'
'Ik zou bijvoorbeeld een paar boekenkasten uit mijn huis hier-
en kunnen halen. We moeten daar toch spullen weghalen als we
t huis gaan verhuren. En misschien zouden de kinderen de ach-
deur kunnen gaan gebruiken, zodat we op zijn minst de woon-
ner netjes kunnen houden. Geneer jij je niet als mensen het
is zo zien?'
Hij haalde zijn schouders op, maar ze kon merken dat hij wat
nder kwaad was en openstond voor haar idee. 'Wanneer zouden
die grote transformatie moeten laten plaatsvinden?'
'Ik weet het niet. In het weekend misschien? Op die manier
uden we de eerste dag van de grote vakantie een nieuwe start
nnen laten zijn.'

Hij schudde zijn hoofd. 'Weet je niet meer dat ik die Eer
Hulptraining heb in Salina? Ik moet hier vrijdagochtend om zev
uur weg en zal pas zaterdagavond laat terug zijn.'

'En als ik het nou eens doe als jij weg bent?' Ze keek om z
heen en de adrenaline begon net zo snel te stromen als de idee
'Als ik nou eens een paar dagen vrij neem? Ik heb nog een paar
gen over en die moet ik toch opnemen voordat de vakantie begi

'Hoe moet het dan met de kinderen? En hoe ga je in je een
boekenkasten verhuizen?'

Ze keek even op de klok. 'Ik weet dat het laat is, maar... z
je me misschien vanavond kunnen helpen om de zware spullen
verhuizen?'

Hij deed zijn mond open en ze wachtte op zijn tegenwerpi
maar toen slaakte hij een zucht en haalde zijn schouders op. 'O
Laten we dat maar doen. Kunnen we het in een paar keer heen
weer rijden voor elkaar krijgen?'

'Gemakkelijk.'

'Maar hoe moet het nou met de kinderen?'

Ze wilde niet te veel risico nemen, maar waagde het er toch
'Denk je dat Wren en Bart bereid zouden zijn om ze nog een k
een weekend te hebben?' Het echtpaar Johannsen had de kind
ren drie nachten te logeren gehad toen ze op huwelijksreis war
maar ze leken er oprecht van te genieten. 'We zullen er geen g
woonte van maken, heus. Het zou alleen morgen na schooltijd z
en vrijdag en zaterdag de hele dag.'

'Het is wel heel kort dag om ze te vragen.' Doug keek bedenk
lijk, maar knikte. 'Ik denk dat we het wel kunnen vragen.'

'Dank je.' Ze kon niet geloven dat hun ruzie plotseling vera
derd was in een onderneming – een onderneming die misschi
een heleboel van hun problemen uit de wereld zou kunnen h
pen.

'Ik zal het tegen de kinderen gaan zeggen,' zei Doug, zow
enthousiast. 'Over vijf minuten kunnen we weg.'

ckey stapte uit bed en liep in haar nachtpon door de gang. Het
s zeven uur op zaterdagochtend en het huis was heerlijk stil, nu
kinderen bij Wren en Bart waren. De zon scheen door ramen
glommen van haar inspanningen.

Terwijl ze door de kamers op de benedenverdieping liep,
reeuwden al haar spieren om rust, maar toch had ze het gevoel
of ze de radslag kon draaien. Ze had nog nooit in haar leven
hard gewerkt als de afgelopen twee dagen. Ze was opgestaan
dra de zon opkwam en had twee avonden achter elkaar tot na
aalven doorgewerkt. Zonder de kinderen, die om haar aandacht
egen, had ze veel meer tot stand kunnen brengen dan ze ge-
opt had.

Deze dag wilde ze nog de laatste hand leggen aan haar project.
na van de ene dag op de andere had het huis een complete
tamorfose ondergaan. Ze kon nauwelijks wachten tot Doug en
kinderen zouden zien hoe het geworden was. Hoe zeer ze ook
de eenzaamheid van de afgelopen twee dagen genoten had, ze
gon hen te missen. Iets wat haar een zucht van verlichting deed
ken. Het had haar een beetje dwarsgezeten dat ze zich zo onbe-
aard had gevoeld zonder hen.

Ze had niet alleen de hele benedenverdieping gereorganiseerd,
dat alles een eigen plek had, maar ze had ook een paar bussen
t restjes verf ontdekt in de garage en had de muren opgeknapt,
ar de kinderen tegenaan gestoten hadden en had spijkergaten
licht, waar ze foto's van de muren had gehaald. Die had ze ver-
ngen door schilderijen die ze uit haar huis meegenomen had.

Ook had ze door het hele huis de stoffige vitrage en gordijnen
ggehaald. Ze had ze gewassen en weer opgehangen, of wegge-

gooid en vervangen door gordijnen uit haar huis. De hele ber denverdieping zag er fris, schoon en netjes uit.

Door haar met zorg geplaatste planken en manden hoopte dat de kinderen het huis met een klein beetje moeite netjes zc den kunnen houden. Net zoals ze gewend waren in het kinderdagverblijf.

Ze was wel zes keer heen en weer gereden naar haar huis c boeken en andere spulletjes op te halen die ze gemist had. Terw ze haar schatten verhuisde, begon ze te voelen dat er iets vera derde in haar hart.

Voor het eerst sinds ze bij Doug en de kinderen ingetrokk was, had ze niet het gevoel alsof ze in het huis van een and vrouw woonde. De boerderij droeg nu haar stempel, en daarm had ze eindelijk het gevoel dat ze er thuishoorde.

Het was een mooi huis. Dat mooie had alleen verstopt gezet onder een slechte inrichting – en een hoop troep. Door de me bels te verplaatsen had ze alles grondig kunnen schoonmaken, het weer had meegewerkt, zodat ze de ramen eens goed teg elkaar had kunnen openzetten om te luchten. Ze snoof en ro alleen de schone geur van verse verf, boenwas en allesreiniger.

Neuriënd liep ze naar de keuken om koffie te zetten. De le werkbladen glommen en toen ze de kastdeuren opendeed, werd begroet door keurig ingedeelde planken. Ze had veel van Dou keukenspullen ingepakt – Kayes keukenspullen eigenlijk – en v vangen door het servies en de snuisterijen waar ze tot nu toe ge plek voor had gehad.

Voor ze haar huis zou kunnen verhuren, zouden ze iets moet verzinnen voor de tientallen dozen met spullen uit de boerderij ze in haar garage had opgeslagen, maar ze waren hier nu tenmi ste weg. Misschien zouden ze later deze zomer een rommelma kunnen houden. Daar zouden de kinderen bij kunnen helpen.

Ze was van plan hierna hun slaapkamers en de badkamer bov aan te pakken, maar dat durfde ze niet te doen zonder hun hulp

In de bijkeuken keek ze bewonderend naar de lage boekenk

onder de ramen. Met stickers en vrolijke kleurtjes had ze voor
er kind handige etiketjes gemaakt. Nu had ze een plek om hun
one was op te bergen totdat ze die konden opruimen in hun
ner, en hadden zij een plek om hun schooltas, jas en speelgoed
het eind van de dag op te ruimen.
Ze had de gordijnen met het vrolijke kersendessin weggehaald
de eetkamer en in de bijkeuken opgehangen. Hier stonden ze
l beter.
Ze liep door naar de eetkamer. Die zag er nu gewoon chic uit,
t het dressoir waar geen rommel meer op lag en met de glan-
de bruine gordijnen uit haar woonkamer in de stad, die tot op
houten vloer vielen.
De versleten kleedjes vol vlekken waren naar de vuilnisbak ver-
nen, en ze had de vloeren geboend tot ze glommen. Het maakte
t uit dat de sporen van rolschaatsen en speelgoedautootjes nog
eds door de boenwas zichtbaar waren. Doug zou die afdrukken
arschijnlijk toch de moeite van het bewaren waard vinden.
Ze ging onder de douche en kleedde zich aan en reed toen vlug
r de stad om een paar van haar kamerplanten op te halen, die
sinds haar verhuizing in het kinderdagverblijf had gezet. Het
ouw was donker en stil en toen ze de namen van de tweeling
Harley op de vakjes in de hal zag staan, miste ze de kinderen
schrikkelijk. Het zou leuk zijn om ze vanavond op te halen bij
en. Zodra ze Doug fatsoenlijk welkom had geheten thuis.
Glimlachend bij de gedachte sleepte ze twee grote ficussen en
aantal kleinere philodendrons en varens naar de auto. Ze kon
welijks wachten tot ze weer thuis was om ze in de zonnige
k van de woonkamer te zetten, waar ze er een plekje voor had
gemaakt. Ze zouden een centrale plaats in de kamer innemen.
t had haar bijna haar rug gekost om de zware boekenkasten naar
andere kant van de kamer te verschuiven, maar zo stond het
l beter en bovendien was de televisie niet meer het middelpunt
de kamer.
Ze was net bezig de tweede plant naar binnen te slepen, toen de

telefoon ging. Ze veegde de aarde van haar handen in de pot, hem midden in de woonkamer staan en rende naar de telefoon

'Hé schatje, met mij.'

'Hoi, Doug. Hoe is het met je?'

'Goed. Gaat alles goed daar?'

'Heel goed.' Ze keek met een glimlach om zich heen in de geruimde kamer. 'Je zult niet geloven wat ik allemaal gedaan h Ik heb de...'

'Hoor eens, schat, sorry dat ik je onderbreek, maar we hebb even pauze en ik moet het kort houden. Wren heeft gisteravc een boodschap op mijn mobiel achtergelaten.'

'O?' Mickeys gedachten gingen meteen uit van het ergste. 'Is les goed met de kinderen?'

'Het gaat niet om de kinderen. Maar ze zei dat ze geprobe had jou te bellen en dat je niet opnam.'

Mickey keek naar het antwoordapparaat. Het lichtje knipper 'Het spijt me. Ik heb de hele tijd heen en weer gereden en ik h niet gekeken of er boodschappen waren.'

Hij klakte afkeurend met zijn tong. Ze kon de frons op z voorhoofd bijna zien en hem met zijn hoofd zien schudden. moet er echt naar kijken. Stel nou dat er iets met een van de k deren was?'

Ze slikte de boze woorden in die bij zijn beschuldiging naar b ven kwamen. 'Je zei dat alles goed was met de kinderen. Wat wi Wren?'

'Meg Ashlock heeft met haar gepraat, en volgens mij wil h zus je huis.'

'Echt?' Om de een of andere reden kreeg Mickey een knoop haar maag van dat nieuws. Maar toen keek ze naar Dougs hui *hun* huis – en herinnerde ze zich hoe leeg haar huis in de stad v nu ze haar meeste bezittingen hierheen verhuisd had. De knc werd minder strak. 'Dat is geweldig.'

'Er zit alleen wel een addertje onder het gras.'

'O?'

Ze willen er volgende week in.'
Haar hand vloog naar haar keel. 'Geen sprake van. Zo snel kan het nooit op orde hebben. Ik heb alleen al een week nodig om rest van mijn meubels weg te krijgen.' Na al het werk dat ze de elopen twee dagen had verricht, voelde ze haar energie alleen al de gedachte verdwijnen.
Volgens Wren moeten ze meteen ergens intrekken. Wren zei ze misschien zelfs wel een gemeubileerd huis willen.'
Ze aarzelde. 'Ik weet niet zeker of ik wil dat huurders mijn spul- kapot maken.'
Als we een slag om de arm houden, vinden ze misschien iets lers. We kunnen het geld echt goed gebruiken, schat. Ik zal je helpen om spullen te verhuizen. En vergeet niet dat het maan- Memorial Day is. Dan hoef je toch niet te werken?'
Nee...'
We kunnen een opslagruimte huren voor alles wat je niet in huis wilt achterlaten.' Ze hoorde stemmen op de achtergrond. oor eens, Mick, ik moet opschieten. De volgende les begint. We ten er wel over als ik thuis ben, goed?'
Ja, goed.' Ze verbrak de verbinding met een verdoofd gevoel. Ze de dat ze nog twee dagen voor zichzelf had. Maar in plaats daar- zou Doug vanavond thuis komen, zouden ze de kinderen gaan en, morgen zou in beslag genomen worden door de kerk en het igkomen in het normale ritme – hopelijk een nieuw normaal ne, met een opgeruimd huis – en dan zouden de kinderen va- tie hebben en zou iedere vrije minuut van de komende paar en opgaan aan het klaarmaken van haar huis voor de huurders.
Ze liet zich op een stoel bij de keukentafel zakken. Daar ging r adempauze.
De telefoon ging weer. Met een grauw nam ze op en deed haar erste best haar stem te temperen. 'Hallo?'
Mickey?' klonk Wrens trillende stem over de lijn.
Mickey probeerde haar gedachten bijeen te rapen om te beden- welk antwoord ze Wren moest geven over het verhuren van

haar huis aan Megs zus. Ze had meer tijd nodig om er nog e
goed over na te denken.

'O, Mickey. Heb je...?' Wrens stem brak. 'Je hebt zeker niets
Kayeleigh gehoord, hè?'

'Van Kayeleigh?' Mickey sprong geschrokken overeind. 'Nee.
is toch bij jou?'

'Nee, Mickey. De meisjes en Landon zaten in de hal Monop
te spelen. Ik ging Harley verschonen en toen ik terugkwam,
Kayeleigh weg.'

36

:key hield de telefoon dichter tegen haar oor, terwijl ze prorde wijs te worden uit Wrens woorden.

k dacht dat Kayeleigh bij de andere kinderen was,' zei Wren
end. 'Maar Landon zegt dat ze weggegaan is. Met die jongen
Berger... Seth. Ze heeft het tegen niemand gezegd. Ze is ge-
on weggegaan, en ze heeft niet gezegd wanneer ze weer terug
komen.'

O, o.' Mickey drukte de draadloze telefoon tegen haar oor, ter-
ze heen en weer liep door de keuken.

Het spijt me zo,' zei Wren weer. 'Ik had echt niet in de gaten
ze weg was. Ik heb Bart eropuit gestuurd om haar te zoeken,
r hij is een paar minuten geleden teruggekomen. Hij is het
stadje doorgelopen, maar ze was in geen velden of wegen te
ennen. Hij is net met de auto weg om haar te zoeken.'

Heb je iemand gebeld? Seths ouders? Doug?' Ze wist niet of
noest hopen dat Wren Doug niet gebeld had, of wensen dat ze
wel gedaan had. Het laatste waar zij en Doug nu behoefte aan
den was nog meer problemen met Kayeleigh.

k heb de familie Berger gebeld,' zei Wren, 'maar er was nie-
d thuis. Ik heb Clara gebeld – zij is Seths oma, weet je – en zij
dat Paul en Cindy een weekendje weg zijn. Seths oudere broer
op het huis passen. Wil je dat ik Douglas bel?'

Nee,' zei Mickey iets te snel, 'dat doe ik wel. Maar hij heeft de
dag allerlei bijeenkomsten. Ik wil hem niet lastigvallen als het
nodig is.' Ze pakte haar handtas en zocht in het zijvak naar
autosleutels. 'Ik kom eraan. Ze kunnen allebei nog niet rijden,
ze kunnen niet al te ver weg zijn.'

k vind het zo vreselijk.'

Mickey kon de lieve vrouw bijna in haar handen zien wrin
'Het is niet jouw schuld, Wren. Als jij bij de andere kinderen b
ga ik haar zoeken. We... nou ja, dit is niet de eerste keer dat K
leigh niet is waar ze zou moeten zijn. Het komt vast wel v
goed.' Ze wilde dat ze zich net zo zeker voelde als haar stem kl
'Zodra ik nieuws heb, zal ik het je laten weten.'

Ze verbrak de verbinding en dacht koortsachtig na wat ze m
doen. Ze wilde Doug niet uit zijn bijeenkomst bellen, maar d
kend aan de vorige keer dat Kayeleigh zo'n stunt uithaalde, du
ze er niet te lang mee te wachten om hem te bellen.

Toen ze even later de bebouwde kom van Clayburn binn
reed, besefte Mickey dat ze geen flauw idee had waar ze m
zoeken. Ze zou beginnen bij de espressobar, aangezien dat
plek was waar Seth en Kayeleigh de vorige keer hun afspraakj
schooltijd hadden gehad. Als ze daar niet waren, zou ze het a
van de familie Berger opzoeken in het telefoonboek. Volgens
woonden ze aan de oostkant van het stadje, maar dat wist ze
zeker.

In Main Street stond het vol auto's voor de espressobar. Iede
ging op zaterdagochtend donuts en koffie halen. Ze parkeerd
de eerste de beste lege plek en rende naar de voordeur.

Het aangename aroma van espresso kwam haar tegemoet z
ze de deur opendeed, maar ze zag meteen dat Kayeleigh er
was. Jack stond achter de toonbank bestellingen op te nemen
Vienne stond bij het glanzende espressoapparaat koffiebonen
te stampen.

Er stonden twee mensen te wachten om hun bestelling o
geven, en Mickey liep naar de andere kant van de toonbank, r
de kassa. Toen Jack de laatste bestelling had doorgegeven aan
vrouw, zei hij tegen Mickey: 'Ik val vanmorgen in, dus als je "
zelfde als altijd" zegt, zul je me even moeten helpen.'

'O, nee. Ik hoef niks. Ik ben op zoek naar mijn – naar Kayel
DeVore.'

'Een van Dougs dochters?' Er verscheen een glimlachje op

icht. 'Hé, is het waar dat jij en Doug in het huwelijksbootje zijn
apt?'
Ze knikte en forceerde een lachje. 'Ja. Vorige maand.' Met een
ok besefte ze dat ze overmorgen al een maand getrouwd zou-
zijn. Het leek nog maar zo kort geleden – en tegelijkertijd een
nsenleven geleden – dat ze elkaar voor de rechter eeuwig trouw
den beloofd.
Gefeliciteerd!' Jacks grijns bracht haar weer terug in het heden.
.chter hem wierp Vienne haar een stralende glimlach toe en
gde haar beste wensen toe boven het lawaai van de melkop-
uimer uit.
Welkom in de gelederen van de pasgehuwden,' zei Jack. 'Je bent
zoek naar Katy, zei je? Ik weet niet goed welk van de meisjes
is.'
Kayeleigh,' verbeterde ze hem. 'De oudste. Ze is twaalf, heeft
g blond haar. Misschien is ze samen met Seth Berger.'
Er waren hier net wel een stel tieners, maar ik kan me niet her-
eren dat ik een van Dougs kinderen gezien heb.' Jack krabde
zijn kin en vroeg aan zijn vrouw: 'Weet jij of ze hier geweest
chat?'
Mickey voelde even een steek van jaloezie bij het zien van de
de die van hen afdroop.
Vienne schudde haar hoofd. 'Sorry, ik kan me niet herinneren
ik haar gezien heb. Rudi Schmidt was hier met haar moeder.
en Kayeleigh zijn toch vriendinnen? Maar Kayeleigh was er
bij.'
Mickey bedankte haar en wilde vragen of ze wisten waar Seth
onde, maar besloot dat ze geen geruchten in de wereld wilde
pen. Ze zou het zelf wel opzoeken. 'Mag ik een telefoonboek
n?'
a, hoor.' Jack pakte het dunne boek onder de toonbank van-
n en legde het voor haar neer.
e prentte het adres in haar hoofd en reed even later langzaam
traat in waar Seth woonde, terwijl haar ogen van de ene kant

van de straat naar de andere vlogen. Toen ze het huis van de fam
Berger gevonden had, stopte ze op de oprit en liep langzaam n
de voordeur, terwijl ze probeerde te bedenken waar ze zou moe
zoeken als Kayeleigh hier niet was, of erger nog, hoe ze het
moeten aanpakken als ze hier wel was.

Ze belde twee keer aan en stond net op het punt om te
te lopen naar haar auto, toen de deur opengging en een slaper
knul met warrig haar haar met half dichtgeknepen ogen aank
'Ja?'

'Hoi. Sorry dat ik je wakker heb gemaakt. Eh... is Seth thui

Hij bromde wat. 'Ik denk het wel. Momentje.' Hij deed de d
wijder open en brulde over zijn schouder: 'Seth!'

Mickey hoorde op de achtergrond een televisie veel te hard a
staan en ze zag beweging achter de oudere jongen. Even later
scheen Seth naast zijn broer in de deuropening. Aan de blik op
gezicht te zien herkende hij haar niet.

'Hoi, ik ben Mickey DeVore. Ik ben op zoek naar Kayele
Heb jij haar gezien?'

Zonder op haar vraag in te gaan imiteerde hij zijn broer
brulde over zijn schouder Kayeleighs naam.

Dus ze was *inderdaad* hier. Haar opluchting maakte plaats v
woede, die als lava in haar binnenste kolkte. Hoe moest ze dit a
pakken? Ze had de vorige keer haar lesje geleerd. Ze zou op D
wachten om de straf uit te delen, maar op de een of andere ma
moest ze Kayeleigh toch thuis zien te krijgen.

Ze rekte haar hals om een blik te werpen op de trap tus
de broers en zag Kayeleighs blonde hoofd op de trap verschijn
Haar wangen waren rood, en ze had een schaapachtige grijns
haar gezicht.

Mickey wachtte op een verklaring, maar Kayeleigh stond
alleen maar aan te kijken.

'We hebben overal naar je gezocht. Wat is er aan de hand?'

Seth sloeg met een bezitterig gebaar zijn arm om Kayele
heen, maar ze trok zich van hem terug en zette haar handen

r zij. Haar ogen vlamden opstandig en haar grijns veranderde
en zelfgenoegzaam lachje. 'Ik heb tegen Landon gezegd dat ik
: was.'
Maar je hebt ons niet gevraagd of je bij Wren weg mocht. Wren
3art zijn verschrikkelijk ongerust.'
Nou, dat is nergens voor nodig. Met mij is alles goed. Ik heb het
:n Landon gezegd,' zei ze weer.
Aickey haalde diep adem. 'Maar je hebt het niet aan Wren ge-
ıgd – of aan mij.'
Daar ging Kayeleigh niet op in. 'Waar is papa?'
Hij is nog op die bijeenkomst in Salina. Hij komt vanavond
ıg. Je moet met mij meekomen.'
Papa zal het niet erg vinden dat ik hier ben.'
Daar gaat het niet om. Je hebt geen toestemming gevraagd.
:n was met de zorg voor jullie belast en...' Ze keek even naar
ongens Berger. 'We bespreken dit straks wel... met je vader. Nu
:t je met mij mee naar huis komen.'
ayeleigh deed een stap naar Seth toe, en hij sloeg zijn lange,
ierde armen van achteren om haar heen. Er ging een rilling
schrik door Mickey heen. De manier waarop ze met elkaar
gingen was veel te intiem voor twee jonge tieners. Ze vroeg
de oudere broer: 'Zijn je ouders thuis?'
ijn adamsappel ging op en neer in zijn keel. 'Nee. Die zijn in
ıcun.'
Zijn jullie alleen thuis?'
Yep.' Zijn hele houding zei: *En wat wilde je daaraan doen?*
Kom, Kayeleigh. We moeten gaan.' Ze draaide zich om en legde
hand op de deurknop van de hordeur.
k loop wel terug naar Wren,' zei Kayeleigh achter haar.
Aickey draaide zich om en rechtte haar rug, waarbij ze zich in
volle lengte oprichtte, maar zelfs dan was ze maar een centi-
er groter dan Kayeleigh. 'Nee. Je gaat met mij mee.'
Nee. Dat doe ik niet.' Er lag iets wat leek op angst in de blik van
blauwe ogen. Seth verstevigde zijn greep op haar.

Mickey stak haar hand weer uit naar de deur. 'Best. Maar v
wel dat ik je vader ga bellen.'

'Best,' aapte Kayeleigh haar na. 'Hij zal het niet erg vinden.'

Mickey verstrakte. *Hij kan het maar beter wel erg vinden.*

Ze liet de hordeur met een klap achter zich dichtvallen en p
beerde de onbeleefde opmerkingen die de oudere broer ach
haar rug maakte, te negeren… iets over dat ze zo gek was als
deur.

Tegen de tijd dat ze bij de auto was, trilden Mickeys handen.
was er met haar aan de hand, dat ze zich door een brutale twa
jarige liet intimideren? Maar ze had die dag, toen ze tegen D
gezegd had dat Kayeleigh tegen haar gelogen had over haar sam
zijn met Seth tegen hem gezegd dat ze het hem de volgende k
zou laten afhandelen. Nou, dit was de volgende keer. Hij mo
het doen. Dit was niet haar probleem.

Alleen wist ze dat *zij* degene was die op de een of andere ma
de gevolgen zou moeten dragen.

37

ıg reed vlak voor het invallen van de duisternis de oprit op. Hij bekaf van het trainingsseminar en verlangde naar een beetje panning in de paar uur die nog over waren van het weekend.

Hij hoopte dat Mickey niet al te moe was van de grote opruim- die ze had ondernomen. De laatste keer dat hij haar gespro- had, klonk ze een beetje kregelig. Hij wist uit ervaring dat onderneming soms een eigen leven ging leiden. Het huis lag rschijnlijk zo overhoop, dat ze een week nodig zouden hebben alles weer op zijn plek te zetten.

Hij had aangeboden om de kinderen op te halen bij Bart en en, maar Mickey zei dat ze toch nog een paar boodschappen est doen en dat zij ze wel zou ophalen. De Suburban stond op de oprit, maar misschien had ze de garage opgeruimd en ate gemaakt om daar te parkeren. Dat was ook iets waarover ze aagd had. Hij hoopte half en half dat ze nog niet thuis waren, at hij een paar minuten had om een beetje bij te komen. Hoe- hij ook van zijn kinderen hield, ze waren nou niet bepaald orderlijk voor een ontspannend avondje.

Hij had het nog niet gedacht, of hij hoorde het gebrul van een or achter zich, en Mickey reed de oprit op en stopte achter . Hij stapte uit en liep naar de bestuurderskant van de auto.

e tweeling sprong uit de auto. Ze renden op hem af en sloegen armen om zijn benen. 'Papa! Papa!' Hun opgetogen kreetjes en hem glimlachen. Hij had hen gemist. Allemaal.

Hij gaf hun een aai over hun bol en tilde ze om beurten op voor snelle omhelzing en een eskimokus.

andon gaf hem een high five. Zelfs Harley waggelde zo snel mollige beentjes toelieten op hem af. Halverwege viel ze op

de oprit, maar ze stond meteen weer op, nog altijd met een gr
van oor tot oor. Hij tilde haar vlug op en blies met veel lawa
haar nek.

Mickey en Kayeleigh stapten allebei aan een andere kant ui
Suburban en sloegen tegelijkertijd het portier dicht. Kayeleigh
de stuurse blik op haar gezicht, die haar handelsmerk bego
worden en Mickeys uitdrukking weerspiegelde die van Kayele
Ze waren niet het hele weekend bij elkaar geweest. Wat wa
tijdens de korte rit naar huis tussen die twee gebeurd?

Hij joeg de kleine meisjes de veranda op, drukte een vlugge
op Kayeleighs haar en nam Mickey in zijn armen. 'Hallo, schat

'Hoi.' De frons tussen haar wenkbrauwen werd nog een be
dieper. 'Hoe was je weekend?'

'Wel goed. Alles goed hier?'

Ze mompelde met een steelse blik op Kayeleigh: 'Daar pr
we straks wel over. Ik heb een heleboel gedaan in het huis,' ze
hard genoeg voor de kinderen om het te horen.

'O. En hé, heb je nog met Wren over *jouw* huis gepraat? Wi
stel het nog hebben?'

'Ik heb geen kans gehad om met Wren te praten – daarover
tenminste.' Opnieuw wees ze nadrukkelijk met haar hoofd in K
leighs richting.

Hij was op dit moment niet in de stemming om scheidsrec
te spelen in een ruzie tussen Mickey en Kayeleigh. Hij probe
het onderwerp te ontwijken door zijn weekendtas uit de aut
pakken en het trapje van de veranda op te lopen.

Kayeleigh rende voor hem uit en deed de voordeur open. Z
ze naar binnen stapte, begon ze te schreeuwen. 'Wat hebt u ged
Waarom hebt u dit gedaan?'

Doug keek over zijn schouder naar Mickey. Ze rende langs h
heen het trapje op.

Hij rende achter haar aan. 'Kayeleigh? Wat is er aan de hand

Kayeleigh stond in de deuropening met een mengeling var
grijzen en beschuldiging op haar gezicht. Hij volgde haar blik

woonkamer, die hij nauwelijks herkende. Hij liep de kamer
r en realiseerde zich al vlug dat de hele benedenverdieping een
aanteveranderingh ad ondergaan.

Niet alleen stonden de meubels op een andere plek en lagen
nieuwe kleedjes op de vloer, maar iedere tafel en kast was ont-
n van rommel en nog slechts op enkele plekken stond iets van
muk. Zijn huis leek erg op Mickeys huis in de stad, en bij die
achte drong het tot hem tot hem door dat ze veel van haar
len hierheen verhuisd had. Maar waar waren *zijn* spullen dan
leven?

'Pap? Doe iets!' Kayeleigh stond daar met haar armen wijd en
die blik van afgrijzen op haar gezicht.

Hij keek Mickey aan en deed zijn uiterste best om zijn stem niet
erheffen. 'Is *dit* wat je gedaan hebt terwijl ik weg was?'

e knikte, duidelijk met zichzelf ingenomen en in afwachting
zijn lovende woorden.

Nou, daar kon ze lang op wachten. Sprakeloos liep hij langzaam
r de kamers. Kayeleigh liep achter hem aan en bleef maar zeg-
: 'Pap? Pap?' alsof hun huis door een tornado was getroffen en
lacht dat hij op de een of andere manier de schade ongedaan
maken.

'Waar is de oorfauteuil?' Hij wees naar een lege hoek van de
amer.

'Die heb ik in onze slaapkamer gezet… voorlopig. Eigenlijk zou
opnieuw bekleed moeten worden. Wat denk jij?' Ze keek hem
grote ogen aan, als een jong hondje, dat wacht op een belo-
.

Hij liep met grote passen door een even kale keuken de bijkeu-
in.

'Hier zijn de planken waar ik het met je over had.' Mickey stond
: de gordijnen – gordijnen voor de eetkamer waar Kaye uren
had zitten naaien, gordijnen die perfect pasten bij de eetkamer.
een zwierig gebaar wees Mickey naar de kastjes met hun na-
. onder de gordijnen.

Inmiddels waren de andere kinderen achter hem aan gekon
'Hé, waarom hangen mama's gordijnen hier?' Landon had een
warde blik op zijn gezicht en de kleine meisjes liepen heen
weer en zagen er verdwaald uit in hun eigen huis.

'Pap?' zei Kayeleigh weer.

'Even wachten, Kaye.'

'Noem me niet zo, pap!'

Hij schudde zijn hoofd, in de war door haar opmerking, n
toen hij zijn eigen woorden voor zichzelf herhaalde, besefte hij
hij haar naam afgekort had tot die van Kaye. Hij legde een han
haar nek en gaf er een kneepje in. 'Sorry, lieverd.'

'Wat vind je ervan?' Zich schijnbaar niet bewust van Kayele
verdriet, stond Mickey te wachten, steeds meer lijkend op een j
hondje.

Hij haalde zijn schouders op, zoekend naar een antwoord
haar niet zou kwetsen.

Mickey zette een stapel boeken en reclamepost recht op
plank waar zijn naam op stond. 'Als iedereen de achterdeur
kunnen gaan gebruiken,' zei ze vrolijk,' dan kunnen jullie allen
je spullen op je eigen plank leggen zodra je binnenkomt. Op
manier komt de rommel niet eens het huis binnen.'

Doug draaide in het rond en bekeek de rest van de bijkeu
De bovenkant van de wasmachine en de droger waren smette
schoon en de gebruikelijke stapels schone en vuile was waren
geruimd en de vloer was aangeveegd en schoongeschrobd.
ezel stond in de hoek waar hij altijd stond, met een lege kruk
voor. 'Waar zijn mijn tubes verf?'

Bijna trots liep Mickey naar de andere kant van de bijkeuken
pakte een schoenendoos van een lage plank naast de wasmach
Toen ze het deksel eraf haalde, zag hij zijn tubes verf er netje
liggen. Niet echt handig, maar hij gebruikte ze toch niet ie
week. En zo waren ze wel veilig opgeborgen. Hij stak zijn han
in zijn zak en liep door de keuken terug naar de woonkamer.

Mickey liep achter hem aan. 'Nou, wat vind je ervan?'

Zo te zien heb je heel wat werk verzet.'
Hij had het niet echt als compliment bedoeld, maar ze straalde
een trotse pauw. De kinderen kwamen een voor een de woon-
ier binnen.
Vind je het mooi?' drong Mickey aan.
Mickey, ik weet niet of we alles zo kunnen houden.'
Haar gezicht betrok. 'Hoe bedoel je?'
ayeleigh hervatte haar strijdkreet. 'Pap? Doe iets!'
Hou je erbuiten, Kayeleigh.'
ijn dochter keek hem aan alsof hij haar geslagen had, en hij had
nmiddellijk spijt van dat hij haar afgesnauwd had. Hij begreep
ze zich voelde, maar haar kant kiezen tegen Mickey was wel
laatste wat hij kon gebruiken.
Mickey hield haar hoofd iets schuin. 'Waar moet ze zich buiten
den? Heb ik iets gemist?'
Doug probeerde van onderwerp te veranderen. 'Hebben jullie al
eten?'
Wren heeft de kinderen eten gegeven. Ik heb geen honger.'
key keek van Kayeleigh naar Doug en weer terug, met een
varde blik op haar gezicht. 'Wat is er aan de hand, Doug?'
Daar praten we straks wel over.'
ij keek naar Kayeleigh, die plotseling een en al interesse was
het kleedje waar ze op stonden. Haar gezicht was rood, en ze
op haar lip. Ze zag eruit alsof ze zojuist een bank beroofd had.
d, misschien was *hij* degene die iets gemist had. 'Wat is er aan
and?'
Kayeleigh?' Mickey keek haar afwachtend aan.
een reactie.
e hebt nu de kans om je vader jouw kant van het verhaal te
ellen,' zei Mickey overredend, 'maar als je dat niet doet, vertel
em mijn kant.'
Doug verstrakte. 'Welk verhaal? Wat is er aan de hand?'
oen Kayeleigh uiteindelijk opkeek, spuwden haar ogen vuur.
al u vertellen wat er aan de hand is!' Ze wees naar Mickey en

siste bijna: 'Zij komt hier binnen en neemt *ons* huis over. Kijk pap.' Ze spreidde haar armen. 'Het lijkt niet eens meer op ons l Het lijkt op dat stomme huis van *haar.* Hebt u tegen haar gez dat ze al mama's spullen mocht weghalen?' Haar giftige pijlen ren nu op Doug gericht.

'Kayeleigh, hou daar onmiddellijk mee op.' Hij deed zijn terste best iets ter verdediging van Mickey aan te voeren. Ze hun huis *inderdaad* overgenomen. Ze had hem doen geloven da wat zou gaan schoonmaken en een paar kleine veranderingen doorvoeren. Als hij had geweten dat ze deze... *metamorfose*.. gedachten had, dan zou hij het nooit toegestaan hebben.

Maar hij was niet van plan dat met haar te gaan bespreken v de kinderen bij waren. Hij haalde diep adem en zei tegen K leigh: 'Luister, ik wil dat jij even op de kinderen let... zorgt iedereen zijn pyjama aantrekt. Mickey en ik gaan een eindje lo en als we terugkomen, lossen we het wel verder op.' Hij wist eens wat er allemaal opgelost moest worden, maar Mickey hem op de hoogte brengen en samen zouden ze met Kayel praten over wat het ook was wat er tussen die twee aan de h was.

Maar eerst moest hij met Mickey praten. Voordat ze ieder gr tje, iedere herinnering aan Kaye uit dit huis zou verwijderen.

38

geluid van hun sportschoenen, die over het grindpad knerp-
kon de boosheid die tussen hen smeulde, niet overstemmen.
:key ging sneller lopen, terwijl ze net deed alsof ze niet aan-
lde dat Doug haar probeerde af te remmen.

Iij stak zijn hand naar haar uit, en die voelde warm aan op haar
e arm. 'Snap je wat ik bedoel, Mick?'

Ze trok haar arm weg en hij deed een stap opzij, waarmee hij
:r afstand tussen hen creëerde. Het duurde een volle minuut
rdat ze eindelijk haar mond opendeed. 'Doug, ik probeerde al-
ı maar te helpen. Ik probeerde het alleen maar gemakkelijker te
:en voor jou en de kinderen – en voor mij. Ik ben degene die al
rotzooi moet opruimen. Ik ben degene die het meest te lijden
ft onder al die troep.' Ze negeerde het inwendige stemmetje dat
: de les las omdat ze dat wat zij meemaakte 'lijden' durfde te
men, in het licht van alles wat Doug had meegemaakt.

Het gaat niet om de rommel,' zei hij. 'Dat heb ik je al gezegd.
planken in de bijkeuken zijn geweldig. Dat was een goed idee.
ır je hebt het hele huis anders ingericht. Zonder het aan ie-
ıd te vragen ben je zomaar onze meubels gaan verplaatsen,
e spullen weg gaan halen, *haar* spullen...' Zijn stem stierf weg,
:e voelde de emotie die erachter zat.

Maar ze was het beu om behoedzaam met zijn emoties om te
ı. Het werd de hoogste tijd dat ze erover praatten. En waarom
niet vanavond? Ze ademde diep in. 'Doug, is het eerlijk dat ik
en mausoleum van herinneringen aan Kaye moet leven? Het
ok mijn huis. Ik heb alles voor jou en je kinderen opgegeven.
lijkt me niet meer dan eerlijk dat ik dan ook wat te zeggen
over hoe het huis ingericht is. Dat ik het een beetje opknap,

zodat het wat makkelijker schoon te houden is en zodat we
niet hoeven te schamen als we visite hebben.'

Hij keek haar aan, terwijl hij nog sneller ging lopen. 'Volgens
maak jij je er een beetje te druk om wat mensen denken.'

'En misschien maak jij je daar te weinig druk om.' Ze versn
haar pas om hem in te halen.

'Kaye vond het nooit erg als het huis er niet uitzag als een pl
je. Ze bekommerde zich te veel om *mensen* om zich druk te ma
of ze wel een goede indruk op hen maakte. Ze wist hoe ze
voor moest zorgen dat mensen zich thuis voelden in ons nede
stulpje.'

Sarcasme paste niet bij hem, en ze wierp hem een blik toe
dat duidelijk maakte.

Hij negeerde het. 'Ik hield toevallig van de manier waarop K
het huis had ingericht en ik vind het niet prettig dat jij daaraan
tornen. Je had het me op zijn minst eerst kunnen vragen.'

Ze kon haar oren niet geloven. 'Ik dacht dat het daarom ging
weekend. Ik heb je gezegd wat ik wilde doen.'

'Je zei dat je dingen wilde reorganiseren. Toen ik thuis kw
herkende ik mijn eigen huis niet meer. Heb je ook maar één r
ment aan de kinderen gedacht, Mickey? Alsof ze nog niet gen
verloren hebben, alsof hun leven al niet genoeg op zijn ko
gezet, en dan ga jij alles in hun huis veranderen. Alles wat hen
herinneren aan hun moeder.'

Als hij wilde bereiken dat ze zich nu een harteloos mon
voelde, dan was hij daarin geslaagd. 'Ik ben niet aan hun kan
gekomen, Doug. Of aan jouw kamer.'

Hij kneep zijn ogen tot spleetjes. '*Mijn* kamer?'

Ze negeerde zijn opmerking en begon weer te lopen. Hij be
de naast haar mee.

'Doug, ik probeerde alleen – alleen een plekje te creëren dat
ons was. Ik was niet echt van plan om de boel opnieuw in te r
ten. Maar toen ik dingen ging verplaatsen om schoon te ma
zag ik dat sommige van mijn meubels beter op bepaalde plek

:en.' Ze liepen nu zo snel dat haar adem in korte stootjes uit r mond kwam. 'Van het een kwam het ander, het had een soort euwbaleffect.'

Aet zijn blik maakte hij haar duidelijk dat dat nog zwak uitgekt was.

Volgens mij is het niet te veel gevraagd dat ik ook wat van mijn :n sfeer aan het huis toevoeg. En ik vind het een belediging dat iet eens over je lippen kon krijgen dat het er leuk uitzag.'

En het is een belediging aan het adres van mijn vrouw dat je de oefte voelde om een huis opnieuw in te richten dat prima was ls het was.'

Ze bleef abrupt midden op de weg stilstaan, met haar handen in r zij en bracht hijgend uit: 'Pardon? Je vrouw? Ik dacht dat *ik* je uw was.'

'anuit zijn nek kroop een rode blos omhoog, tot zijn wangen lrood waren. Hij staarde naar de grond. 'Het spijt me. Zo belde ik het niet.'

Ze deed haar uiterste best om haar gekwetstheid niet te laten rklinken in haar stem. 'Hoe bedoelde je het dan *wel*?'

Hij deed alsof hij iets wilde gaan zeggen, maar deed zijn mond 1 dicht en schudde zijn hoofd. Zijn stilzwijgen deed haar meer dan ze zich had kunnen voorstellen.

Doug?'

Hij keek alle kanten op, behalve naar haar. 'Mickey, ik... alles alleen zo snel. Voor jou en voor mij. Voor... ons. Daar neem ik volle verantwoordelijkheid voor. Ik probeer jou niet de schuld even voor wat we...'

Ze stak haar hand op. Haar ogen prikten en ze wilde niet horen hij nog meer te zeggen had.

Zijn berouw leek oprecht genoeg, maar ze bleef als aan de grond ageld staan. Zijn woorden hadden de waarheid aan het licht ge:ht: hij beschouwde Kaye nog altijd als zijn vrouw. Haar niet.

Dat hij op dat ogenblik niet zijn hand naar haar uitstak, dat zijn verontschuldiging niet herhaalde, bevestigde dat besef. Een golf van misselijkheid overspoelde haar. Als een beest in een worstelde ze tegen de waarheid, omdat ze niet wilde geloven ze diep vanbinnen wist.

Doug hield niet van haar. Dat had hij nooit gedaan. Hij had tijd van een vrouw gehouden met wie ze niet kon wedijveren – deed dat nog steeds. Een vrouw tegen wie ze nooit opgewas zou zijn. En ze wist niet hoe ze uit die val moest komen.

Het was dwaas om te proberen hem te overtuigen van haar re om het huis te veranderen. Met ruziemaken bereikte ze niets. W of hij het zich nu realiseerde of niet, hij was niet kwaad omda het huis veranderd had. Hij was kwaad omdat ze niet de vrouw van wie hij nog steeds hield, en omdat ze dat ook nooit zou zi

Dit viel niet op te lossen. Hier konden ze alleen het beste maken. Ze vermande zich. 'Ik zal zo veel mogelijk alles terugze zoals het was – in het huis.'

'Nee, dat hoeft niet. Echt niet. Daar is geen enkele reden vo

Hij schudde zijn hoofd en ze dacht dat ze nog nooit zo'n di droefheid in de ogen van een man had gezien. Op dat mom wilde ze haar hand uitsteken, hem in haar armen nemen en h troosten, zijn verdriet wegkussen. Maar hij had duidelijk gem dat haar kussen voor hem hun waarde verloren hadden – als z ooit enige waarde gehad hadden.

Ze kon geen wond genezen waar ze deels verantwoord voor was. En ze moesten zich nu allereerst druk maken om probleem met Kayeleigh. Ze bereikten het eind van de weg, v ze normaal gesproken omdraaiden om terug te gaan. Maar D bleef doorlopen. Dat zou haar de tijd geven om nog een w open te rijten.

'Doug, we moeten over Kayeleigh praten.'

Hij reageerde stekelig en ging wat langzamer lopen. 'Wat i met Kayeleigh? Waar ging dat allemaal over?' Hij wees naar huis.

'Ze is weggelopen bij Wren.'

'Hoe bedoel je: "weggelopen"?'

Ze is er vanochtend stiekem tussenuit geknepen... met Seth
ger. Wren belde me. Ze was in alle staten. Volgens mij is Bart
hele stadje doorgelopen om hen te vinden.'
Wat? En je hebt me niet gebeld?'
Dat meen je toch niet? Na wat je de vorige keer dat ik je belde
en me zei?'
Hij deed zijn mond open om iets te zeggen, en ze kon bijna zien
hij zich zijn eigen woorden herinnerde – *je had het mij moeten*
n afhandelen – van het vorige voorval met Kayeleigh. Hij deed
mond dicht en zei niets.
Ze ging er niet op in. Voor Kayeleigh moesten ze dit uitpraten.
ben naar de stad gereden en trof Kayeleigh aan in het huis van
familie Berger. De ouders zijn op vakantie, en de jongens waren
en thuis. Kayeleigh was bij hen.'
Waar heb je het over?' Ze kon aan zijn toon horen dat hij haar
t geloofde.
Ze knikte, bereid om de slechterik te zijn. 'Toen ik tegen haar
dat ze met me mee moest komen, weigerde ze. Ik heb haar daar
tergelaten. Tegen de tijd dat ik...'
Je hebt haar daar achtergelaten? Waarom in vredesnaam?'
De dolksteek deed niet minder pijn omdat ze hem verwacht
. 'Wat moest ik dan, haar aan haar haren naar buiten slepen?
n ik de oprit af reed, zag ik haar het huis uit rennen. Ik liet haar
ig lopen naar Wren. Ze stribbelde niet tegen toen we de auto
adden om naar huis te gaan.'
Weet je zeker dat ze niet tegen Wren gezegd had dat ze weg-
g? Hoe wist je waar je haar kon vinden?'
Ze had het tegen Landon gezegd. Maar ze heeft niemand toe-
nming gevraagd. Wren en Bart waren vreselijk ongerust. En ik
.'
Misschien realiseerde ze zich niet...'
Doug.' Hij wilde niet geloven dat zijn kleine meisje de liegen-
onbeleefde puber geworden was waarin Mickey haar had zien
nderen. Maar ze probeerde zich er zo veel mogelijk buiten te

houden. Het dreef alleen maar een nog grotere wig tussen hen. stak haar handen in een gebaar van overgave omhoog. 'Ik laat aan jou over wat je ermee doet, maar ik wilde dat je de waarh kende over wat er gebeurd was.'

'Ik weet niet of jij de waarheid wel kent.'

'Prima. Geloof wat je wilt.' Met het gevoel alsof ze elk ogen door haar benen kon zakken, draaide ze zich om om terug te lo naar het huis. 'Ik ben moe. Kunnen we niet gewoon teruggaan

Hij gaf haar met een handgebaar te kennen dat ze terug lopen en bleef zelf doorlopen.

O, *konden* ze maar terug. Konden ze deze kolossale fout n ongedaan maken. Ze kon het niet verdragen om zo onbeschut kwetsbaar te staan tegenover Doug. Ze stelde zich voor dat z een harnas stapte. Maar voordat ze zichzelf opsloot in die besch ming, stond ze zichzelf toe haar liefdesgeschiedenis met Doug één keer aan zich voorbij te laten trekken, zoals iemands leven hem voorbijflitst vlak voordat hij sterft.

Ze leek ieder teder moment dat ze in hun korte tijd samen hem gedeeld had met helderheid te zien. Elkaars hand vasth den onder de tafel, gestolen kusjes als de kinderen het niet za De zilveren ring, die Doug van een sluitclipje gemaakt had op avond dat hij haar ten huwelijk vroeg. De tedere manier waa hij met haar omgegaan was in hun huwelijksnacht, toen ze z bereidwillig en puur aan hem gegeven had.

Waarom ze zichzelf kwelde met die herinneringen, wist ze n Het was allemaal maar geveinsd. Ze zou ze niet weer oproe Het was voorbij.

Maar niets ter wereld kon tenietdoen wat er met haar hart beurd was.

zon stond laag aan de hemel toen Mickey over de snelweg uit Salina naar huis reed. Het was half juni en bijna van de ene op de andere zagen de tarwevelden er goudkleurig uit. Doug rspelde dat ze over een week zouden kunnen oogsten en voor afhankelijkheidsdag klaar zouden zijn. Ze had ontdekt dat hij vakantie van zijn baan in de stad altijd opnam tijdens de oogst-, wat betekende dat hij zelden echt vakantie had. En dat hield in zij dat waarschijnlijk ook niet zou hebben.

oen ze even later stopte op de oprit, toeterde ze voor hulp bij uitladen van de auto. Ze had gebruik gemaakt van een van zeldzame avonden dat Doug thuis was om boodschappen te n.

andon was de eerste die door de keukendeur naar buiten kwam. deed de achterklep open en begon door de tassen te romme-. 'Hebt u iets lekkers meegenomen?'

Hé, maatje, zullen we de boodschappen eerst naar binnen bren- voordat we ervan gaan eten?'

andon wierp haar een verlegen lachje toe. 'Sorry.' Hij stak zijn gere armen door de lussen van vier tasjes en sleepte ze het huis nen. De lieve manier waarop hij zich verontschuldigd had, be- gde haar een brok in haar keel. Ten minste iemand hier hield van haar.

)e tweeling kwam achter Landon aan en Mickey liep om de heen om tasjes in hun armen te stapelen.

Ze was net bezig de laatste boodschappen te verzamelen, toen ug naast haar verscheen. 'Je hebt alles al.'

Ze waren er goed in geworden om elkaars blik te ontwijken. 'Ja, eb alles.'

'Sorry. Ik was bezig Harley in bed te leggen.'

'Het geeft niet. Ik ben al klaar. De kinderen hebben geholpe

'Mooi zo. Is alles goed gegaan?'

Ze knikte en waagde een blik op hem. Hij moest nodig naa kapper, en zijn gezicht was verbrand. Hij zag er moe uit.

Ze maakte zich zorgen dat hij te hard werkte. Met de boerd en zijn werk in de stad maakte hij vaak dagen van twaalf uu langer. Maar hij had de kinderen beloofd dat ze met zijn allen lang weekend naar Wilson Lake zouden gaan zodra de tarwe oogst was.

Ze was blij dat ze haar huis op tijd klaar hadden gekregen v de huurders, voordat het oogsttijd was. Terwijl Kayeleigh op kinderen paste, hadden zij en Doug een week lang avond aan av gewerkt om de rest van haar spullen op te slaan, het huis schoo maken en de tuin op orde te krijgen. Het tuinieren was lang zo bevredigend meer nu ze wist dat ze er niet zelf van zou kun genieten, maar het had als therapie gediend voor de voortdure pijn van haar ontdekking van Dougs gevoelens – of gebrek daar – voor haar.

Ze hadden er niet meer over gepraat sinds die avond dat hij h de les had gelezen over het veranderen van het huis – *Kayes* h Maar het hing nog als een loden last tussen hen in en werd all in bedwang gehouden door de voortdurende activiteiten in h leven.

De crisis met Kayeleigh had haar inrichtingsfiasco oversc duwd, en Doug had het onderwerp niet meer aangeroerd. In halfslachtige poging om een compromis te sluiten had ze een p van Kayes spulletjes teruggezet, maar verder bleef alles staan v zij het gezet had en Doug had er ook niets meer over gezegd. M zijn eerste reactie had alle vreugde over haar inspanningen w genomen.

Sinds die avond hadden ze in hetzelfde bed geslapen, maar z der elkaar aan te raken. Elke avond had ze gewacht tot hij s voordat ze hun kamer in sloop. Doug stond een uur eerder op r wekker ging en was meestal al naar zijn werk voordat zij uit badkamer kwam.

n de tussentijd waren ze beleefde vreemden. *Wil je het zout even 'geven? Hoe was je dag? Heeft Harley geslapen vanmiddag?* Zonder ver te praten, hadden ze afgesproken om geen ruzie te maken. n vreedzaam naast elkaar te leven vanwege de kinderen.

'k denk dat ik hier een poosje ga werken.' Doug wees met zijn ofd naar de provisorische werkplaats aan de andere kant van de ige. 'Tenzij je hulp nodig hebt bij het opruimen van de boodppen?'

De kinderen kunnen me helpen.'

Hij knikte en draaide zich om. Ze liep het huis in en begon de odschappen op te ruimen, waarbij ze de hulp van de tweeling ep.

De huurders waren twee weken geleden in haar huis getrokken, ze had het in haar gedachten losgelaten. Maar ze voelde zich emd ontheemd. Dougs afkeuring van de herinrichting van zijn s had alle vreugde over wat ze bereikt had, doen verdwijnen. was ze een vreemde in het huis van een ander.

Ze kon in elk geval overweg met de kinderen. Doug had blijkr met Kayeleigh gepraat. De openlijke vijandigheid van het sje was veranderd in smeulende onverschilligheid. Mickey prorde haar zo veel mogelijk uit de weg te gaan.

Ze deed de koelkast open en verplaatste een paar dingen om nte te maken voor de twee vierliterkannen melk die dit gezin edere paar dagen doorheen joeg.

De jongere kinderen leken de verandering die er tussen haar en ug was opgetreden niet op te merken. Ze waren zich zo mogenog meer aan haar gaan hechten en zochten haar op, waar ze eerder tot hun vader hadden gewend. Ze had altijd een zwak ad voor de kinderen DeVore, maar naarmate ze zich terugtrok Doug, leek ze meer naar zijn kinderen toe te trekken. De weie keren dat ze er over nadacht wat er van haar relatie met Doug terechtkomen, bezorgde dat feit haar een koude rilling.

Behalve tijdens hun huwelijksreis en de eerste paar weken na
ze thuisgekomen waren, waren ze alleen in naam getrouwd.
wist niet wat Doug zich van hun leven samen had voorgest
maar voor haar was niets zoals ze gedacht had.

Ze had zo veel tijd verspild met verlangen naar wat ze niet
terwijl wat ze wel had gehad haar nu een aangename droom
– een opgeruimd, aantrekkelijk huis zonder iemand die het
maakte en de vrijheid om te gaan en te staan waar ze wilde.
voorrecht om thuis te komen van haar werk en zich te ontspan
of wat in de tuin te werken.

'Mickey?' Landon stond met de telefoon in zijn hand bij
deur. 'Het is voor jou.'

Ze pakte de telefoon van hem aan. 'Hallo?'

'Mickey, met Angie. Ik... *we* vroegen ons af of jij – en Doug
de kinderen natuurlijk – zondag komen.'

Er ging een pijnscheut door haar heen toen ze zich realisee
hoelang het geleden was dat ze bij haar familie was geweest,
haar nichtjes en neefjes en die lieve kleine Emmy. De laatste
dat ze haar broers gezien had – toen ze Doug aan hen voorges
had – was een ramp geweest. Rick had haar nooit gebeld, zoals
beloofd had. Ze had Angie gebeld om zich af te melden voor
samenzijn in juni met de smoes dat ze nog altijd niet helemaal
orde waren. Ze was verbaasd dat de familiedag van juli al over m
der dan twee weken was. 'Ik eh... ik weet het niet, Angie. We h
ben het zo druk gehad dat we het er nog helemaal niet over ge
hebben. Ik zal eerst even met Doug praten, dan bel ik je terug.'

'Prima. Gaat alles goed met jullie?'

'We hebben het druk,' herhaalde ze. 'Volgende week zal de o
waarschijnlijk binnengehaald worden en Doug probeert alles
op tijd klaar voor te krijgen... naast zijn werk. Maar bedankt v
je belletje. Ik zou graag komen.'

Het bleef een hele poos stil, en toen zei Angie zachtjes: 'Ik h
echt dat jullie komen, Mick. Rick is gewoon een overbezo
grote broer. Hij meende de dingen die hij gezegd heeft niet.'

Volgens mij meende hij ze wel, Angie. Maar ik begrijp het
.'
Geef hem de tijd, lieverd. Hij draait wel bij.'
Bedankt, Angie. Ik bel je morgen terug, goed?'
Kijk maar wanneer je tijd hebt. We zouden het heerlijk vinden
je komt – als jullie *allemaal* komen.'
Nadat ze de verbinding verbroken had, verzamelde ze haar moed
liep naar de garage om het met Doug te bespreken.
Hij stond bij de werkbank en had een beschermende bril op en
doppen in. Toen ze haar hand op zijn arm legde, sprong hij op
of ze een slang was.
Twee maanden geleden zouden ze daar vreselijke lol om gehad
bben en elkaar lachend in de armen gevallen zijn. Vanavond leek
allang niet meer mogelijk en de strenge blik op Dougs gezicht
daar het bewijs van. 'Wat is er?'
Ze wees met haar hoofd naar het huis. 'Angie belde net. Onze
iliebijeenkomst is aanstaande zondag. Ze vragen zich af of wij
nen.'
Hij kauwde op zijn lip. 'Ga jij maar als je wilt. Volgens mij ben ik
r niet echt welkom.'
Doug. Alsjeblieft. Angie zei dat Rick...' Ze liet haar stem weg-
ven, omdat ze niet wist of Angie gelijk had wat betreft Ricks
oelens over het onderwerp. 'Wil je alsjeblieft meegaan? Anders
je mijn familie nooit kennen en zij jou niet, als we niet wat tijd
hen doorbrengen.'
Hij schudde zijn hoofd en slaakte een zucht die zaagsel deed
vaaien. 'Ik denk niet dat ik het kan.'
Wat?'
Zijn lippen vormden een smalle streep. 'Het spijt me. Ga jij maar
je wilt.'
De moed zonk haar in de schoenen. Niet omdat hij niet wilde
n, maar omdat ze gehoord had wat hij niet gezegd had: *Ga jij*
r als je wilt. Ik kan niet net doen alsof we een huwelijk hebben bij
sen die vonden dat we sowieso niet hadden moeten trouwen.

• 40 •

Doug hield zich schuil in de garage totdat hij zeker wist dat M
key naar bed was gegaan. Zoals bijna alles wat hij tegenwoor
deed, bezorgden zijn daden hem een groot schuldgevoel. Hij v
hoeveel Mickey van haar broers hield en hoezeer ze ernaar v
langde een goede band met hen te houden. Maar het laatste wat
kon gebruiken nu er al zo veel op hem drukte, was nog een k
zo behandeld te worden als toen Mickey hem aan hen voorgest
had. Voor gebrek aan respect hoefde hij de deur niet uit.

Het huis was stil, en hij deed zijn schoenen uit voordat hij
huis doorliep om de lampen uit te doen die Mickey vergeten v
Toen ze de benedenverdieping had opgeknapt, had ze her en
lampen uit haar eigen huis neergezet. Hij ging meestal eerder n
bed dan zij, en bijna iedere ochtend trof hij lampen aan die de h
nacht waren blijven branden. Als ze volgende maand de elektr
teitsrekening zag, zou ze misschien begrijpen waarom hij haa
voortdurend aan herinnerde dat ze ze uit moest doen voorda
ging slapen. Om maar te zwijgen van het risico dat die stomme
van haar ze om zou gooien en het huis in brand zou zetten.

Mickey sliep toen hij de kamer binnenkwam. Ze lag tegen
rand van haar kant van het bed en ademde gelijkmatig in en
Dat veroorzaakte weer een golf van schuld. Hij leunde tegen
deurpost en bleef zo even naar haar kijken. Ze was zo mooi.
lief en gul. Ondanks hun meningsverschillen was Mickey het sc
vrouw van wie hij onder andere omstandigheden had kun
houden.

Herinneringen aan de roerige dagen van hun verkeringstijd
den door zijn hoofd. Het was verkeerd van hem geweest om h
over te halen om zo snel met hem te trouwen. Dat wist hij nu.

; zijn emoties en zijn hormonen achternagelopen alleen maar .dat hij wilde dat de pijn zou ophouden.

Hij liep de badkamer in en deed de deur zachtjes achter zich ht. Hij keek naar zijn spiegelbeeld. Hij kon nu niets meer aan ı beslissing veranderen. Het huwelijk was tot de dood hen eidde. Iets anders had hij nooit geloofd. En voor de tweede r in zijn leven had hij beloofd zijn vrouw lief te hebben en te n 'in goede en slechte tijden'.

Hij was vastbesloten die gelofte zo goed mogelijk te houden. Hij de alleen dat hij net zo veel van deze vrouw kon houden als hij ı zijn eerste vrouw gehouden had. Zowel voor Mickey als voor n zelf. Dit was niet eerlijk tegenover haar. Hij voelde zich een ert, en ze verdiende beter.

Hij maakte zich klaar voor de nacht en sloeg voorzichtig de ens open, omdat hij haar niet wakker wilde maken. Hij kroop ler de dekens en keerde haar zijn rug toe, terwijl hij het verlan- ı dat door hem heen sloeg, negeerde, omdat zij het niet was die begeerde. En het zou niet eerlijk zijn om net te doen alsof dat ı zo was.

Terwijl hij daar in het donker lag, keerden de herinneringen aan liefde die hij met Kaye in ditzelfde bed gedeeld had in alle he- heid terug. Hij kneep zijn ogen stijf dicht en deed zijn uiterste t om er niet aan te denken. Maar hoe kon hij dertien jaar dat iemand als Kaye had liefgehad vergeten, iemand aan wie hij ızelf zo volkomen had gegeven?

En hoe kon hij zichzelf ooit aan iemand anders geven... terwijl nog steeds verliefd was op Kaye?

plafondventilator draaide rond boven het bed en brak het maan- t in schijfjes. Kayeleigh trok de dekens over Harleys schouders knuffelde haar kleine zusje, waarbij ze de zoete, frisse geur van r haar opsnoof. Het was fijn om weer iemand bij zich in bed ıebben. Behalve als Harley lag te woelen en te draaien en uit- delijk overdwars in het bed lag te schoppen in haar slaap. Of als

haar luier lekte. Dat was niet zo leuk. Maar ze was blij dat ze h
kleine zusje iedere nacht bij zich in bed had. Rachels plekje
nu niet meer zo leeg en Kayeleigh was blij dat Mickey papa
overgehaald om het ledikantje voorgoed weg te halen.

Er was iets gebeurd tussen papa en Mickey. Kayeleigh wist r
wat het was, maar ze had het vreselijke gevoel dat het haar sch
was. Ze had Mickey nooit zo lelijk moeten behandelen. Ze had
dag gewoon nooit naar Seths huis moeten gaan. Het was stom.
had wijzer moeten zijn.

Maar als ze nee gezegd had, zou hij haar uitgelachen hebb
misschien nooit meer met haar gepraat hebben. En eerlijk gez
wilde ze met hem mee. Ze hield van het gevoel dat hij haar
zorgde als ze bij hem was.

Maar ze vond het niet fijn zoals het nu tussen papa en Mic
was. Hij was een ouwe brompot geworden. Hij had haar er on
nadig vanlangs gegeven dat ze die dag naar Seths huis was gega

Mickey, die altijd zo vrolijk was, zag er nu de hele tijd verdri
uit. Kayeleigh zag nooit meer dat papa en zij elkaar kusten en
praatten ook bijna niet meer met elkaar. Het leek wel alsof ze
lebei de hele tijd kwaad op elkaar waren – alleen maakten ze nc
ruzie. Niet meer, in elk geval.

Soms dacht ze dat ze dat liever zou hebben. Dat ze gewoon
gen elkaar zouden schreeuwen, zouden zeggen wat ze dachten
plaats daarvan liepen ze op hun tenen om elkaar heen, net zoals
op haar tenen om Mickey heen had gelopen toen Mickey net
papa ging houden.

Ze schrok van haar eigen gedachte. Mickey hield inderdaad
papa. Dat kon ze merken. Zelfs als papa lelijk tegen haar deed, k
ze hem met een droevige, dromerige blik in haar ogen aan – a
ze wilde dat hij haar net zo zou behandelen als hij eerst deed.

Ze wist niet wat Mickey gedaan had om ervoor te zorgen
papa van gedachten veranderd was. Nog niet zo lang geleden
hij gek op haar geweest. Ze bloosde toen ze dacht aan de keren
ze hen betrapt had als ze elkaar kusten.

Ze had blij moeten zijn met deze ontwikkeling. Had ze een paar ken geleden niet nog tegen Rudi gezegd dat ze wilde dat papa ı gaan scheiden?

Nee, dat wil je niet, Kayeleigh,' had Rudi gezegd. 'Laat je vader ukkig zijn. Waarom zou hij dat niet zijn?'

'Omdat het niet eerlijk is tegenover mama.'

Rudi had haar handen in haar zij gezet, zodat ze eruitzag als juf-uw Gorman als ze samen zaten te klieren. 'Sorry, hoor,' zei ze, ıar denk nou eens na over wat je zegt, Kayeleigh. Denk je niet je moeder zou willen dat je vader gelukkig is?'

Ja, natuurlijk... maar niet met juf Valdez.' Nu wist ze dat niet er zo zeker. Mama zou zeker niet blij zijn met hoe papa zich de ste tijd gedroeg. Ze zou tegen hem zeggen dat hij ermee moest ıouden. Of ze zou hem iets grappigs vertellen wat Harley of ıdon gedaan had, en ze zou hem net zo lang verhalen blijven tellen tot ze hem eindelijk aan het lachen kreeg. Het zou niet g geduurd hebben ook. Mama en papa hadden veel gelachen.

Papa lachte ook met juf Valdez – met *Mickey*. Eerst wel, tenmin-Maar het leek wel of dat allemaal veranderd was op die dag dat bij Wren weggelopen was om naar Seths huis te gaan. Ze dacht ıg aan die dag. Het bezorgde haar een vreemd gevoel onder in r buik als ze terugdacht aan de manier waarop Seth zijn armen haar heen geslagen had, haar gekust had. Haar aangeraakt had ls geen enkele andere jongen eerder gedaan had.

Ze had het een fijn gevoel gevonden. Maar het had haar ook ıg gemaakt. Eerlijk gezegd was ze blij geweest toen Mickey voor deur stond. Seths broer Ben bezorgde haar de kriebels met de nier waarop hij naar haar keek. En ze vond het niet fijn hoe h zich gedroeg als zijn broer in de buurt was. Dan werd hij heel postig en veranderde hij in een grote uitslover.

Waarom had ze niet gewoon met Mickey mee kunnen gaan? arom had ze haar zo moeten afbekken? Mam zou het niet ge-t hebben als ze zo tegen haar had gedaan. Nee. Het zou nooit *ig* zijn geweest dat mama haar moest komen halen, omdat ze nooit zoiets stoms zou hebben gedaan als mama nog geleefd ha

Alles was veranderd op die vreselijke Thanksgiving Day. De o draaglijke, bijna fysieke pijn die ze in het begin had gevoeld een beetje minder geworden, maar als ze er te veel over nada kwam alleen daardoor de pijn al terug. Het was nog geen jaar ge den. Misschien was er iets mis met haar dat ze zich niet meer e avond in slaap huilde zoals ze eerst gedaan had, verlangend n mama totdat ze aan niets anders meer kon denken en het gev had dat ze gek werd.

Soms vroeg ze zich af of ze ooit nog die pure vreugde zou varen die ze zich herinnerde uit de tijd dat ze met zijn allen gezin vormden – mama en papa en zij en Rachel en Landon Sarah en Sadie en Harley. Lachend in de auto onderweg naar kerk, omdat Harley iets grappigs deed. Of hand in hand bidde rond de keukentafel.

Ze herinnerde zich die eerste avond dat Mickey bij hen th geweest was en hamburgers van de snackbar met hen meegege had. Hun huis had die avond weer vrolijk geleken. Ze had het le gevonden om Mickey bij hen aan tafel te hebben, terwijl ze gli lachte en stiekem bijna haar hele hamburger aan Harley voe en naar haar knipoogde, alsof ze samen een geheimpje hadden. had het zelfs leuk gevonden om papa en Mickey later samen in keuken te horen lachen tijdens de afwas.

Natuurlijk had ze toen niet geweten dat Mickey ervoor z zorgen dat papa verliefd op haar werd en mama helemaal zou v geten. Opeens kwam er een gedachte bij haar op die haar met veel kracht raakte, dat het was alsof haar broer haar een stomp haar maag had gegeven: misschien zou het helemaal niet zo zijn als papa mama vergat. Misschien mocht hij Mickey daarom graag – omdat ze hem deed vergeten.

Maanlicht tekende het bureau in de hoek scherp af, en ze da aan de zwangerschapstest die ze daar verstopt had – dat ding da onder de wastafel in de badkamer van mama en papa had gev den – de badkamer van *Mickey* en papa. Ze had Mickey sinds

scherp in de gaten gehouden en probeerde erachter te komen
ıaar buik al een beetje boller werd, zoals die van mama, toen ze
in verwachting was van Harley.

Ze waren allemaal zo blij geweest toen mama hun verteld had
ze weer een baby'tje kreeg. Kayeleigh was pas negen jaar, maar
ıerinnerde het zich nog als de dag van gisteren. De tweeling
toen nog maar klein en papa had hen opgetild en elk op een
ouder gezet en zo door de woonkamer gelopen, terwijl hij zong:
krijgen een baby... we krijgen een baby...' Zij en Rachel en
don hadden meegeklapt en gejuicht en mama had alleen maar
chen en haar vlakke hand op haar buik gelegd waar de baby
eide.

Ze glimlachte in het donker. Het was fijn om een herinnering
mama te hebben die haar deed glimlachen. Misschien waren er
wel meer van zulke herinneringen.

'Alstublieft, God,' fluisterde ze. Te hard, kennelijk, want Harley
voog zich naast haar en stak haar duim in haar mond en begon
uidruchtig op te zuigen. Kayeleigh stak haar hand uit en wreef
ıtjes over Harleys rug.

tel nu dat Mickey echt een baby kreeg? Op die zwangerschaps-
stond een plusje. Positief betekende zwanger. Dat wist ze zeker.
ır ze wist niet hoelang het duurde voordat een vrouw er ging
ien alsof ze zwanger was.

erwijl ze Harley nog altijd over haar ruggetje wreef, tuurde ze
de wekker op het nachtkastje. Het was bijna middernacht.

oen ze zeker wist dat Harley weer sliep, liet ze zich stilletjes
bed glijden en pakte de zwangerschapstest uit de la van haar
eautje, waar ze hem verstopt had. Ze nam hem mee naar de
kamer, deed de deur dicht en knipte het licht aan. Het plus-
ntje was nog steeds zichtbaar. Ze stak het staafje in de zak van
pyjamajasje en liep de gang op. Landons deur was dicht en het
donker beneden. Papa en Mickey lagen altijd voor twaalven in

e keek over de trapleuning naar de overloop halverwege de

trap, waar het computerbureau stond. Ze mochten de comp
eigenlijk niet gebruiken zonder het eerst te vragen, maar dit
ze toch moeilijk vragen. Op haar tenen liep ze naar beneden.
stapte op een krakende plank in de houten vloer. Met wild b
zend hart bleef ze staan. Toen ze zeker wist dat de kust veilig
liet ze zich behoedzaam op de stoel zakken en deed ze de com
ter aan.

De computer maakte zijn opstartgeluiden en haar hart ging
mogelijk nog harder tekeer. Vlug draaide ze het geluid uit en
wijl alle programma's geladen werden, stond ze weer op on
luisteren of het geluid papa of Mickey wakker had gemaakt.

Er gingen bijna drie minuten voorbij, en de computer ging
de slaapstand. Toen ze geen geluiden hoorde beneden, ging ze w
op de stoel met rechte leuning zitten en klikte met de muis.
opende Google en terwijl ze een voor een de toetsen indrukte
de gebruikelijke klikgeluiden te vermijden, typte ze *Clear Blu*
het zoekveld.

Een van de eerste zoekresultaten die dat opleverde kwam o
een met het uiterlijk van het staafje dat ze gevonden had. Ze kl
het aan. Er verscheen een plaatje van het staafje dat ze gevon
had. Ze begon te lezen. Er stond dat de test in 99% van de geva
betrouwbaar was en dat hij al kon werken voordat een vrouw
maar vermoedde dat ze zwanger was… er stond iets als 'al v
vier dagen'.

Ze dacht terug aan de dag dat ze de zwangerschapstest gev
den had. Dat was op de dag nadat papa en Mickey teruggekon
waren uit Salina – van hun huwelijksreis. Ze waren op 27
getrouwd. Dat wist ze nog, omdat dat dezelfde dag was dat
dertien werd. Hij had een jaar langer over de kleuterschool ged
dus hij was ouder dan de andere kinderen in hun klas.

Papa en Mickey waren de maandag daarna thuisgekomen.
telde het op haar vingers na. Precies vier dagen.

Ze klikte op een link die informatie gaf over het gebruik
de zwangerschapstest. Er stond iets vies over plassen op het sta

keek naar het ding dat uit haar zak stak. *Bah.* Ze had het met
: blote handen aangeraakt. Ze trok een rimpel in haar neus en
gde haar handen af aan haar pyjamabroek voor ze het toetsen-
d weer aanraakte.

e scrolde verder omlaag op het scherm en las hoe ze de kleine
- en mintekentjes in de uitlezing moest aflezen. Ze had gelijk.
plustekentje betekende ja, je was zwanger. Haar ademhaling
nelde. Mickey *moest* wel zwanger zijn.

tel nu eens dat papa dat niet wist? Er viel haar opeens iets in:
dat hij het wel wist en dat Mickey en hij daarom nauwelijks
r met elkaar praatten? Ze kon alle ideeën en beelden die in
hoofd opkwamen niet verwerken.

e hoorde een geluid beneden en verstrakte. Ze controleerde of
geluid inderdaad uit stond en stak langzaam haar hand uit naar
itknop. De computer sloot af en ze bleef in het donker zitten
n, met haar oren gespitst op het geluid dat ze zojuist gehoord
. Er gebeurde niets.

iteindelijk liep ze op haar tenen terug naar haar kamer. Maar
rdat ze in bed stapte, wikkelde ze de zwangerschapstest in een
oon papieren zakdoekje – niet het zakdoekje met mama's lip-
stift erop – en verstopte hem achter in haar lade met onder-
d. Ze legde de kleren in de la recht en scheidde haar spulletjes
die van Harley, zodat niemand aan haar kant van de la hoefde
oeken.

oen ze uiteindelijk weer naast Harley in bed stapte, was het
alf minuten over een. Maar de slaap wilde niet komen, en ze
net haar hand op haar hart en voelde het zo hard bonzen dat
ang was dat het door haar huid naar buiten zou komen.

Doug rook het eten zodra hij de deur binnenkwam. Spaghetti zijn neus hem niet bedroog.

'Ben jij dat?' klonk Mickeys stem vanaf de andere kant van huis.

Hij hing zijn pet aan de haak, waar zijn naam onder stonc liep door de keuken. Hij bleef in de deuropening tussen de keu en de woonkamer staan wachten tot ze hem zou opmerken.

Ze keek op van het boek dat ze de meisjes zat voor te le Zelfs Harley, die op Sadies schoot zat, was helemaal weg van verhaal. Door Mickeys plotselinge zwijgen keken ze allemaal o riepen hem een ongeduldig 'hoi papa' toe, alsof hij een vervele onderbreking was.

'Ook hallo allemaal,' zei hij in het algemeen.

Harley legde haar handjes aan weerszijden van Mickeys gez 'Leese juf Mickey. Kom, boekie leese.'

'Even wachten, schatje.' Mickey haalde Harleys handjes van gezicht en legde haar hand op de bladzijde van het boek waa gebleven was. 'Wil je al eten, Doug?'

Hij schudde zijn hoofd. 'Ik kom maar even binnen. Ik moe leen even naar het weerbericht kijken.' Hij wees met zijn ho naar de trap en liep die met twee treden tegelijk op, in de hoop ze hem geen standje zou geven omdat hij zijn laarzen niet ui daan had.

Maar ze riep hem alleen maar achterna: 'Er is spaghetti. (maar een seintje als je klaar bent, dan warm ik een bord voc op.'

'Oké, bedankt,' riep hij naar beneden. Hij zette de comp aan en wachtte tot hij opgestart was, terwijl hij ondertussen in

fd een lijstje maakte van de onderdelen die hij bij de plaatse-
dealer wilde bestellen. Dat had hij al dagen geleden moeten
n, maar hij had geprobeerd een achterstand weg te werken
le drukkerij, zodat hij zijn vakantiedagen voor de oogst zou
nen gebruiken. Hij kon het zich niet veroorloven dat de maai-
er ook maar één dag kapot was als hij de tarwe binnen wilde
oen voordat de voorspelde regenbuien kwamen.
indelijk kwam het scherm tot leven en hij opende de browser.
plaatste onhandig zijn vingers op het toetsenbord en probeerde
te herinneren hoe die nieuwe weersite heette waarvan hij gerd had. Met twee vingers typte hij de naam in. Dat zag er niet
l uit. Met de deleteknop wiste hij de woorden om een andere
ling te proberen. Hij had nog geen vier letters getypt toen er
oud internetadres uit de zoekgeschiedenis in de adresbalk ver-
en. Hij wilde de M intoetsen, maar drukte in plaats daarvan op
patiebalk, ging weer terug en begon opnieuw te typen. Maar
hij opkeek om zijn spelling te controleren, zag hij weer een
adres. Hij keek ernaar en toen nog eens. Wat was dat?
let eerste deel van het adres was *geneesmiddelen*. Maar dat was
wat hem nog een keer deed kijken. Achter *geneesmiddelen* stond:
r Blue zwangerschapstest.
o, ho. Hij moest iets verkeerd getypt hebben. Hij wiste de
rden en begon de naam van de weersite in te typen, maar iets
l hem tegen.
ij opende de geneesmiddelen/zwangerschapspagina en er ver-
en een reclame voor een van die thuistesten op het scherm.
had iedere keer dat ze vermoedde dat ze zwanger was zo'n test
uikt. De herinnering daaraan raakte hem met volle kracht.
ij begon omlaag te scrollen over de pagina en keek toen achter
, half verwachtend Landon of Kayeleigh daar met duizend en
vragen te zien staan. Maar precies op dat moment hoorde hij
beneden ruziemaken en maande Mickey hen op de achter-
d tot stilte, waarna ze weer verder ging met voorlezen aan de
tjes.

Hij keek nogmaals naar het adres. Hier had hij geen tijd voor. moest achter de computer vandaan, zorgen dat hij snel een be ling voor onderdelen plaatste. Maar iets drong hem om de gesc denis van de browser aan te klikken en verder onderzoek te do

Volgens het overzicht was hij de eerste die de computer vand gebruikte. Het meest recente adres daarvoor was de site var zwangerschapstest. Hij controleerde de datum. 18 juni. Twee da geleden. Hij dacht dat ze de pop-upblocker aan hadden staan beveiliging, zodat de kinderen niet op rare sites terecht kon komen. Maar soms kwam daar toch iets doorheen. Of Mickey het ouderlijk toezicht uitgeschakeld... Een blik op de rest var geschiedenis en de Google zoekgeschiedenis voor diezelfde deed het bloed in zijn aderen stollen. Iemand had bewust C *Blue* ingetypt en toen een stuk of vijf, zes sites over zwangersc en zwangerschapstesten bekeken.

Hij hoorde Mickey beneden lachen, hoorde de tweeling gie len toen ze het kietelmonster uit het boek nadeed.

Zijn hart werd loodzwaar. Mickey moest vermoeden da zw... Hij kon de gedachte niet eens afmaken. Hij trok een kreukelde zakdoek uit zijn achterzak en veegde zijn voorhoof Zijn keel snoerde dicht en hij had de grootste moeite om held kunnen blijven denken.

Op de een of andere manier vond hij de onderdelensite en stelde hij wat hij nodig had, maar hij kon het beeld van dat lev grote paarswitte plastic staafje niet uit zijn gedachten krijgen.

Voor de zoveelste keer in twee maanden stelde hij een war pige vraag - woorden die eerder een klaagzang vormden dan gebed: *Wat heb ik gedaan? O, Vader in de hemel, wat heb ik gedaan*

Hij scharrelde wat rond in de schuur en wachtte zijn tijd a hij er zeker van kon zijn dat de kinderen in bed lagen. Zijn m protesteerde met steken van honger, maar die negeerde hij. had het recht niet om zelfs maar aan honger te denken nu er zware last op hem drukte. Op Mickey.

r viel hem een nieuwe gedachte in. Misschien was ze niet echt nger. Misschien had ze alleen maar gedacht dat ze zwanger was. had op de computer niets over baby's gezien. Het ging allemaal n maar over de test zelf. Dat moest toch een goed teken zijn? had niet verder teruggekeken in de zoekgeschiedenis. Alleen de zoekgegevens van eergisteren. Misschien was er meer. Dat hij moeten nakijken. Als Mickey zelfs maar vermoedde dat ze nger was, dan was het serieus. Ze was net zo dol op kinderen Kaye en hij wist hoe Kaye was geweest, iedere keer dat ze een dagen over tijd was.

e hadden meer dan eens woorden gehad omdat ze geld uitgen had aan zo'n stomme test, alleen omdat ze de avond ervoor eel pizza had gegeten en misselijk wakker was geworden. Die gen waren niet goedkoop, maar Kaye wilde het altijd zo snel gelijk weten.

n de vijf keer dat het inderdaad zo was, was ze dolenthousiast eest en had ze een creatieve manier gevonden om het aan te digen. Daarna had ze het willen vieren door zijn lievelingseten r te maken, een taart te bakken en de liefde te bedrijven als aatje. Hij had het heerlijk gevonden als ze in verwachting was een van hun kinderen.

Iij vond het zelfs niet erg als ze hem op zijn werk zaten te gen als een van de mannen er lucht van kreeg dat de familie ore *nog* een kind kreeg. Ze lachten maar een eind weg. Het kte niet uit.

oen de tweeling geboren was, hadden Kaye en hij besloten dat hun niet kon schelen wat andere mensen dachten. Ze hielden hun kinderen. Ze hadden altijd een groot gezin gewild, allebei. oewel ze krap bij kas zaten, hadden ze altijd goed genoeg voor gezin gezorgd.

ij had de artikelen in Kayes opvoedtijdschriften gezien die berden dat het tweehonderdduizend dollar kostte om een kind e voeden tot zijn volwassenheid. Er was altijd voldoende eten nog een mond te voeden. Kaye had de baby's altijd borstvoeding gegeven, dus ze hoefden geen flesvoeding te kopen, en ze een grote moestuin onderhouden waar de kinderen om de b onkruid wiedden. Allemensen, ze hadden meestal genoeg to ten en pompoenen om aan de buren uit te delen en ook nog bijdrage te leveren aan de plaatselijke voedselbank. De kind droegen elkaars kleren af en Kayes bumpersticker – *ik rem voor melmarkten* – was niet alleen maar voor de show. Haar moeder gul met Kerst en verjaardagen. En met het geld dat Kaye verdie als secretaresse op de school – het weinige dat ervan overblee het betalen van de rekening voor het kinderdagverblijf – kon ze de gaatjes opvullen. Waar het op neerkwam: de kinderen w nooit echt iets tekortgekomen.

Hij hield zijn adem in. Zijn kinderen waren nooit iets tekor komen omdat ze liefde kregen. En ouders die gek op elkaar wa Maar als Mickey zwanger was…? Welke invloed zou de leegte sen hen op een kind hebben? Hij durfde zich er geen voorstel van te maken.

Er viel een schaduw over het stukje licht dat de buitenlamp spreidde en toen Doug opkeek, zag hij Mickey in de deurope staan.

'Wil je dat ik je een bord eten kom brengen? Je moet uitgeh gerd zijn.'

Zijn handen begonnen te trillen en hij stak ze in zijn zak 'Nee, dat hoeft niet,' loog hij.

'Weet je het zeker? Ik wil best een bord voor je opwarr hoor. Het is spaghetti. Het is erg lekker geworden, al zeg ik zelf.'

'Het hoeft niet.'

Hij besefte pas dat hij tegen haar gesnauwd had, toen de g lach abrupt van haar gezicht verdween. Ze draaide zich on wilde naar het huis teruglopen.

'Mickey!'

Ze draaide zich om en bleef afwachtend in de open deur s Haar gezicht bevond zich in de schaduw, maar iets in haar hou

l hem vermoeden dat ze huilde. *O, Vader. Help me de woorden te en.*
ij deed een stap naar haar toe, keek in haar betraande ogen. :key... ben je zwanger?'
e deinsde terug alsof hij haar geslagen had. 'Wat?'
:rijg je een baby?'
e zei met een vreugdeloos lachje: 'Ik weet wat zwanger zijn kent.'
Ben je zwanger?'
Nee. Nee, natuurlijk niet. Waarom vraag je dat?'
e opluchting die hij verwacht had bij haar ontkenning, bleef Hij was een en al verwarring. 'Maar... ik dacht... ik zag dat ar gezocht was. Op de computer.'
e fronste haar wenkbrauwen. 'Waar heb je het over?'
ij wreef over zijn gezicht, voelde het vuil en zweet onder zijn ge handen. 'Heb jij er niet naar gezocht op de computer?'
Vaarnaar gezocht?'
ij schudde zijn hoofd in een poging zijn gedachten helder te ;en. Volgens hem hield ze zich niet van den domme. 'Toen ik nderdelen bestelde – eerder deze avond – stonden er verschil- e websites in de geschiedenis... sites over zwangerschapstes- . je weet wel, van die dingen die je kunt gebruiken om erach- : komen of je zwanger bent?'
: weet wat een zwangerschapstest is, Doug,' zei ze weer met lroog lachje en het geluid kwelde hem, maar waarom wist hij goed.
'us jij was het niet?'
: schudde haar hoofd. 'Nee.'
Vie dan wel?'
: haalde haar schouders op. 'Weet je zeker dat het niet alleen een advertentie was – zo'n popup, die er soms doorheen- ?'
ee. Het stond in de geschiedenis. Verschillende websites onder r. Het leek erop alsof iemand informatie zocht over zwanger-

schapstesten. Volgens mij was de titel van een van die pagina's *Blue*.'

Ze knikte. 'Ja, dat is een merknaam.' Haar hand vloog naar mond en zelfs in de vage lichtcirkel die de buitenlamp verspre zag hij haar gezicht lijkbleek worden.

'Wat is er?'

'O, Doug, stel nu dat Kayeleigh...?'

'Wat?' Hij deed nog een stap naar haar toe. De blik op haar zicht beviel hem niet. Ze dacht toch zeker niet wat haar woo impliceerden.

'Kayeleigh zat zondagmiddag achter de computer. Ze zei d woorden opzocht uit dat bibliotheekboek dat ze aan het lezen Maar je denkt toch niet...?'

Hij keek haar boos aan. 'Wat bedoel je? Waarom zou Kayel zoiets opzoeken? En trouwens, dit was van nog maar een paar gen geleden.' Hij had de geschiedenis daarvoor niet gecontrol maar hij was van plan dat te doen zodra hij het huis binnenk

'Doug?' Mickey zag er verslagen uit. 'Je denkt toch niet dat denkt dat ze zwanger is?'

Hij deinsde achteruit, net zoals zij een paar minuten gel gedaan had toen hij haar vroeg of *zij* zwanger was. 'Kayel Dat meen je toch niet? Volgens mij is ze nog niet eens onge of wel? Ze heeft nog nooit een vriendje gehad. Waarom *zeg* je iets?'

'Doug, volgens mij heeft Kayeleigh een beetje meer... ring... dan jij misschien denkt.'

'Ervaring? Wat bedoel je daarmee?' Ze overdreef.

'Ik heb je verteld dat ze bij Seth Berger thuis was, die kee ze bij Wren was weggelopen.'

'Nou en?'

'Ze was in dat huis, alleen met Seth en zijn broer. Zijn ou broer.'

Hij keek haar aan, wetend dat zijn mond open moest ha Maar Mickey kletste onzin. Ze nam dingen aan die gewoon

· konden zijn. Seth deugde niet, zonder enige twijfel. Maar key kende Kayeleigh niet. 'Je denkt toch zeker niet dat ze…' kon de zin niet afmaken. Ze hadden het wel over zijn kleine je. Zijn onschuldige kleine meisje. Hoe kon Mickey zelfs maar e walgelijke dingen denken over haar en die knul?

: hebt haar niet gezien met Seth, Doug. Ze konden niet van ır afblijven.'

ij snoof. Grappig dat Mickey dezelfde woorden gebruikte die 'iet met betrekking tot hen had gebruikt die middag op het ıoftsfeest. 'Hoe bedoel je dat precies?'

eths broer deed open…'

en?'

. Kayeleigh en Seth waren in het souterrain, en ik kon de trap ken… het was donker beneden. Toen ze de trap op kwamen, e er… hoe zal ik het zeggen… *verfomfaaid* uit. Ze stonden daar me, en hij had zijn armen om haar middel en zij leunde tegen aan.' Ze slikte moeizaam. 'Ze voelden zich zo te zien heel erg un gemak bij elkaar.'

, kom nou toch, Mickey.'

u was het haar beurt om hem met open mond aan te staren. ık je dat ik dat loop te verzinnen?'

j deed zijn pet af en sloeg ermee tegen zijn knie. Er stoof wat el op, als rook in het schijnsel van de buitenlamp. 'Nee, dat zeg et. Maar ze is een *kind*. Volgens mij heb je gewoon verkeerd erpreteerd wat je zag.'

· kan je verzekeren dat dat niet het geval is. Zou je dat…' Ze : haar woorden af en boog haar hoofd.

'at?'

· keek op en keek hem met half dichtgeknepen ogen aan. je dat tegen Kayeleigh gezegd hebben, die keer dat ze ons be- : toen we stonden te vrijen in mijn keuken? Dat ze verkeerd preteerde wat ze zag?'

: woorden raakten hem als een vuistslag in zijn maag. Hij te een zucht en schopte naar een roestige spijker op de beton-

nen vloer van de schuur. 'Dat is iets anders.' Maar het beeld
Kayeleigh, die afgelopen voorjaar op de bruiloft rondhing om
knul van Berger, liet hem niet los.

'Dat denk ik niet, Doug.'

'Je denkt toch niet echt dat ze...?'

'Ik weet het niet. Maar ik denk dat je met haar moet prater

Hij balde zijn vuisten en ontspande ze weer. 'Hoe kan ik dat
doen? Ik wil haar niet op vreemde gedachten brengen.'

'O, Doug.' Ze schudde haar hoofd. 'Ik ben bang dat die ged
ten er al zijn.'

Zijn ogen brandden en zijn maag kwam in opstand. 'Je d
toch niet echt dat Kayeleigh *zwanger* zou kunnen zijn?' Hij go
het woord eruit, terwijl zijn stem brak.

'Ik hoop het niet. Ik hoop dat het alleen nieuwsgierigheid
die zoektocht op de computer. Maar je moet met haar praten
het iets anders wordt. Wil je dat ik erbij ben als je met haar p

'Ik wil niet dat je erbij bent als ik met haar praat. Ik wil d
met haar praat,' zei hij met een droog lachje, net zoals zij e
gedaan had.

Ze schudde haar hoofd. 'Ik denk dat het haar weinig kan s
len wat ik te zeggen heb. Maar ik zou je kunnen helpen met.
vrouwendingen.'

'Dank je.' Hij liet zijn schouders hangen, maar hij zou zic
allerliefste op zijn knieën op de betonnen vloer laten zakken. '
je dat we haar wakker moeten maken?'

'We kunnen beter wachten. Laten we het morgenochtend v
doen, goed?'

Hij knikte, terwijl de tranen zijn keel verstopten. Hij ha
dacht dat hij het ergste overleefd had wat het leven hem had
nen aandoen. Maar misschien waren er ergere dingen dan het
liezen van je vrouw en dochter op Thanksgiving Day.

·leigh trok de dekens om zich heen en probeerde de fijne
m terug te halen. Een tweede por dreigde iedere kans om ver-
e dromen te bederven. 'Hou op, Harley,' mompelde ze.
ayeleigh. Opstaan,' fluisterde een stem.
ee. Het was papa. *Ga weg. Ga weg. Bederf mijn droom nou niet.* Ze
mde over Seth, die haar hand vasthield en haar aankeek alsof
aar het mooiste meisje van de wereld vond.
ayeleigh.'
a weg! Te laat.
e droom was weg. Ze kon zich al bijna niet meer herinneren
zich in de zoete wereld van dromenland had afgespeeld.
oe laat was het eigenlijk? Ze tuurde van onder de dekens naar
ekker. Zes uur? Terwijl ze in haar ogen wreef, probeerde ze
duidelijk in beeld te krijgen.
ickey stond naast hem. Hè? Daar werd ze helemaal wakker
Ze kwam overeind en keek hen met wild bonkend hart aan.
is er aan de hand?'
lisschien niets,' zei papa zachtjes. 'Maar we moeten met je pra-

'at heb ik gedaan?'
om naar beneden, dan zullen we praten. En zorg dat je Harley
vakker maakt.'
zwaaide haar benen over de rand van het bed. Wat was er aan
nd?
moet eerst plassen.'
ké.' Papa stond met een hand op de trapleuning, met Mickey
naast hem. 'Maar kom dan meteen naar beneden. En schiet
eetje op. Ik moet het land op.'

'Wat heb ik gedaan?' Ze pijnigde haar hersens en probeer bedenken waarom ze in de nesten zou kunnen zitten. Hij gisteravond gezegd dat ze vandaag waarschijnlijk zouden be nen met oogsten. Er moest echt wel iets aan de hand zijn da haar wakker maakte voordat hij het land op ging. Waarschij iets van Mickey de schoonmaakfanaat. Misschien had ze een s achtergelaten op de bank. Of een kruimel op het aanrecht. Of schien had ze de spullen op haar plank niet in alfabetische volg opgeruimd.

Ze ging naar de wc, waste haar handen, plensde wat koud v in haar gezicht en sjokte naar beneden.

Papa en Mickey zaten naast elkaar aan de keukentafel en k alsof het om heel wat meer ging dan een plukje stof.

Ze ging tegenover hen zitten, zette haar ellebogen op de en haakte haar blote voeten om de stoelpoten. 'Wat is er aa hand?'

'Kayeleigh.' Doug slikte moeizaam en zijn keel voelde aa schuurpapier. 'We moeten – *ik* moet ergens met je over prat ik moet je een paar vragen stellen.'

Haar ogen werden groot, en ze ging een beetje rechterop ten. Hij wilde haar niet bang maken of beschuldigingen uite ervoor zouden zorgen dat ze het gevoel kreeg dat ze niet met zou kunnen praten, maar hij moest zichzelf geruststellen. Wat key gezegd had, dat Kayeleigh mogelijk *intiem* was geweest m knul van Berger kon gewoon niet waar zijn. Terwijl hij hier z en naar zijn dochter keek, met de slaap nog in haar ogen en haar dat alle kanten op stond rond haar engelachtige gezichtje hij dat Mickey het mis moest hebben.

Hij voelde Mickeys aanwezigheid naast zich. Hun stoelen st vlak naast elkaar tegenover Kayeleigh, maar als in een stilzwijg afspraak letten ze er allebei angstvallig op dat hun lichamen e niet raakten. Hij waagde een blik opzij. Mickey verwijdde haar een signaal, wist hij, dat hij de koe bij de horens moest vatten.

ij keek even op de klok boven de koelkast. Hij had hier he-
al geen tijd voor. De oogstploeg die hij ingehuurd had stond
schijnlijk al in de startblokken, en ze zouden op hem moeten
nten als hij niet opschoot. Hij haalde diep adem en keek Kaye-
recht aan. 'Ik was gisteren wat onderdelen aan het bestellen
e computer en toen merkte ik dat er bepaalde sites bezocht
n op internet.' Hij schudde zijn hoofd en fronste zijn wenk-
wen. 'Dingen waar kinderen eigenlijk helemaal niet naar moe-
ijken. Jij weet daar zeker niets vanaf, hè?'
deed haar mond open om iets te zeggen, maar klemde haar
n meteen weer op elkaar. Ze legde haar voorhoofd op tafel,
de hoofdhuid onder haar haren werd rood.
j had zijn antwoord. 'Waarom zocht je die dingen op, lieverd?'
schudde haar hoofd en mompelde iets onverstaanbaars.
ayeleigh. Kijk me eens aan.'
een hele poos tilde ze haar hoofd op. Haar gezicht was vuur-
, haar mond vertrokken tot een boos pruilmondje.
'aarom zocht je die dingen op op internet?' vroeg hij weer.
keek hem kwaad aan en draaide zich toen langzaam om naar
ey. 'Waarom vraagt u het *haar* niet?' Ze wees met haar kin in
eys richting om haar woorden kracht bij te zetten.
j keek Mickey met een vragende blik aan. Ze haalde bijna
rkbaar haar schouders op. Mickey en hij hadden gisteravond
computer de hele zoekgeschiedenis gecontroleerd. Ze had-
erder niets gevonden.
j zei tegen Kayeleigh: 'Wat bedoel je daarmee?'
raag het haar!' schreeuwde ze. 'Zij is degene met wie u zou
en praten. Zij is degene die dat stomme ding had!'
ckey boog zich over de tafel heen. 'Kalmeer een beetje, Kaye-
Vertel ons waar je het over hebt.' Ze legde een hand op Kaye-
onderarm. 'Welk stom ding?'
yeleigh trok haar arm met een ruk weg. Haar ogen waren
ngeknepen tot spleetjes. 'Je hoeft je niet van de domme te
en. Je weet best waar ik het over heb.'

Doug schoof zijn stoel met een ruk naar achteren en greep
arm over de tafel beet. 'Ik wil niet dat je op zo'n toon tegen
key praat, jongedame!'

Met een woeste blik in haar ogen zoog Kayeleigh haar wa
naar binnen en bewoog haar tong. Ze spuugde een straal spe
tussen hen in. Mickey slaakte een gilletje en deinsde achteru
haar stoel, maar er belandde een schuimende klodder spuu
Dougs onderarm, die in de door de zon gebleekte haren op
verweerde huid zakte.

Hij trok zijn arm terug, veegde hem af aan de voorkant var
shirt en hief zijn arm in één soepele beweging hoog in de l
Toen zette hij zich af aan de tafel en gaf Kayeleigh met de ac
kant van zijn hand een klets tegen haar mond.

Ze hapte naar adem en hij voelde scherpe tanden achte
kussentje van haar lip. Hij trok zijn hand geschrokken terug.

'Doug! Hou op!' klonk Mickeys schrille smeekbede naast
terwijl hij toekeek hoe een dun straaltje bloed langzaam langs K
leighs kin omlaag drupte.

Kayeleigh bleef roerloos en met grote ogen staan. Er versch
twee druppels bloed onder haar onderlip, die op dezelfde m
opwelden als zijn eigen boosheid zojuist gedaan had.

'U haat me!' schreeuwde Kayeleigh. 'U *haat* me!'

Hij verstrakte, terwijl er een deken van schuld op hem
daalde. Maar hij wierp hem van zich af, net zoals hij op ee
meravond de dekens van zich afgooide als ze het zich niet ko
veroorloven om de airco aan te zetten.

Ze had er om gevraagd. Brutale aap. Hij greep haar arm en
haar half over de tafel heen. 'Als je dat ooit nog eens waagt..
woorden gingen gepaard met een straal van zijn eigen speekse
likte zijn lippen af en begon opnieuw, met opeengeklemde li
'Als je dat *ooit* nog eens waagt, dan...'

'Wat doet u dan?' De pure doodsangst in haar ogen veran
razendsnel in woede. Ze zoog het bloed van haar lip. Haar ta
werden macaber rood. 'Waarom vermoordt u me niet gew

t wilt u toch?' Maar zodra de woorden over haar lippen waren, le de opstandigheid uit haar ogen en plotseling zag ze er weer als zijn kleine meisje. Zijn schatje.

Haar gezicht stond verdrietig en ze begroef het in de kraag van r pyjamajasje. Kleine druppeltjes bloed sijpelden door de stof op plek waar haar mond zat. Ze liet zich op de stoel vallen, legde r hoofd op de tafel en begon te snikken.

Hij zoog een hap lucht naar binnen, terwijl de wroeging toe- eg met dezelfde kracht als waarmee hij zijn dochter geslagen l. *O, God*... Wat had hij gedaan? Wat mankeerde hem?

Doug?' Er klonk een zweem van afgrijzen in Mickeys stem en wist dat hij voor haar ogen veranderd was in een vreemde. Maar ckey was nu niet zijn eerste zorg. Hij moest het in orde maken t Kayeleigh.

Hij sprong op van zijn stoel en liep om de tafel heen. Hij pro- rde haar op te laten staan, maar ze was zo slap als een vaatdoek. knielde naast haar stoel neer en sloeg een arm om haar heen en haar tegen zijn borst. Ze versmolt niet in zijn omhelzing zoals anders altijd deed, maar liet zich slap tegen hem aan vallen, nog d met haar gezicht verborgen achter de kraag van haar pyjama.

Kayeleigh, het spijt me,' fluisterde hij. 'Dat had ik nooit mogen n. Vergeef me alsjeblieft.' Zijn maag kwam in opstand en hij was g dat hij zou moeten overgeven. Maar hij hield zijn armen om r heen en suste haar zachtjes, alsof ze weer drie jaar was en van r driewielertje gevallen was.

Hij hield haar een hele poos vast, tot ze rustig werd en zich n hem aan vlijde. Hij keek even naar Mickey, die nog altijd enover hen aan tafel zat, met haar hoofd in haar handen. Haar en bewogen zachtjes, alsof ze aan het bidden was.

Uiteindelijk maakte hij Kayeleigh van zich los, nog altijd met hand op haar knie. 'Het spijt me, schat,' zei hij weer. 'Wil je me geven?'

Kayeleigh antwoordde met een kort knikje, maar haar hand ging r haar lip. Ze haalde haar vingers over haar mond en keek toen

of er bloed op zat. Haar lip bloedde niet meer, maar hij was v
dik.

Doug liep naar de keuken om een ijsblokje te halen. Hij w
kelde het in een schone theedoek en gaf die zonder iets te zegg
aan haar.

'Mickey?'

Ze ontmoette zijn blik, met ontsteltenis in haar ogen.

'Het spijt me dat ik mijn zelfbeheersing verloor, Mickey. Dat v
onvergeeflijk.'

Ze keek hem met opeengeklemde lippen aan.

'Wil je me vergeven?'

'Ja,' fluisterde ze, maar door haar trillende stem betwijfelde
of ze wel bereid was om helemaal te vergeven waar ze getuige
was geweest.

Hij kon het haar niet kwalijk nemen. Wat hij gedaan had
schandalig. Maar hij kon de zaak nu niet gewoon laten rusten. '
moeten hier nog steeds over praten,' zei hij, terwijl hij van Mic
naar Kayeleigh keek en terug.

Hij gaf Kayeleigh een klopje op haar knie, omdat hij haar er
wilde verzekeren dat hij zichzelf nu weer onder controle had. M
een blik op Mickey ging hij moeizaam verder. 'Kayeleigh, waar
denk je dat Mickey zou moeten weten waar die zoektocht op
ternet over gaat?' Zonder op haar antwoord te wachten, vroeg
aan Mickey: 'Je weet het toch *echt* niet, hè?'

Ze schudde haar hoofd. 'Nee. Ik weet het echt niet, Kayelei
Ze keek naar Doug en vroeg met haar ogen toestemming.

Hij knikte.

Mickey zei zachtjes: 'Even voor de duidelijkheid, zodat we we
dat we het over hetzelfde hebben: wat je vader en ik gezien h
ben was een zoektocht naar informatie over een zwangersch
test. Ben jij degene die naar die websites gekeken heeft?'

Kayeleigh knikte.

'Was je alleen maar nieuwsgierig, lieverd?' Mickey boog
over de tafel heen en haar stem klonk geruststellend. 'Of was er

ı waarom je iets wilde weten over zwangerschapstesten?'
oug was opgelucht dat Mickey het voortouw nam. Waarom
hij er niet aan gedacht om het op deze manier te vragen?
ey pakte het aan zoals – zoals Kaye het zou hebben aangepakt.
besef maakte hem nederig. Of misschien kon hij beter zeggen
et hem *vernederde*.
: heb er één gevonden... zo'n test,' mompelde ze, terwijl ze
nog altijd weigerde aan te kijken.
ging een golf van opluchting door hem heen. Ze had het niet
zichzelf opgezocht. *Gelukkig.* Maar dat verklaarde nog niet...
'aar? Waar heb je die gevonden?' vroeg Mickey voorzichtig.
ı het vuilnis. In jullie kamer.'
ug keek naar Mickey.
: schudde haar hoofd, en Doug wist zeker dat ze eerlijk was.
ı het afvalbakje in onze badkamer?' Mickey wees naar de gang
aar hun slaapkamer leidde.
yeleigh knikte. 'Krijgt u... krijgt u een baby?' Ze flapte de
rden eruit alsof het hete kolen op haar tong waren.
ickeys ogen werden groot en ze schudde haar hoofd. 'Nee,
leigh. Ik krijg geen baby. Is dat wat je dacht?'
yeleigh hield haar hoofd iets schuin en keek haar aan. 'Waar-
ad u dan zo'n test?'
ug keek naar Kayeleigh. Was de test van geen van beiden? Er
lechts één andere mogelijkheid. Hij liet zich weer op de stoel
en, omdat zijn benen plotseling slap werden. 'Wanneer heb je
precies gevonden?'
yeleigh haalde haar schouders op. 'Toen u ons het huis heel
schoon liet maken, omdat zij,' ze wees met haar hoofd naar
ey, 'klaagde dat het niet schoon genoeg was. Hij moet uit
fvalbakje gevallen zijn. Hij lag in een hoekje achter in het
.'
ckey sloot haar ogen. 'Dan moet hij van...' Ze brak haar zin af,
t ze de waarheid kennelijk op hetzelfde moment vermoedde
j.

De test was van *Kaye* geweest. Kaye moest gedacht hebbe
ze zwanger was. Ze had de test gebruikt en hem daarna we
gooid, maar blijkbaar was hij naast het afvalbakje gevallen en
mand had sindsdien de moeite genomen om het kastje ond
wastafel schoon te maken. Totdat Kayeleigh hem vond.

Was Kaye zwanger geweest? Die gedachte deed hem ver
staan. Was ze van plan geweest, misschien zelfs op de Than
ving Day waarop ze stierf, om hem dat op een speciale man
vertellen? Ze had hem die ochtend geen kus willen geven, o
ze dacht dat ze hetzelfde virus onder de leden had als Rache
ze. Achteraf had hij gedacht dat ze toen misschien al misselijk
geweest van de koolmonoxide, maar nu vroeg hij zich dat af.

'Ik... ik heb hem nog,' zei Kayeleigh. 'De test...'

Doug hield zijn adem in. 'Echt? Waar?'

'Ik zal hem even pakken.'

Mickey en hij knikten tegelijk en Kayeleigh schoof haar
naar achteren en sjokte de trap op.

Doug keek haar na en vond dat ze zich bewoog als een ne
tigjarige. Hij kreeg een brok in zijn keel. Zou zijn lieve do
deze ochtend ooit te boven komen? Zou ze hem ooit ku
vergeven wat hij gedaan had?

Zijn schouders zakten omlaag toen hij besefte dat, ook al z
het hem ooit kunnen vergeven, ze het nooit zou vergeten.
hele leven zou ze zich de dag blijven herinneren waarop haar
haar geslagen had. Haar zo hard geslagen had dat haar mond
bloedde. Hij wilde huilen.

Mickey legde heel even haar hand op zijn arm. 'Doug?'

Hij deed zijn uiterste best om de zwaarmoedige gedachte
zijn hoofd te zetten. 'Hij moet van Kaye zijn geweest. De test

Ze knikte. 'Dat moet haast wel.' Ze wilde nog iets zeggen,
ze hoorden Kayeleigh op de trap, en Mickey schudde haar ho

Kayeleigh kwam terug bij de tafel met een zakdoekje in
hand. Toen ze het openvouwde, zagen ze het bekende Clear
staafje, precies zo een als Kaye talloze keren had gebruikt.

ıyeleigh stak het hem toe. 'Er staat een plustekentje op, papa. betekent toch zwanger?'

ij kon het niet opbrengen om ernaar te kijken. Het lukte hem e knikken. Hij moest zichzelf eraan herinneren om te blijven ıhalen.

/eet u *zeker* dat het niet van u is?' vroeg Kayeleigh aan Mic-

ickey wierp hem een wanhopige blik toe.

ɔug nam een besluit. Ze was bijna dertien. Ze had er recht m de waarheid te kennen. 'Nee, schat. Hij... hij moet van je der zijn geweest.'

daagde begrip in Kayeleighs ogen. 'Was mama...?'

ɔug schudde zijn hoofd. 'Ik weet het niet.' Hij keek naar Mic- n de hoop dat zij hier meer over wist dan hij.

schudde haar hoofd en haalde haar schouders op.

ls mama een baby kreeg, dan heeft ze me dat niet verteld. ullen het misschien nooit weten, lieverd. Ik weet niet of een ekentje nog nauwkeurig is... na zo'n lange tijd. Misschien ent het niets...'

laar stel nu dat mama *wel* in verwachting was?' Haar stem brak een snik.

j slikte de enorme brok in zijn keel weg. 'Dan heb je een klein tje of zusje in de hemel.' *Nog* een zusje in de hemel, dacht

ckey legde een hand op zowel Dougs arm als die van Kaye- . 'Wat vind ik dat erg.'

j bleef als verdoofd zitten, niet in staat zich te bewegen of zelfs te reageren op haar lieve woorden.

dden die onzichtbare, fatale dampen nog meer van hem af- men dan hij wist? Ondanks hun beslissing dat zes kinderen eg was, ondanks de voorzorgsmaatregelen die ze genomen en, was Kaye die dag zwanger geweest van hun zevende Ze had geen woord gezegd. Zelfs niet dat ze het vermoed-

Misschien had Kaye last gehad van zwangerschapsmisselijk
voordat de koolmonoxide haar leven uitgedoofd had. En het
van hun ongeboren kind? Het was te veel om te verwerken.

Wie zou dit kind geweest zijn? Zou dit het broertje zijn gev
waar Landon altijd om gevraagd had? Of nog zo'n schatje als
ley? Of als Rachel? Lieve Rachel...

Daar kon hij zijn gedachten niet heen laten gaan. Niet nu
was te veel.

Hij dwong zichzelf om overeind te komen en trok Kaye
tegen zich aan. Ze liet het toe en sloeg haar armen ook om
heen. 'Ga je nu maar aankleden, goed?'

De tranen liepen over haar wangen. 'Moet ik vandaag na
opvang? Alstublieft, papa. Ik wil nergens heen. Ik wil met nier
hoeven praten.' Er klonk wanhoop door in haar stem.

Hij keek naar Mickey en voelde zichzelf ook wanhopig.

'Weet je wat?' zei ze. 'Ik bel wel even of een van de stud
vandaag voor mij wil invallen. Dan blijf ik thuis met de kind
Het zou fijn zijn als ze eens een keertje kunnen uitslapen.'

Doug knikte, en zijn hart vulde zich met dankbaarheid.
dankt,' zei hij onhoorbaar tegen Mickey.

Maar Kayeleigh zei het hardop, en haar toon was deemoed
oprecht. 'Dank je wel, Mickey.'

ckey zette een bord goulash en wat brood voor Doug neer. Hij
; er uitgeput uit. De tarweoogst was in volle gang en hij was al-
n maar even binnengekomen om een snelle douche te nemen
aan tafel neer te ploffen. De zon ging nu snel onder achter de
ıg aan de westkant van het huis, en op de klok boven de koelkast
s het vijf voor tien. Hij was al vanaf half zes vanochtend bezig,
ɔrnamelijk op het land.

Doordat ze opgegroeid was in Clayburn, had Mickey altijd geten dat de oogsttijd een cruciale tijd van het jaar was, maar ze
l zich nooit gerealiseerd wat een zwaar werk het was om de
gst binnen te halen. Sinds de eerste dag dat de tarwe rijp genoeg
s om te oogsten, was Doug voor zonsopgang de deur uit gegaan
pas thuisgekomen als het donker was.

Wil je ijsthee of cola?'

Hij haalde een hand door zijn nog vochtige haar. 'IJsthee graag.
ıar ik kan het zelf wel pakken.' Hij wilde zijn stoel naar achteren
ıuiven.

Doe niet zo raar. Blijf zitten.' Ze schonk hem een glas in en
cht het naar de tafel, waarna ze terugliep naar de gootsteen.

Liggen de kinderen al in bed?'

Ze knikte.

Ze hadden hem drie dagen lang nauwelijks gezien. Als ze hen
teravond niet even mee het land op had genomen, zou hij ze
teren helemaal niet gezien hebben. Maar zij en de kinderen
ren onderweg naar huis van het kinderdagverblijf even bij de
ckbar langsgegaan om een ijsje te halen en hadden chocolade-
bets voor hem en de ploeg meegenomen.

Hoe gaat het met Kayeleigh?'

Met de vaatdoek in haar hand draaide ze zich om van de go
steen en ging met haar rug tegen het aanrecht staan. 'Het lijkt gc
met haar te gaan. Echt. Ze vroeg naar je.'

Hij keek op en zei met een mond vol goulash: 'Hoe bedoel j

Ze wrong het vaatdoekje uit. 'Toen we thuis kwamen van
opvang, vroeg ze hoe laat je thuis zou zijn. Toen ik tegen haar
dat dat laat zou zijn, vroeg ze me of ik haar morgenochtend w
ker wilde maken voordat je van huis ging.'

'Denk je dat er iets aan de hand is?'

'Dat heb ik haar gevraagd. Ze zei van niet. Ik denk dat ze z
gewoon zorgen om je maakt. Ik weet het niet...' Mickey aarzel
niet wetend of Doug in de juiste stemming was om te praten o
wat er die ochtend gebeurd was. Maar oogsttijd of niet, ze kon
de zaken niet onder het tapijt blijven vegen.

Hij nam een slokje ijsthee en keek op. 'Ga door. Wat wilde
zeggen?'

'Kayeleigh lijkt wel een ander kind sinds alles wat er gebeur
Ze is echt lief voor me.' Haar stem brak en ze kreeg tranen in h
ogen. 'Volgens mij wil ze alleen maar gerustgesteld worden dat a
goed is tussen jullie.'

Doug vertrouwde zijn stem niet, maar hij knikte. Mickey had
lijk. Hij zou ervoor zorgen dat hij Kayeleigh morgenochtend w
ker maakte. Hij hoopte dat haar nieuwe gedrag betekende dat
er goed mee kon omgaan. Ze had veel te verwerken – dat hij h
geslagen had, dat Mickey en hij haar er bijna van beschuldigd h
den dat ze zwanger was. En natuurlijk wat ze ontdekt hadden o
Kaye.

Hij wist nog altijd niet of het waar was of niet. Misschien zou
ze het nooit weten. Maar Mickey en hij hadden op internet
loze aanwijzingen gevonden dat positieve zwangerschapsresulta
maanden en zelfs jaren na de oorspronkelijke test leesbaar bleve
Op de een of andere manier wist hij in zijn hart zeker dat
waar was. Dat Kaye in verwachting was geweest. Haar kenne

e waarschijnlijk al een plannetje bedacht om het hem op een ieuze, romantische manier te vertellen.

ıdanks de lange, drukke dagen van het oogstseizoen had hij als › de maaidorser zat, vele uren de tijd gehad om na te denken ılles wat er gebeurd was. In die momenten had God niet al- :ijn hart aangeraakt, maar hem ook gebroken. Hij wist dat hij ey deelgenoot moest maken van de dingen die hij ontdekt)ingen die niet gemakkelijk voor haar zouden zijn.

ıschien was deze avond het goede moment om daarmee te nen.

at zijn bord leeg en bracht het naar de gootsteen. Mickey ıet van hem aan en zette het in de vaatwasser. Op de een of e manier waren ze bedeesd geworden in hun omgang met , maar hij dwong zich om haar recht aan te kijken. 'Ben je te ɔm wat te praten?'

trok verbaasd haar wenkbrauwen op. 'Nee.'

ıllen we op de veranda gaan zitten?'

›ed.' Ze deed het licht boven het aanrecht uit en liep achter ıan naar de voorkant van het huis.

t was nog warm buiten en de krekels sjirpten een monotoon ı. Een inktblauwe hemel vormde een met sterren bezaaide :l boven hen, en iets in dat eindeloze hemelgewelf bezorgde :en brok in zijn keel. Een poort naar de hemel. Waar Kaye en el nu woonden. Waar de antwoorden op al zijn vragen ver- n lagen.

ging op de bovenste trede van het trapje zitten, met zijn elle- ı op zijn knieën. Mickey ging naast hem zitten, met haar rug de ronde pilaar die het dak van de veranda ondersteunde.

boog afwachtend haar hoofd. Hoe kon hij de dingen die hij n hart had zeggen zonder haar pijn te doen? Hij deed zijn open om iets te zeggen, maar ze stak haar hand op.

›ug, ik moet iets zeggen.'

wachtte, terwijl hij bad dat haar woorden de dingen die hij gen had, niet nog moeilijker zouden maken.

Ze ging een beetje verzitten, zodat ze hem aan kon k
'Toen je vorige keer zo kwaad werd op Kayeleigh, drong h
me door dat je eigenlijk niet echt kwaad was op haar. Je was k
op mij.'

De pijn die op haar gezicht gegrift stond, was bijna mee
hij kon verdragen. Hij praatte zijn gedrag niet goed, maar ko
conclusie ook niet echt weerleggen.

Ze slikte moeizaam en vervolgde: 'Ik weet niet hoe het ko
we... dat jij en ik kwijt zijn geraakt wat er eerst tussen ons v
weet niet waarom het ons niet gelukt is om,' haar stem bra
dat weer terug te krijgen. Ik dacht dat ik ondanks dat een st
bij kon dragen voor de kinderen, niet voor jou. Maar als d
deze woede het gevolg is van mijn aanwezigheid in je leve
kan ik niet blijven.'

'Nee, Mickey. Alsjeblieft. Het is niet jouw schuld. Wat ik g
heb – dat is niet jouw schuld. Denk dat alsjeblieft nooit.'

'Wat moet ik dan denken? Ik zag in Kayeleighs ogen dat
nog nooit zo had meegemaakt. Niet voordat ik op het tonee
scheen.'

'Maar ik kan het jou niet verwijten, Mickey. Het komt..
ik Kaye verloor, toen ik Rachel verloor, raakte ik mezelf kw
had me meer dan ooit tot God moeten wenden, en ik dacht
dat ook deed. Maar... ik heb de afgelopen dagen veel gebed
besef nu dat ik in veel opzichten God de rug toekeerde.'

Mickey knikte, alsof ze dat al heel lang wist.

'Sinds we dit ontdekt hebben, van Kaye, van de baby..
boog zijn hoofd. 'Ik weet het niet... ik heb het gevoel dat ik
helemaal opnieuw met het rouwproces begonnen ben.'

'En ik vraag me af of je eigenlijk wel echt gerouwd hebt.
je had moeten doen. Ik denk dat ik in de weg sta, Doug. H
te snel. Dat had ik me moeten realiseren. En dat deed ik oo
geloof ik. Ik wilde het alleen niet toegeven. Niet tegenover j
niet tegenover mezelf.'

Hij knikte. Ze had waarschijnlijk gelijk. Sterker nog, haar

klonken bekend. Misschien had ze het wel met zo veel woor- gezegd toen ze verkering hadden. Of misschien kwamen ens woorden – en die van Harriet, en van wie weet nog meer ı in beeld. Hij had moeten luisteren. 'Ik had zo'n verdriet, zo'n otionele pijn, toen ik Kaye en Rachel net verloren had. Volgens heb ik mezelf niet toegestaan te diep na te denken of zelfs g te denken aan wat ik gehad had. Hoe gezegend ik was. Het d te veel pijn. Dat was niet gezond. Hoe hartverscheurend het was, ik had me door de pijn heen moeten worstelen. In plaats van...'

Hij keek naar zijn werkschoenen, terwijl hij de juiste woorden oeerde te vinden. 'In plaats daarvan greep ik naar jou. En een e voelde ik me gelukkig. Jij hielp me vergeten hoeveel pijn ik . Ik wilde gewoon iets, wat dan ook, dat de pijn weg zou ne- n. Jij deed dat voor me.'

Ze keek hem aan met zo veel hoop in haar ogen. Maar hij kon nog een keer tegen haar liegen. Dat had hij al te vaak gedaan. ckey, het spijt me. Ik besefte niet eens wat ik deed, maar ik heb ebruikt. Je was bijna als een drug voor me. Ik wilde alleen maar de pijn weg zou gaan. Ik wilde zo dolgraag weer gelukkig zijn. een tijdje zorgde jij ervoor dat ik me gelukkig voelde. Maar ik bang dat ik geluk heb aangezien voor liefde. Het spijt me zo.'

En nu... is het te laat?'

Hij vreesde het sprankje hoop dat hij in haar ogen zag. Wat hij zou doen, hij kon dat niet aanwakkeren. Omdat hij niet wist hij moest zeggen, knikte hij alleen maar.

Ze frunnikte aan de gerafelde zoom van haar T-shirt. 'Konden maar opnieuw beginnen. Was er maar een manier om de klok g te draaien... Maar als dat zou kunnen, dan zou je hem na- lijk terugdraaien naar...' Haar stem daalde tot een fluistering. ar Kaye.'

Hij kon het niet ontkennen. Maar hij kon de pijn op het gezicht deze mooie vrouw ook niet aanzien. Hij keek een andere kant

Wat had hij gedaan? *Wat had hij gedaan?*

Haar onderlip trilde. 'Wil je dat ik wegga?'

'Nee! O, Mickey, nee.' Hij had nooit gedacht dat ze hem verlaten. Zelfs toen hij haar de waarheid vertelde – dat hij niet haar hield zoals hij van haar zou moeten houden, niet van haar houden zolang hij nog zo vreselijk veel van Kaye hield – ha nooit verwacht dat ze hem zou kunnen verlaten.

'Doug, ik weet nu dat je nooit van me gehouden hebt, nie die manier. Niet op de manier waar ik behoefte aan heb. Hoe pijn dat ook doet, dat begrijp ik. Echt. Maar hoe kan ik blijven ik dat weet?'

'Ik weet het niet.' Hij schudde als verdoofd zijn hoofd.

'Als ik wegga...' Ze begon te huilen en sloeg haar handen haar gezicht. 'Hoe moet het dan met de kinderen? Ik hou *ook* hen...' Terwijl ze huilde, slaakte ze een kreetje, en hij realise zich dat ze met dat kleine woordje van drie letters had toegege dat ze nog steeds van hem hield.

Haar schouders schokten en hij wilde haar tegen zich aan t ken om haar te troosten. Maar hoe kon hij dat doen? Als hij aanraakte, zou dat alles tenietdoen wat hij te zeggen had. 'Ik niet dat je weggaat, Mickey. Ik weet niet of mijn kinderen het ooit zouden vergeven als ik jou weg zou sturen. Ze houden je.'

Met alles wat in hem was zou hij willen dat hij verder kon g dat hij simpelweg zou kunnen zeggen: *En ik ook*. Maar dat kon niet. De verwarring wervelde om hem heen als de dwarrelwin in de Smoky Hill tijdens de voorjaarsdooi.

Uiteindelijk haalde hij diep adem. 'Mickey, ik heb je niets te den. Niets. Ik ben een ellendige, gebroken man en ik heb je n pijn gedaan dan welke vrouw dan ook verdient, laat staan geweldige vrouw als jij. Maar... ik vraag je om te blijven. Voo kinderen. Ze hebben je nodig.'

Ze zat met haar hoofd gebogen, en hij wist niet of ze boos of gekwetst, of alleen maar verdoofd... zoals hij.

k beloof je dat ik goed voor je zal zijn, Mickey. Ik zal nooit,
it meer een van de kinderen slaan, of jou. Ik ben niet rijk, maar
ılt nooit iets tekortkomen als het in mijn vermogen ligt om het
geven. Maar… vooralsnog kan ik je… geen liefde aanbieden.
t de liefde waar jij naar verlangt. Die jij verwacht.'
Vat voor keus heb ik, Doug?' Er sloop bitterheid in haar stem.
ıeb mijn huis verhuurd. Ik kan niet naar mijn broers. Ik kan me
ı andere woonruimte veroorloven. Ik moet wel blijven.'
ij probeerde te ademen, ondanks het loodzware gewicht op
borst. 'Als je me haat, dan kan ik je dat niet kwalijk nemen. Wat
aangedaan heb – het lastige parket waarin ik je gebracht heb
t is laakbaar. Maar ik vraag je om te blijven. Ik smeek je om te
en.'
k haat je niet, Doug. Wat we gedaan hebben – je hebt me niet
vongen om ja te zeggen. Maar als ik blijf, kan ik niet meer in
elfde bed slapen.'
aar woorden deden hem schrikken. 'Nee. Natuurlijk niet. Ik…
l in Landons kamer gaan slapen. Jij kunt onze – de ouderslaap-
er houden. En de badkamer.'
Vat ga je tegen de kinderen zeggen?'
)at weet ik niet. We verzinnen wel iets.'
j verzint wel iets.'
Iet spijt me. Natuurlijk.' Hij waagde het om een hand op haar
te leggen. 'Mickey, het enige wat ik kan hopen is dat je me
zult vergeven. En dat ik misschien…' Hij had op het punt ge-
haar hoop te bieden dat zijn wonden misschien ooit zouden
zen, en dat hij haar misschien een deel van zichzelf, een deel
zijn hart zou kunnen geven.
ij haalde zijn schouders op en liet zijn woorden wegsterven.
ıad haar al te veel loze beloften gedaan. Hij beloofde zichzelf
ıtig dat hij haar vanaf nu niets minder – en niets meer – dan
ıdelijkheid zou bieden.
ı de waarheid.

Doug trok het laatste vel papier uit de enorme Heidelberg
en schakelde hem uit. Het gebrul van de pers liep terug tot
gebrom en verstomde toen helemaal. Aan het plafond gonsde
tl-buis die zijn beste tijd gehad had. Trevor zat nog in zijn kan
te werken. Door de open deur zag Doug hem achter de comp
zitten, maar de cd-speler, waar meestal harde klassieke muziek
schalde, was stil.

Hij knoopte zijn vuile schort los en hing het bij de achter
Hij pakte een exemplaar van de laatste editie van de *Courier*
mee te nemen voor Mickey, pakte zijn lunchtas, deed het lich
en opende de achterdeur, waar de augustushitte hem in het ge
sloeg.

'Doug?'

Toen hij zich omdraaide, zag hij Trevor in de deuropening tu
zijn kantoor en de persruimte staan.

'Hoi, Trevor.' Hij deed de deur weer dicht en zette zijn s
len op zijn bureau, naast een wankele stapel schoolkalenders
scholen begonnen al over een paar weken, en het districtsbes
had de bestelling voor de kalender laat geplaatst. 'Ik was net aan
afsluiten. Is er iets?'

'Ik wil even met je praten... als je tijd hebt.' Trevor wreef in
handen en keek naar de grond, ogenschijnlijk onwillig om ve
te praten.

Heel even schoot de angst door Doug heen dat zijn baas –
vriend – hem zou gaan ontslaan. De zaken liepen niet zo
maar dat was niet zo ongewoon voor deze tijd van het jaar. Al
schooljaar eenmaal begonnen was, zou dat gauw weer aantrek

Maar toen Trevor opkeek, had hij een vreemd lachje op

ıt. 'We hebben net ontdekt dat er een tweede op komst is.'
kerel, dat is fantastisch!' Doug overbrugde de afstand tussen
ı schudde Trevor de hand. Hij was echt blij voor hem. 'Gefe-
rd, man.'
bedankt. Ik... we hadden er niet echt op gerekend dat er al
l een tweede zou komen.'
ıg schoot in de lach. 'Nou, je begrijpt dat ik weet hoe dat
Hij wachtte tot Trevor zou meelachen.
ır de uitdrukking op het gezicht van zijn vriend werd ern-
llemensen, we kunnen Jenna al amper aan. Ik kan me niet
ıeren wanneer we voor het laatst een hele nacht doorgesla-
ebben. Ik dacht dat baby's altijd sliepen.'
ıg hield zijn lachen in, maar besloot toen dat hij er misschien
het beste een beetje luchtig op kon reageren. 'Ze gaan pas
lapen als ze een jaar of tien zijn. Precies op het moment dat
eindelijk goed zouden kunnen helpen.'
vor schudde zijn hoofd en floot. 'Ik snap niet hoe jij het

eeft bij de dag.' Hij gaf Trevor een stomp tegen zijn arm. 'Eén
egelijk.'
s het zo gemakkelijk als jij het doet voorkomen toen jouw
en klein waren? Gisteravond zaten Meg en ik te rekenen –
edikantjes, twee wandelwagens, twee kinderstoelen, twee...'
je een tweeling krijgt, zoals Kaye en ik, worden het er

vors ogen werden groot. 'Je wordt bedankt.'
ben gewoon reëel.' Doug lachte.
e keer lachte Trevor mee. 'Dus volgens jou overleven we het

ıg legde een hand op Trevors schouder. 'Jullie zullen het niet
overleven, jullie zullen ervan genieten. Die eerste baby is
lig, maar die is nog maar oefenstof. Als er meer bij komen,
je je pas echt een gezin voelen.'
eens even!' Trevor stak een hand op en deed een stap naar

achteren. 'Wij vinden twee een heel mooi aantal. Twee.'
'Twee is leuk,' zei Doug met een stalen gezicht. 'Zes is bete
dacht aan Rachel, en de herinneringen welden in hem op
hart liep over van liefde en trots.
'Laat Meg dat maar niet horen.'
Doug schoot in de lach, maar werd toen weer serieus. 'Wa
om gaat, Trevor, is dat je het samen doet. Ik had het niet
kunnen doen... maar ja, ik denk dat Kaye het ook niet allee
kund had. God wist wat Hij deed toen Hij het gezin bedach
'Daar heb je gelijk in, dat weet ik. Maar die zes kinderen
ben ik niet zo zeker van.'
'Ik zou me nu echt geen raad weten zonder Mickey. Na
Kaye verloren had...' Hij schudde zijn hoofd. Ondanks alle f
die hij met Mickey gemaakt had, zou hij eerlijk gezegd niet
hoe hij het ooit zonder haar had kunnen redden. Het zou vo
kinderen beslist allemaal veel moeilijker zijn geweest zonde
zachte hand in hun leven.
'Hoe gaat het met jullie? Ik weet dat het een tijdje moe
geweest...'
'Dat is het soms nog steeds. Meestal, denk ik. Meer voo
dan voor mij waarschijnlijk.'
'Nou, ik bid voor jullie.'
'Mickey heeft je gebed het hardst nodig. Ik snap eerlijk g
niet hoe ze het al die tijd met me uitgehouden heeft. Ma
heeft ze wel. En ze verdient een lintje.'
'Ik betwijfel of ze vindt dat ze aan het kortste eind getr
heeft.'
'O, dat weet ze wel. Ze is een heel intelligente vrouw.' H
een wenkbrauw op en grijnsde. Toen voelde hij zich onmid
schuldig dat hij er een grapje van gemaakt had.
'Je klinkt niet alsof je een geintje maakt.' Trevors stem
bezorgd.
Hij zuchtte. 'Dat doe ik ook niet, Trevor. Ik heb Micke
afgenomen. Niet bewust, maar ik dacht er niet bij na. Of

vel deed, dan dacht ik maar aan één persoon. En dat was niet key.'

.eer en meer werd hij zich ervan bewust hoeveel Mickey opferd had voor hem. Ze had het hem nooit voor de voeten gepen en hem nooit herinnerd aan alle dromen die ze opgegeven Dromen die nooit vervuld zouden worden – die grote bruimet de witte jurk. Eigen kinderen. Zelfs de spanning van een verkeringstijd en tijd om te genieten van hun verloving. Al lingen waren haar ontzegd omdat hij zichzelf had wijsgemaakt ij zijn pijn zou wegnemen.

n dat had ze ook gedaan. Het was fijn om haar lach te horen jn huis. Ook al was hij niet degene die daarvoor zorgde. Voor kinderen was hij blij dat Mickey deel uitmaakte van hun leven. r ze verdiende beter.

Iaar jullie werken eraan?'

ij wilde dat hij de hoop in Trevors stem kon honoreren, maar on hem niet recht aankijken. 'Laten we het erop houden dat r het beste van maken.'

hebt een hoop meegemaakt. Ik weet waar je het over hebt, .'

at weet ik.'

Iisschien… misschien had ik er meer voor je moeten zijn.'

hoefde niets te zeggen. Dat ik zag dat jij doorging met ademn en leven heeft me door die eerste dagen heen geholpen.'

Iaar het trekt een wissel op een huwelijk. Zelfs na al die jaren,' or vermande zich, 'dat Amy en Trev overleden zijn, heeft Meg steeds te stellen met de nasleep ervan.'

oug schudde zijn hoofd. Hij wist wat Trevor bedoelde en vond verschrikkelijk dat dat ook voor Mickey gold.

eb je met Phil gepraat?'

ominee Phil?'

evor knikte.

oe bedoel je?'

ij is een goede counselor, Doug. Als je nog met niemand an-

ders gepraat hebt, dan kan ik je hem in ieder geval aanraden
heeft me geholpen om mijn hoofd boven water te houden.'

'Vandaar dat je soms een kop als een boei hebt.'

Nu was het Trevors beurt om te lachen. Maar hij werd al weer serieus. 'Meg was een geschenk dat ik nooit verwacht Ja, ik heb het vreselijk moeilijk gehad en het heeft me heel moeite gekost om weer terug te komen tot waar ik nu ben. M dat ik Meg in mijn leven heb...'

Doug zei met een knipoog: 'En nu twee baby's om je het l zuur te maken...'

Er verscheen een verraste blik op Trevors gezicht. 'Ik denk het een zegen is, hè?'

'Meer dan je ooit zult beseffen.'

Tien minuten later reed Doug weg van de parkeerplaats a de drukkerij. Maar in plaats van naar huis, sloeg hij de weg naa huis van Phil Grady in.

hete augustuszon brandde op Mickeys hoofd toen ze op de
veranda stond te wachten. Het voelde vreemd om aan te
pen aan de deur van haar eigen huis. Terwijl ze de herinne-
en die naar boven kwamen opzijschoof – hoe trots ze erop
geweest dat ze de eigenaar was van dit huisje in Clayburn, de
kkige uren die ze in de tuin had doorgebracht – luisterde ze
al voetstappen hoorde. Al gauw hoorde ze die en toen ging
eur open en verscheen het vriendelijke gezicht van Jennifer
rill achter het horgaas.

e zus van Meg Ashlock had dezelfde innemende manier van
en hetzelfde accent van de Oostkust in haar stem als Meg.
n binnen, kom binnen. Let niet op de rommel. Geloof het of
maar we zijn nog *steeds* niet klaar met verhuizen.'

ickey wuifde haar verontschuldiging weg. 'Zit er maar niet over
n het spijt me dat ik je moet storen. Ik hoop dat je het niet erg
t dat ik wat uit de tuin meepik voordat alles uitgebloeid is.'

bent meer dan welkom.' Met een glimlach hield Jennifer de
wijd open. 'Het is tenslotte *jouw* tuin.'

en ze naar binnen liep, voelde Mickey zich een beetje als
in Wonderland. Ook al had ze hier drie maanden geleden
gewoond, het huis leek kleiner dan ze zich herinnerde. En
niet zo bijzonder. Ze voelde zich vreemd gedesoriënteerd. Ze
verwacht dat ze overvallen zou worden door spijt en verlangen
de dingen die ze opgegeven had door te trouwen met Doug
ore. Maar... die gevoelens bleven uit.

nminste, totdat Jennifer voor haar uit liep door het huis en ze
de schuifdeur haar tuin in stapte.

et gazon was keurig gemaaid en het terras geveegd, maar het

was duidelijk dat haar huurders geen groene vingers hadden
struiken waren te groot geworden en van de laatste zomerblo
moesten hoognodig de uitgebloeide bloemen verwijderd wo
Er stond onkruid in de bloembedden en de grond moest be
worden.

Mickey probeerde het jonge stel niet te hard te vallen. Ze wo
den hier nog maar een paar weken, hadden allebei net een nie
baan in Salina en moesten hun draai nog zien te vinden in het
en in de gemeenschap.

Toch deed het haar pijn om te zien dat de tuin die ze drie
met zo veel liefde had verzorgd nu vol onkruid stond. Het
ontnuchterend hoe snel de planten er kaal en onverzorgd uit
ren gaan zien. Zonder de voortdurende, bijna dagelijkse aand
die zij ze gegeven had toen ze hier woonde, was de tuin in k
tijd veranderd in een woekerende wirwar van onkruid.

Ook al waren het huis en de tuin in wezen nog steeds van
nu ze hier niet meer woonde, was het moeilijk om er dez
liefde voor op te brengen. Haar leven draaide nu om Doug e
kinderen.

Misschien dacht Doug ook zo over haar. Formeel was ze
vrouw, maar de liefde die hij ooit voor haar gehad had, was
flauwd en ze vroeg zich wanhopig af of hij ooit nog de liefd
echtgenoot voor haar zou voelen. Als hij die al ooit gehad ha

Sinds hij zijn intrek had genomen in Landons kamer, gi
ze als beleefde vreemden met elkaar om. Soms dacht ze dat z
voorkeur zou geven aan de ruzies die ze eerst hadden. Toen ha
tenminste nog een soort relatie met hem.

Maar zoals hij beloofd had, behandelde hij haar vriendelij
hoewel ze zich soms bezorgd afvroeg of hij aan een depressie
had ze hem nooit meer zijn zelfbeheersing zien verliezen, zoa
keer met Kayeleigh.

Ze was blij dat hij nu twee keer per maand met Phil Grady
praten. Doug praatte nooit met haar over die counsellings
met dominee Grady – hij praatte trouwens bijna nergens met

– maar de laatste tijd leek hij in een goed humeur en met
.e in zijn hart thuis te komen van die gesprekken.
et enige wat ze nu kon hopen was dat ze weer vrienden zou-
kunnen worden. Ze leerde geduld te hebben zoals ze dat nog
ıt eerder gekend had.
let een zucht liep ze om het huis heen en haalde een aantal
mpotten en kistjes uit de achterbak van haar auto.
e volgende twee uur groef ze een paar van haar lievelingsplan-
en -bloemen uit om mee te nemen naar Dougs huis. Ze had
erbij neergelegd dat ze bij hem zou blijven. Voor de kinderen.
ıls dat haar leven zou zijn, dan moest ze iets vinden waar ze
ier aan kon beleven. Naast de kinderen, natuurlijk.
e had besloten een nieuwe bloementuin aan te leggen achter
oerderij – op kleinere schaal vooralsnog. Ze konden het zich
echt veroorloven om allemaal nieuwe planten te kopen, dus
laag groef ze anjers en prachtkaarsen en floxen uit en vulde
en met verscheidene varianten van de sedums die het geweldig
n in de rotstuin die ze langs de schutting had aangelegd.
et was niet de beste tijd van het jaar om te verplanten, maar ze
planten verzamelen en in de achterbak en op de achterbank
ıaar auto zetten tot ze de klep nauwelijks meer dicht kon krij-
Ze had het hele weekend de tijd om ze in de grond te krijgen.
ook maar een paar planten het overleefden, zou ze al tevreden
Zelfs hier, in haar beschermde tuin, had het verschillende po-
en gekost om het perfecte plekje voor sommige exemplaren te
en. Maar als ze de kans kregen, sloegen ze hun wortels diep uit
Coyote Countyklei. Zodra ze goed aangeslagen waren, kon
een prairiebrand hen niet uitroeien. Sterker nog, soms leken
lfs te gedijen in tijden van tegenspoed.
oen ze op de oprit stopte, was het bijna etenstijd. Ze toeterde
apte uit om de achterbak open te doen.
kinderen kwamen naar buiten rennen en kwetterden erop
Wat heb je meegebracht, Mickey? Hoe kom je zo vies? Wat
we vanavond?'

‘Kom eens hier, jongens.’ Om beurten vulde ze hun armpjes
potten. ‘Zet alles maar in de achtertuin bij de schuur. We gaa
morgen planten.’

Landon en Kayeleigh mopperden, maar niet al te erg, me
ze. De tuin zou geweldig zijn voor de kinderen. Het was iets
ze samen konden doen, en als ze volgend voorjaar wat groe
zouden telen, zouden ze ook wat minder geld kwijt zijn aan bo
schappen.

Maar de bloemen waren eerst aan de beurt. Haar vingers j
ten bij de gedachte. Ze had zich niet gerealiseerd hoezeer ze
tuin gemist had.

Ze glimlachte bij het beeld van Harley die tussen rijen gro
plantjes door zou waggelen en rilde toen bij de gedachte da
kleine ondeugd alle bloemknopjes zou plukken voordat ook
iets de kans kreeg om te gaan bloeien. O, maar zou Harley het
prachtig vinden om met een schepje in de aarde te graven?
zouden ze allemaal geweldig vinden.

Haar hart zwol van trots bij de gedachte aan haar kind
Doug en zij mochten dan van elkaar vervreemd zijn, zijn kind
hadden haar hart weten te winnen tot ze onlosmakelijk met
verbonden waren.

Het boterde nog niet altijd tussen haar en Kayeleigh, ma
had het gevoel dat zelfs Kaye af en toe in de clinch zou he
gelegen met haar koppige oudste dochter.

Haar kinderen. Mickey was zich echt een moeder
Dougs kinderen gaan voelen. En daardoor, en door haar wer
het kinderdagverblijf, had ze het gevoel dat God haar een
had gegeven in het leven. Niet op de manier waarvan ze altijd
gedroomd. Maar ze was langzaam maar zeker gaan acceptere
ze misschien nooit zou begrijpen waarom het allemaal zo gel
was. Het was geen slecht leven. En meestal voelde ze zich
gelukkig.

Verlangde ze er dan niet naar dat Doug meer dan alleen in
een man voor haar zou zijn? Iedere nacht. Dan lag ze in be

ıngde ze naar zijn armen om haar heen, zijn lieve woordjes in oor. Ze hoopte dat God het niet beu werd dat ze bleef bidden Ɔoug zou leren om van haar te houden. En dat ze misschien meer zouden kunnen hebben dan de beleefde vriendschap die ı hadden.

Vaar wil je die lege potten laten, Mickey?' Landon stond voor met een stapel aardewerken potten in zijn armen. Als hij zo bleef doorgroeien, zou hij over een jaar net zo lang zijn als

oorzichtig daarmee, vriend. Die zijn breekbaar.'

oms moest ze sombere gedachten over de toekomst de kop inken. De tweeling zou dit jaar voor het eerst naar school gaan ver een jaar zou Kayeleigh naar de bovenbouw gaan. De tijd g en het was een beetje angstaanjagend om te denken aan de lat de kinderen haar niet meer nodig zouden hebben. Als ze reden meer had om te blijven.

o, hé.' Dougs stem onderbrak haar gedachten. Hij stond met handen in zijn zij te kijken naar de uitpuilende achterbak. ırom heb je de pick-up niet genomen? Dan had je meteen de tuin mee naar huis kunnen nemen.'

ılgens haar verbeeldde ze zich de pretlichtjes in zijn ogen niet. r ze durfde bijna niet te reageren, bang om de betovering te reken en die behoedzame droefheid weer terug te zien keren in ogen.

et ingehouden adem besloot ze het erop te wagen. Ze knikte een effen gezicht. 'Ik heb gezegd dat ik morgen terugkom de rest.'

ij bleef abrupt staan, alsof hij haar werkelijk geloofde. Maar ze haar gezicht niet in de plooi houden en een fractie van een nde later moest hij om zichzelf lachen.

rwijl hij een kistje bloemen uit de achterbak tilde, gaf hij haar n het hoofd van de tweeling een knipoog. 'Dat was een goeie, ..'

n verrukkelijk ogenblik lang durfde ze weer te hopen.

De bladeren aan de bomen aan de voet van de Smoky Hill w
aan het verkleuren, heldere plekjes karmozijnrood en diepo
je tegen een lappendeken van tarwestoppels, vette, omgeplo
aarde en velden vol maïs die rijp was voor de oogst. Een mo
herfst dan Doug zich kon herinneren, maar toch voelde hij
met de dag verder wegzinken in een poel van wanhoop.

Het was nu bijna een jaar geleden. Op Thanksgiving Day
het een jaar geleden zijn dat hij Kaye en Rachel verloren ha
het leek wel dat, hoe dichter die dag naderde, hoe meer hij bi
rampzalige gebeurtenis stilstond.

Hij had hier uitgebreid over gesproken met Phil Grady. I
weken sinds hij met die gesprekken begonnen was, was zijn d
nee een vriend geworden. 'Gedenkdagen zijn moeilijk,' had
vorige week gezegd. 'Maar bekijk het eens zo: iedere dag bren
een beetje dichter bij het moment dat de gedenkdag *voorbij* i
je weer een horde genomen hebt.'

Het was waarschijnlijk een goed advies, maar op de een o
dere manier kon hij het gevoel niet van zich afschudden dat e
vreselijks stond te gebeuren. Hoewel hij niet zou weten hoe
Thanksgiving nog afschuwelijker zou kunnen worden dan d
rige.

Telkens weer, alleen in zijn wagen of op de tractor, en ti
zijn gebedstijd met Phil, had hij God gevraagd die onlogische
weg te nemen. Maar soms leek het wel dat, hoe harder hij bad
groter zijn angst werd.

De gesprekken met zijn dominee hadden er voor het gro
deel uit bestaan dat hij Doug liet praten over wat er gebeurd
dat hij hem zijn huwelijk opnieuw liet beleven, hem liet

: hij spijt van had. Maar deze middag had Phil hem overrom- door het over een andere boeg te gooien. Hij had zijn Bijbel ıgeslagen bij het boek Filippenzen en hem strak aangekeken, ler een blad voor de mond te nemen. 'Je hebt een lange perio- an rouw achter de rug, Doug, en dat was nodig en begrijpelijk. r volgens mij ben je op een punt aanbeland waarop het een chts effect gaat krijgen om je zo te blijven fixeren op je rouw, zozeer te blijven stilstaan bij wat je verloren hebt.'

ıil las een Bijbelgedeelte voor. Het ging erover dat je niet al- aan je eigen belangen moest denken, maar ook aan die van ren. 'Ik denk,' zei hij tegen Doug, 'dat het tijd wordt dat je je ust gaat afwenden van op jezelf gerichte gedachten. Het wordt om te gaan werken aan een dienstbaar hart.'

rst had Doug zich in de verdediging voelen schieten. Was dat juist de reden geweest dat hij naar Phil gekomen was – om- iij de behoeften van alle anderen voor had laten gaan en niet jd had genomen om fatsoenlijk te rouwen? De kinderen, de derij, zijn baan, Harriet, en toen Mickey – ze hadden hem ıaal afgehouden van het zware proces van rouw dat hij had ten doorlopen.

ɔen besefte hij dat het niet waar was wat hij dacht. In zijn ıoop om zijn verdriet te ontlopen, had hij zichzelf toegestaan zich door al die dingen te laten afleiden. Maar de afgelopen ıden had hij eigenlijk alleen maar aan zichzelf gedacht.

en las Phil het einde van het gedeelte: 'Laat onder u de ge- ıeid heersen die Christus Jezus had... Hij hield zijn gelijkheid God niet vast, maar deed er afstand van. Hij nam de gestalte ran een slaaf... en heeft zich vernederd en werd gehoorzaam ı de dood – de dood aan het kruis.'

ɔug had de woorden in zich opgezogen alsof hij een uitge- gde spons was. En op dat moment gebeurde er iets in hem, iets ıij nog steeds probeerde te verwerken.

ıil had opgekeken van zijn versleten Bijbel. 'Ik ga je een acht meegeven, Doug. Ik wil dat je deze week bewust pro-

beert om je te richten op andere mensen, om te zien waa
misschien pijn hebben, waar ze hulp zouden kunnen gebrui
Iedere keer dat je jezelf erop betrapt dat je weer aan die ster
gaat denken, aan Kaye en Rachel, wil ik dat je jezelf een halt
roept en een manier zoekt – hoe klein ook – om iemand an
te dienen.'

Maar nu, nog geen kwartier na zijn sessie met Phil, zat hi
weer met zijn gedachten bij de datum van die gedenkdag, bij
angst.

Hij zette zijn auto in de garage, vastbesloten om Phils opdr
serieus te nemen. Misschien zou een van zijn kinderen hulp n
hebben bij zijn huiswerk. Dat deed Mickey meestal, aangezie
vaak pas thuis was als de kinderen al naar bed moesten.

Mickey. Als hij er te veel over nadacht, zou hij verteerd wo
door schuld over wat hij haar aangedaan had.

Hij hing zijn jas in de bijkeuken, aan de haak onder zijn n
'Ik ben thuis,' kondigde hij aan, terwijl hij de keuken in stapte

'Papa! Papa is thuis!' De tweeling en Harley verdrongen
om als eerste een knuffel te krijgen. Landon kreeg de laatste
liever een stomp tegen zijn schouder. Doug kwam graag aan al
wensen tegemoet. Hij werd de manier waarop zijn kinderen
verwelkomden nooit zat.

'Waar is Kayeleigh?'

Mickey stond bij de gootsteen een braadpan schoon te sch
ben. 'Ze logeert een nachtje bij Rudi. Dat is toch wel goed, h
ik?'

Hij knikte. 'Ja, hoor.'

'Je bent vroeg,' zei ze. 'Het duurt nog even voor het eten
is.'

'Dat geeft niet.'

'Wil je iets drinken?'

'Ik pak het zelf wel.' Hij liep naar de koelkast en pakte er een
ijsthee uit.

'Daar zit nog geen suiker in.'

)at doe ik wel.' Hij haalde de suikerpot uit de kast en deed een
scheppen suiker in zijn glas. Mickey hield niet van suiker in
thee.

arah,' zei Mickey, 'willen jij en Sadie even komen afdrogen? Ik
t de kip uit de oven halen. Heb je trek in sla, Doug?'

lij schudde zijn hoofd. 'Vanavond niet, dank je.' Als ze al wrok
sterde over het leven waarin hij haar verstrikt had, dan liet ze
nooit merken. Ze hadden een ongedwongen levenspatroon
vikkeld, door alleen over de kinderen of het huishouden te
en. Door in veel opzichten hun eigen leven te leiden.

rie zondagen per maand gingen ze samen naar de Commu-
Christian Church en iedere eerste zondag van de maand ging
key in Salina eten bij haar broer. Ze was er al een hele poos ge-
n mee opgehouden om hem te vragen met haar mee te gaan.
wist niet wat ze tegen haar broers gezegd had en zij begon er
over.

ls er een schoolactiviteit van een van de kinderen was, ging hij
leef zij met de anderen thuis. Ze gingen zelden ergens samen
toe, en als ze dat wel deden, dienden de kinderen als buffer. Hij
niet wat er over hen, over hun huwelijk gezegd werd, maar hij
het zich wel voorstellen. Hij maakte zich er al heel lang niet
meer om.

laar soms, zoals nu, nu hij Mickey bij het aanrecht zag lachen
de meisjes, herinnerde hij zich die eerste dagen toen hij dacht
hij verliefd op haar werd. Toen ze ieder weekend met de kin-
n gingen bowlen of naar de film gingen, of op haar veranda
n te praten.

p een vreemde manier verlangde hij terug naar die tijd. Onder
ere omstandigheden natuurlijk, maar soms merkte hij dat hij
er fantaseerde dat hij Mickey nog maar net ontmoet had. Hoe
ers had het kunnen zijn als hij zichzelf de kans had gegeven om
Kaye te rouwen voordat hij weer zo overhaast in het huwe-
bootje sprong. Phil had tegen hem gezegd: 'In zekere zin was
een compliment voor Kaye dat je weer zo snel wilde trouwen.

Kaye had ervoor gezorgd dat je een positieve kijk op het huw
had.'

Hij begreep wat Phil bedoelde, maar het veranderde niets
het feit dat hij een vreselijke vergissing had begaan. En Mi
betaalde de hoogste prijs voor zijn vergissing. Wat zou hij g
willen dat hij dat allemaal kon veranderen. De avond dat hij
bekend had dat hij niet van haar hield, niet van haar *kon* hou
op de manier die ze hoopte, had ze hem laten geloven dat ze
steeds van hem hield. Maar er was sinds die tijd heel wat water
zee gestroomd. Ze leefden nu al vier maanden langs elkaar h
Het leek wel een mensenleven. Hij wist niet meer wat ze v
hem voelde. En ergens wilde hij het ook niet weten.

Hij werd overspoeld door een emotie die hij niet helemaal
thuisbrengen, maar het was een bekend gevoel. Hij voelde
zoals hij zich als klein jongetje had gevoeld, als zijn ouders
afzetten voor een week zomerkamp. *Hij had heimwee.* Alleen
thuiskomen altijd de oplossing voor heimwee geweest. Maa
was thuis, en hij had de ergste aanval van heimwee die hij
gehad had – zonder te weten hoe of waar hij een oplossing m
vinden.

Met een zucht liep hij door naar de woonkamer, op zoek
de krant. Hij had zelden tijd om meer te lezen dan de kop
en het weerbericht. Misschien kon hij hem uitlezen, terwij
wachtte tot het eten klaar was.

Mickeys kat zat voor de bank naar hem te kijken.

'Wat is er?' zei hij hardop, alsof de kat antwoord kon geven.

'Wat zei je, Doug?' riep Mickey uit de keuken.

'Niks. Ik had het tegen Sasha.'

Daar moesten Mickey en de meisjes om lachen.

Hij sloeg de krant open en hoorde Phils woorden in zijn ho
'*Zoek een manier – hoe klein ook – om iemand anders te dienen.*'
keek naar de keuken, waar Mickey druk in de weer was bij de
en de koelkast, terwijl ze tegelijkertijd een oogje op Harley h
Ze had de hele dag op het kinderdagverblijf gewerkt, maar

ze na thuiskomst gekookt en voor de kinderen gezorgd. Ze
d het allemaal zonder te klagen, opgewekt zelfs. Hij deed zijn
om haar te helpen op de avonden dat hij niet tot laat op het
aan het werk was, maar eerlijk gezegd kwamen het huishou-
en de kinderen voornamelijk op haar...
Au!'
Mickeys kreet en het geluid van de dichtklappende ovendeur
en hem opspringen. 'Wat is er gebeurd?'
e stond bij de gootsteen en hield haar hand onder de koude
n. Hij merkte dat ze haar uiterste best deed om niet te huilen.
Wat is er gebeurd?'
e kromp ineen. 'Ik heb mijn hand gebrand aan die stomme
n.'
Hij boog zich over de gootsteen. 'Laat eens kijken...'
e hield haar hand omhoog. Op de rug van haar hand zat een
ke striem, waar al een blaar op verscheen.
onder erbij na te denken bracht hij haar natte vingers naar zijn
en en kuste ze, zoals hij gedaan zou hebben als ze een van zijn
ne meisjes was geweest. Toen het tot hem doordrong wat hij
gedaan, werd zijn gezicht rood en wachtte hij tot ze haar hand
wegtrekken.
Maar dat deed ze niet. Hun ogen ontmoetten elkaar en er ge-
rde iets tussen hen – iets wat hem tegelijkertijd bang en blij
kte. Het deed hem denken aan die eerste keer dat ze de kin-
n thuisgebracht had van het kinderdagverblijf omdat hij te laat
en dat ze was blijven eten. Alleen voelde hij zich deze keer
schuldig over wat hij ervoer. Dit was zijn vrouw.
ij inspecteerde de wond. 'Ziet er pijnlijk uit. Dat moet je nog
een poosje koelen.' Hij pakte een schone theedoek. 'Kom...'
Nog altijd met haar gewonde hand in de zijne nam hij haar mee
r de gang naar de badkamer. Hij deed de kraan aan en controle de temperatuur. Toen stak hij haar hand voorzichtig onder
auwe waterstraal. Terwijl zij haar hand koelde, zocht hij in het
icijnkastje naar iets wat hij op de kapotte blaar kon doen. Hij

liet zijn ogen over alle etiketten gaan, maar begreep niets van
hij las. Na een poosje reikte Mickey met haar andere hand om l
heen.

'Hier, probeer dit maar.' Ze deed het deurtje dicht.

Terwijl ze hem het bruine flesje waterstofperoxide toestak,
hij haar blik in de spiegel. Ze keek hem met geamuseerde nieu
gierigheid aan. 'Eh... jij was toch ooit ambulanceverpleegkundi
Haar grijns werd breder, en in haar ogen verschenen de pretlich
die hij zich van lang geleden herinnerde.

Hij pakte het flesje van haar aan en draaide het met onhan
vingers open. 'Ik ben het blijkbaar helemaal verleerd. Kom
hier met die hand.'

Hun ogen ontmoetten elkaar weer in de spiegel en haar
drukking werd ernstig. 'Alsjeblieft.'

Ze wendde haar blik af en hij depte haar hand voorzichtig d
rond de brandwond, waarna hij de schade opnam. 'Nou, ik
goed en slecht nieuws.'

'O?'

'Het goede nieuws is dat je het volgens mij wel overleeft.'

'Poe, dat is een hele opluchting. En, eh... het slechte nieuw

Hij hield haar hand boven de wasbak en hield het flesje sch
'Dit gaat verschrikkelijk prikken.'

Ze kromp bij voorbaat al ineen. 'O... au, oe... au!' Maar
schroomvallige, onmiskenbare lachje in haar ogen deed hem
pen dat ze niet alleen maar pijn voelde. Dat ze hetzelfde voeld
wat zich in hem roerde.

Hij blies met korte stootjes over haar hand en om een re
die hij nog niet helemaal begreep, voelde hij zich met ieder ad
stootje lichter worden. Steeds lichter, tot hij dacht dat hij ook
kelijk op zou stijgen.

:key haalde een doekje over werkbladen, die al helemaal schoon
en en voelde zich een beetje schuldig dat ze Dougs gesprek
isterde – ook al deed hij geen enkele moeite om zachtjes te
en.

Oké, prima. Tot straks. Bedankt, Harriet.' Hij hing op en keek
: haar. 'Harriet wil de kinderen het hele weekend. Vind je dat
d?'

a, hoor.' Kayes moeder kwam om de paar maanden over uit
ida en logeerde dan bij haar zus in Salina. Doug zorgde er altijd
r dat ze de kinderen zo vaak mogelijk zag als ze in Kansas was.
ar het was ongebruikelijk dat hij Mickeys toestemming vroeg
: zijn plannen.

ij gaat dit weekend naar je broers, hè?'

e knikte. Er was iets aan de hand.

k vroeg me af...' Hij liet zijn hoofd even zakken, maar keek
toen recht aan. 'Zou je het leuk vinden als ik mee ga deze
?'

Ioe goed zij en Doug de laatste paar maanden ook met elkaar
gingen, ze had de hoop allang opgegeven dat de familie DeVore
naar familie ooit een harmonieus geheel zouden vormen. Ze
de verbazing niet uit haar stem weren. 'Ik, ik zou het heerlijk
len.'

Iij verbeet een lachje. 'Ja, maar zouden je broers het ook heer-
vinden?'

e grijnsde. 'Waarschijnlijk niet zo heerlijk als ik. Maar ik denk
dat ze je eruit zullen schoppen.' Ze aarzelde even. 'Mag ik vra-
... waar die plotselinge verandering vandaan komt?'

Iij haalde zijn schouders op. 'Ik heb zitten nadenken.'

'Waarover?'

Er kwam een afwezige blik in zijn ogen. 'Over een helel dingen.'

'Oké…' Thanksgiving, toen het een jaar geleden was dat K en Rachel gestorven waren, was een keerpunt geweest voor en Doug. Eigenlijk al daarvoor. Maar toen de gedenkdag voc was, hadden ze op de een of andere manier weer de weg te gevonden naar de vriendschap die ze in het begin gehad had en iedere dag voelde ze zich weer een klein beetje dichter bij l dan de dag ervoor.

Maar de laatste paar dagen had hij een beetje neerslachtig leken, of wat het ook was. Soms zorgden Harriets bezoekjes v een terugslag. Maar volgens haar was dat niet wat hem deze dwarszat. Dit was iets anders, iets waar ze niet goed haar vinge kon leggen. En het baarde haar zorgen. 'Is… is alles goed met

Hij haalde diep adem. 'Mickey, ik zou graag met je willen ten… over… bepaalde dingen.'

Ze knikte en probeerde te glimlachen, maar een vreemde a kreeg haar in zijn greep, en er schoten wel honderd mogelijk den – geen van alle aangenaam – door haar hoofd, die probeer wortel te schieten.

'Ik heb tegen Harriet gezegd dat ik de kinderen voor het bij haar en tante Bess breng. Zal ik wat te eten voor ons meene nadat ik ze afgezet heb?'

'Graag.' Ze forceerde een lachje. 'Je kent me: ik laat de kans niet de keuken in te hoeven nooit schieten.'

Hij rechtte zijn schouders en zijn gezicht klaarde op. 'Moo Ik zorg voor het eten.' Hij keek uit het keukenraam. 'Missch kunnen we buiten eten.'

Ze volgde zijn blik naar de volmaakt blauwe lucht. 'Als het te snel afkoelt, zou dat heerlijk zijn.'

Om zes uur hoorde Mickey de garagedeur. Met een vreemd veus gevoel controleerde ze nog even vlug haar haar in de s

'an de bijkeuken. Ze bracht zo zelden tijd alleen met Doug
.

*Vader, laat dit weekend alstublieft goed gaan. Help ons alstublieft om
on van elkaar te genieten, en om dichter naar elkaar en naar U toe te
'n.*

ie korte gebeden gedurende de dag waren net zo vanzelfspre-
geworden als ademhalen. Naarmate Doug dominee Grady
bezoeken, was hij met haar en de kinderen gaan bidden. Niet
n voor het eten, maar ook als de kinderen naar bed gingen. Het
n eenvoudige gebeden, maar ze raakten haar diep en spoorden
aan haar eigen relatie met God te verdiepen.

oug hield een zak van Arby omhoog. 'Ik heb je lievelingsmaal-
neegenomen. En het weer is perfect. Het was vanmiddag 18
en. Ik stem voor die picknick.'

)ké.' Ze pakte vlug een paar flesjes water uit de koelkast en
een jas en het picknickkleed pakken.

ij spreidde het kleed uit op de grond en ze aten in stilte, terwijl
an de zangvogels en de warmte van de ondergaande zon op
rug genoten.

: hebt er hier echt iets leuks van gemaakt, Mickey,' zei hij met
mond vol rosbief.

ickey volgde zijn blik naar het hoekje van de achtertuin, dat
s haar tuin opgeëist had. Een paar dingen, de floxen en de
htkaarsen, begonnen net een beetje op te komen, genoeg om
:ker van te zijn dan in elk geval een paar van de planten die
vergeplant had, waren aangeslagen. Maar ze wist dat Doug het
over de planten zelf had.

p dit moment was alleen de structuur van de tuin nog maar
tbaar: de rotstuin die ze had aangelegd voor de sedum, het
eltje, dat ooit begroeid zou zijn met rozen, het stenen paadje
Doug en de kinderen haar hadden helpen aanleggen. Dat
:n de enige dingen waar de tuin nu op kon bogen. En toch
den ze met het voorjaar in het verschiet al hun eigen schoon-
l.

'Het zal deze zomer echt mooi zijn,' zei hij, alsof hij haar dachten gelezen had.

Terwijl de zon achter de horizon zakte, kwam er een zacht b je opzetten. Mickey huiverde en trok een hoekje van het pickn kleed over haar benen.

'Heb je het koud?'

'Een beetje. Het gaat wel.'

'Wil je naar binnen?'

Ze schudde haar hoofd. 'Ik geniet hiervan.'

'Een ogenblikje.' Hij sprong op. 'Ik ben zo terug.'

Even later kwam hij terug met een van de oude quilts di achter in de Suburban hadden liggen voor een noodgeval i winter – of een zomerpicknick. 'Alsjeblieft.' Hij ging achter staan en ze voelde hoe hij de quilt om haar schouders sloeg.

'Mmm, dat voelt goed. Dank je.'

De zon verdween en liet een waas van vaalblauw achter ir westen. In de verte begonnen krekels zachtjes te sjirpen.

Doug hield zijn hoofd schuin en luisterde even. 'Het is nog a bijna tien graden.'

Ze fronste haar wenkbrauwen. 'Hoe weet je dat?'

'Door de krekels.'

'Hè?'

'Als je telt hoeveel keer ze sjirpen, weet je de temperatuur.'

'Ga weg.'

'Wist je dat niet?'

'Je houdt me voor de gek.' Plotseling herinnerde ze zich w dag het was. 'Het is zeker een 1 aprilmop?'

Hij schoot in de lach. 'Nee, ik meen het. Je leest de boerenal nak kennelijk niet.'

'Nee, maar ik lees de *National Geographic*, en ik kan me niet herinneren dat ik ooit iets gelezen heb over krekels di temperatuur aangeven.' Ze hield haar hoofd ook iets schuin luisterde. Het enige wat ze hoorde was een onafgebroken gons. Ze keek hem met samengeknepen ogen aan. 'Goed, ik

›p. Hoe tel je het gesjirp van krekels?'

uister nog eens.' Hij stak een vinger in de lucht en telde ge-
ɔos. *Een, twee, drie, vier, vijf...*

: knikte. Nu ze hem hoorde tellen, kon ze het gesjirp min of
· onderscheiden.

oed,' zei hij. 'Jij telt tot veertien – stilletjes, in jezelf – en ik tel
;esjirp.'

un blikken haakten in elkaar, terwijl zij zachtjes telde en hij
ers opstak voor iedere sjirp. '... zes, zeven, acht...'

: stak haar hand op toen ze bij de veertien was. 'De tijd is
bij.'

ɩet is negen graden.' Hij knikte, alsof het een uitgemaakte zaak

: wierp hem een twijfelachtige blik toe. 'Hoe kom je op negen
en?'

ij liet zijn wenkbrauwen op en neer gaan. 'Je moet de geheime
ule kennen.'

n die is?'

el het aantal keer sjirpen in veertien seconden en tel daar één
p.'

: liet de quilt van haar schouders glijden, sprong op en rende
de andere kant van het rozenprieeltje, waar ze een buitenther-
neter had opgehangen. 'Exact negen graden. Wat gaaf!'

ij schoot in de lach en zette een hoge borst op.

e kwam terug en ging in kleermakerszit op het kleed zitten.

Vil je die?' Hij gebaarde naar de quilt.

Graag.' Hij schudde hem uit en wikkelde hem weer om haar
uders. Het deed haar denken aan de manier waarop hij Harley
mutsje opdeed.

e wilde het moment niet bederven, maar haar nieuwsgierigheid
g de overhand. 'Je zei dat je ergens met me over wilde praten.'

ij keek bedachtzaam en even was ze bang dat hij zou zeggen:
t maar zitten.'

ı plaats daarvan stond hij op en knielde voor haar neer op het

kleed. Terwijl hij zijn ogen dichtdeed, alsof hij op het punt s
in ijskoud water te duiken, pakte hij haar handen.

Ze smolt bij de warmte van zijn aanraking.

Een hele poos bleef hij zo zitten en wreef met zijn duimen
haar handen. Ze keek hem aan, terwijl ze zich afvroeg waa
heen ging, en besefte dat hij zijn uiterste best deed om zijn em
te bedwingen.

'Doug? Wat is er?'

Hij haalde adem en fluisterde haar naam. 'Dit klinkt vast
beetje gek, mevrouw DeVore.' Hij grijnsde, plotseling weer
zelf. 'Maar ik wil – ik wil je al een hele poos – vragen of je me
wilt trouwen.'

Ze deed haar mond open om iets te zeggen, maar de woo
wilden niet komen. De tranen wel, die drupten uit haar oger
wuifde met haar hand voor haar gezicht in een poging het snil
te bedaren. Ze wist niet of ze huilde van opluchting of van h
of van pure vreugde.

Doug sloeg zijn armen om haar heen.

Behalve in haar dromen was het bijna een jaar geleden da
haar zo vastgehouden had. Maar o, het voelde precies zoals ze
zich herinnerde.

Hij trok zich een beetje terug en legde een hand onder haar
'Hé, hé, het was niet de bedoeling dat je daarom zou gaan h
Wat is er?'

'O, Doug.' Nu lachte ze door haar tranen heen.

Hij hield haar vast en klopte haar op haar rug, door de
heen. 'Gaat het wel met je?' Er klonk oprechte bezorgdheid
in zijn stem.

Ze knikte. 'Ik huil omdat ik blij ben.'

'Weet je het *zeker*?'

Ze knikte weer. 'Ik heb nog nooit iets zo zeker geweten in
leven.'

Hij liet zich op het kleed zakken en trok haar dicht tegen
aan. 'Ik wil het deze keer goed doen, Mickey. Ik wil dat je die b

net alles erop en eraan krijgt en die mooie, witte trouwjurk
: altijd wilde.'
n woorden raakten haar zo diep dat het pijn deed. Maar ze
lde haar hoofd. Ze wist wat ze wilde. En dat waren niet de
en waar hij aan dacht.
oug, wat ontzettend lief van je om dat aan te bieden. Een jaar
len zou ik een gat in de lucht gesprongen zijn. Maar nu niet
. Ik denk dat het daar te laat voor is.'
jn arm gleed van haar schouder en ze realiseerde zich dat hij
erkeerd begreep.
: lachte zachtjes en trok zijn arm weer om haar schouder. 'Laat
ven uitpraten. Ik wil... ik wil de bruidegom. O, ik kan je niet
en hoe graag ik de bruidegom wil.'
: stak haar hand uit en omvatte zijn stoppelige wangen. *Haar*
De tranen begonnen weer te stromen. 'Maar al die andere
en hoef ik niet meer – de jurk, de mooie bruiloft – waar het
om gaat heb ik al. Alles wat echt belangrijk is.'
j boog zijn hoofd tot zijn lippen haar vingertoppen raakten.
it een ja?'
: knikte en glimlachte tot haar gezicht er pijn van deed.
: hou van je, Michaela DeVore. Ik hou al een tijdje van je. Ik
niet of je het gemerkt hebt.'
: begon het te vermoeden.' Ze trok zich terug en nam de jon-
ichtige grijns die hij haar toewierp in zich op.
let enige wat ik nu nog zou willen is...' Ze aarzelde, plotseling
gen.
/at?' Het verlangen in zijn ogen – nog altijd met een sprankje
ksheid erin – maakte haar duidelijk dat hij hoopte dat ze pre-
dat zou zeggen wat ze wilde zeggen.
angezien we al getrouwd zijn...?'
ij hing aan haar lippen. 'Ja?'
: ben eenzaam. 's Nachts. Ik mis jou in mijn bed. Denk je dat
. uiteindelijk... ook weer aan dat aspect van ons huwelijk
ien werken?'

Hij trok zich terug en kneep zijn ogen tot spleetjes. Ma
kon de glinstering erin niet voor haar verbergen. 'Dit is toch
eenaprilgrap, hè?'

Ze trok net zo'n gezicht als hij. 'Zou ik over zoiets een g
maken?'

Als reactie begonnen duizenden krekels vrolijk te sjirpen.

Van de auteur

. man zegt weleens voor de grap dat we dertig jaar gelukkig uwd zijn – en de andere vier jaar niet zo gelukkig. Daar zit grond van waarheid in. Het huwelijk is een geweldige instel-en een van de grootste zegeningen in mijn leven, maar het : me soms voor grote uitdagingen geplaatst. Als u getrouwd , ooit getrouwd bent geweest, of ooit hoopt te trouwen, zult u problemen meegemaakt hebben (of nog meemaken) die lijken le moeilijkheden waarmee Doug en Mickey geconfronteerd len in *Weerklank*.

oe heeft onze Schepper het huwelijk bedoeld? God heeft ve-/an ons tot het huwelijk geroepen, en het is Zijn plan dat het elijk een liefdevolle, bevredigende en lonende relatie is. God Het is niet goed dat de mens alleen is, Ik zal een helper voor maken die bij hem past' (Genesis 2:18). De Bijbel herinnert er minstens vier keer aan dat 'een man zich zal losmaken van vader en moeder en zich hechten aan zijn vrouw, met wie hij van lichaam wordt.'

aar we leven in een gebroken wereld, en helaas oogsten heel huwelijken de gevolgen van zonde en kwaad.

isschien is uw huwelijk, net als dat van Mickey en Doug, niet u zich ervan voorgesteld had. Misschien bent u zelfs bang dat n vergissing begaan hebt toen u met uw partner trouwde. dat zo is, dan lijdt u daar waarschijnlijk onder. Maar er is l nieuws: Jezus Christus houdt Zich bezig met het herstel-van kapotte huwelijken, het samenbrengen van mannen en wen die verlangen naar een metgezel voor het leven, en het wen aan blijvende, gelukkige huwelijken. Waarom geeft u uw onde hart en de brokstukken van uw relatie niet aan God om te zien of Hij geen wonder voor uw ogen wil doen?

Het zal tijd kosten. Misschien hebt u het gevoel alsof u procent geeft en uw partner niets. Maar ik heb vaak wonc zien gebeuren als een van de huwelijkspartners besluit om G vertrouwen en zijn of haar partner lief te hebben zoals ze op trouwdag beloofd hebben: in goede en slechte tijden, in ziek gezondheid, tot de dood hen scheidt.

Of u nu verlangt om te trouwen en de juiste persoon nog ontmoet hebt, of dat u nog maar net getrouwd bent of al nege zeventig jaar, zoals de grootouders van mijn man, of uw huw nu fantastisch is of slecht, laat vandaag de eerste dag zijn van beter huwelijk – en een beter leven – dan u ooit voor mog hebt gehouden.

Dankwoord

olgende mensen wil ik oprecht bedanken voor hun aandeel in tstandkoming van dit verhaal:

or hun hulp bij research, proeflezen en 'schrijverssteun' ben ijn goede vriend Terry Stucky, mijn ouders Max en Winifred r, mijn dochter Tobi Layton en mijn geweldige vriendenkring Club Deb zeer dankbaar.

wil de vriendelijke mensen in The Swedisch Country Inn in sborg, Kansas, bedanken, waar de ideeën voor de Clayburn-en ontstaan zijn.

ary, Adriana, Christy en de rest van het personeel van Lincoln jullie maken mijn dinsdagochtenden bijzonder (en jullie va-koffie is overheerlijk).

weet niet of ik ooit een boek zou kunnen afronden zonder de ctieve wijsheid en het brainstormen van de afdeling Midwest ChiLibris. Ik hou van jullie, jongens.

ijn collega Tamera Alexander, die me kritische feedback geeft: nkt voor je scherpe blik en je creatieve geest. Bedankt dat je itiek en onze gesprekken altijd lardeert met een dosis van je ijke gevoel voor humor. Maar bovenal: bedankt voor het ge-nk van je vriendschap.

vee mensen die ik al heel lang had moeten bedanken zijn inee James Hoover en wijlen dominee Harmon Lackey. De woorden die zij voor mijn man en mij hadden toen we op unt stonden om te gaan trouwen, zijn wij nooit vergeten. Ze en vaak in enige vorm hun weg gevonden in mijn verhalen.

wil mijn diepe waardering uitspreken voor mijn agent, Steve e, die mij het gevoel weet te geven dat ik zijn enige cliënt en voor mijn talentvolle redacteurs Dave Lambert en Philis

Boultinghouse bij Howard Books; en ook voor Ramona Ca
Tucker, met wie het zo prettig samenwerken is, zelfs als er
meedogenloze deadline nadert.

Onze fantastische kinderen die mij altijd steunen, en onze
familie: wat een geschenk van God zijn jullie allemaal. Ik ben
beschrijflijk gezegend.

En mijn man Ken… ik kan het niet vaak genoeg zeggen: ik
van je, schat. Nog altijd.